D0415920

L'enfant du chantage

MARGOT DALTON

L'enfant du chantage

HARLEQUIN

LES BEST-SELLERS

Si vous achetez ce livre privé de tout ou partie de sa couverture, nous vous signalons qu'il est en vente irrégulière. Il est considéré comme « invendu » et l'éditeur comme l'auteur n'ont reçu aucun paiement pour ce livre « détérioré ».

Cet ouvrage a été publié en langue anglaise sous le titre :
FIRST IMPRESSION

Traduction française de
ELENA ROLLAND

HARLEQUIN ®
est une marque déposée du Groupe Harlequin
et Les Best-Sellers ® est une marque déposée d'Harlequin S.A.

83-85, boulevard Vincent-Auriol, 75013 Paris — Tél. : 01 42 16 63 63
ISBN 2-280-16481-7 — ISSN 1248-511X

NOTE DE L'AUTEUR

Ce livre est une œuvre de fiction. Il n'existe pas de commissariat de Northwest rattaché au département de police de Spokane, et les personnages de ce roman sont purement imaginaires. Si le principal souci a été d'offrir au lecteur une description fidèle du métier d'inspecteur de police, l'auteur a pris, pour les besoins de l'intrigue, quelques libertés concernant les procédures judiciaire et administrative.

L'auteur remercie vivement le commissaire James Earle de la police de Spokane, et le commissaire en retraite L. K. Eddy de la Gendarmerie Royale du Canada pour leur généreuse collaboration. Toute erreur ou inexactitude éventuelle dans cet ouvrage n'impliquerait pas leur responsabilité mais celle de l'auteur.

1.

Penchée dans sa douche, Jackie Kaminski était occupée à se raser les jambes... Un vrai gâchis, elle devait bien le reconnaître ! Pour commencer, la lame était émoussée et avait besoin d'être remplacée. Et même quand elle était neuve, Jackie manquait toujours de patience pour en finir avec ce supplice !

— Zut ! gronda-t-elle tout bas.

Elle venait de se couper à la cheville, et un mince filet de sang coula sur les carreaux mouillés, se mélangeant au jet de la douche. Elle se pencha pour arracher un morceau de papier hygiénique, pressa ce tampon improvisé contre l'entaille, puis elle sortit sur le tapis de bain et commença à sécher son corps svelte et musclé.

A trente-deux ans, Jackie alliait une allure sportive à une silhouette de rêve qui faisait siffler d'admiration les chauffeurs de camion et les ouvriers du bâtiment... Sauf, bien sûr, quand elle était en uniforme ! Jetant un regard sur son reflet dans la glace à moitié embuée par la vapeur, elle tenta de se rappeler depuis combien de mois un homme ne l'avait pas contemplée nue... Il est vrai que, ces derniers temps, elle avait été trop surchargée et souvent trop épuisée pour ce genre d'aventures !

Elle brancha le séchoir et le dirigea sur ses boucles noires et brillantes, se demandant vaguement si elle devait se laisser pousser les cheveux. Elle les gardait encore assez courts pour se conformer au règlement du personnel féminin de la police en tenue. Sa chevelure encadrait négligemment son visage, tombant en vagues soyeuses jusqu'au col de son chemisier. L'ensemble avait l'air charmant et soigné — mais, décidément, manquait de style ! Deux ans auparavant, elle était enfin devenue inspecteur et avait commencé à travailler en civil. Elle aurait donc pu donner plus de liberté à sa coiffure si elle l'avait voulu... mais une habitude de douze ans a la vie dure ! D'ailleurs, elle n'attachait pas suffisamment d'importance à son physique pour y consacrer plus de quelques instants de réflexion.

Elle vit que sa cheville saignait toujours, maculant de rouge le bout de papier mouillé. Elle termina de sécher ses cheveux, puis finit par dénicher un pansement. Après l'avoir fixé sur l'entaille, elle enfila d'épaisses chaussettes blanches, un pantalon de jogging gris et le sweat-shirt assorti, orné de l'écusson de la police de Spokane. Enfin, elle prit un roman noir, sa lettre inachevée à une amie restée à Oakland et le brouillon du rapport mensuel qu'elle devait rédiger. Après un instant de réflexion, elle sortit une banane et deux pommes du réfrigérateur et les fourra dans un sac en plastique. Sage précaution, car sa voisine ne pensait pas toujours à remplir sa coupe à fruits !

Puis, sans prendre la peine de se chausser, Jackie sortit de son appartement, traversa le palier à pas feutrés et frappa.

— Jackie ? fit une voix de l'autre côté de la porte.

— C'est moi.

La porte s'ouvrit, et Jackie se laissa entraîner à l'intérieur par une petite brune au sourire chaleureux.

— Tu es tellement gentille, Jackie ! s'exclama Carmen en l'étreignant. Consacrer ta soirée de vendredi à faire du baby-sitting pour moi... En même temps, je suis vraiment ravie de pouvoir sortir !

— Voyons, ce n'est rien, protesta doucement Jackie. Le vendredi soir ne veut pas dire grand-chose pour moi. Cet été, je suis de service tous les week-ends. D'ailleurs, qu'aurais-je fait d'autre ?

Carmen secoua la tête avec réprobation, l'air de dire qu'il ne tenait qu'à Jackie d'en décider autrement.

— Bon, j'ai couché Tiffany, déclara-t-elle. La petite ne se réveillera pas de la soirée. Tu seras tranquille.

Elle disparut dans sa chambre en annonçant qu'elle allait se faire une beauté. Jackie en profita pour poser ses fruits, son livre et ses papiers sur le canapé vert défraîchi. Puis elle sortit une pomme et traversa le living afin d'aller jeter un coup d'œil dans l'unique pièce d'à côté. Avec la candeur de ses quatre ans, la petite Tiffany y dormait sous une couverture rose toute froissée, entourée par un tas de peluches.

— J'espérais que nous aurions un peu de temps pour jouer à la bataille, Tiffany et moi !

— A quoi bon ? répliqua Carmen. Elle te bat toujours !

Jackie éclata de rire.

— Eh, dis, je m'améliore ! J'ai même réussi à gagner dernièrement... Alors, quand est-ce qu'il arrive, le prince charmant ?

— Dans une dizaine de minutes. Il te plaira, j'en suis sûre ! poursuivit Carmen avec conviction. Tony n'a pas vraiment le look d'un bourreau des cœurs, et il serait sans doute mieux avec quelques kilos de moins... mais il est tellement gentil avec moi et la petite !... Il dirige sa boulangerie...

— S'il a une bonne situation et qu'en plus il est gentil avec toi, je l'aime déjà ! acquiesça Jackie en mordant dans sa pomme.

Elle regagna le living et se laissa tomber sur le canapé, jetant un regard distrait sur le téléviseur allumé. En reconnaissant l'officier de police interrogé par le journaliste de la chaîne, elle écarquilla les yeux de stupeur.

— Que fait Kent Paxton à la télévision ? demanda-t-elle à Carmen.

Celle-ci réapparut dans la pièce, rajustant d'une main une

longue boucle d'oreille, arborant dans l'autre un escarpin à haut talon.

— Ouah ! Qu'il est mignon ! s'exclama-t-elle en contemplant le jeune visage grave du policier. Tu le connais ?

— Bien sûr. Nous dépendons du même commissariat. Mais que se passe-t-il ?

— Il s'agit probablement du petit garçon qui a été enlevé dans le centre commercial du Nord. La mère s'apprête à lancer un appel aux ravisseurs... Tu n'as donc pas regardé les infos ?

— J'ai horreur de rester postée devant la télé quand je suis seule à la maison, répondit Jackie négligemment, les yeux toujours rivés à l'écran. J'ai écouté un concerto pour flûte sur ma chaîne stéréo.

— Un concerto pour flûte ? répéta Carmen, incrédule. Mon Dieu, Jackie ! On croirait entendre une espèce de superintello !

— C'est cela ! Une vraie superintello, c'est tout moi !... Quel âge a l'enfant ? s'enquit-elle, tandis qu'à l'écran, Kent Paxton passait et repassait devant l'entrée du centre commercial, suivi par une foule de journalistes et de cameramen.

— Trois ans. Apparemment, sa mère l'a quitté des yeux à peine une minute. Le temps de se retourner, l'enfant avait disparu... Volatilisé ! Ils ont déjà diffusé un flash régional et lancé un appel à témoins... La pauvre femme ! Comment peut-elle supporter une chose pareille ? Si cela arrivait à Tiffany, je... j'en mourrais !

Jackie continua de scruter l'écran où son jeune collègue indiquait à présent les différentes entrées du centre et expliquait les mesures prises par la police pour trouver le ravisseur. Cependant, Carmen enfilait son autre escarpin et jetait un coup d'œil critique sur son reflet dans le miroir installé au-dessus du canapé.

— Comment me trouves-tu ? demanda-t-elle.

— Superbe !

Carmen était coiffeuse à côté du commissariat. Elle et Tiffany remplaçaient pour Jackie la famille aimante qui lui manquait tant dans cette ville... comme partout ailleurs, songea-t-elle avec une pointe d'amertume. La voix émue de Carmen la tira soudain de sa rêverie.

— Voilà la mère ! La malheureuse !

Acquiesçant en silence, Jackie étudia la jeune femme. Grande et mince, vêtue d'un chemisier blanc, d'un gilet et d'un jean délavé, elle devait approcher la trentaine. Elle avait des yeux bleus, un visage aux traits fins et de longs cheveux blonds tirés en arrière. On pouvait voir ses lèvres trembler, et le regard qu'elle lança au policier trahissait une terrible angoisse. Celui-ci l'encouragea d'un mouvement de tête, et la jeune femme fit face à la caméra.

— Je suis Leigh Mellon, murmura-t-elle. Mon fils... mon fils s'appelle Michael Panesivic. Il a tout juste trois ans. S'il vous plaît, si quelqu'un sait où il est, pourriez-vous...

Comme son visage apparaissait en gros plan, elle s'interrompit et baissa les yeux, manifestement sur le point d'éclater en sanglots. Le policier lui entoura les épaules d'un geste protecteur. Clignant des yeux pour retenir ses larmes, la jeune femme poursuivit :

— Ne faites pas de mal à mon enfant !... S'il est avec vous ou si vous savez où il est, ramenez-le au commissariat le plus proche. Vous pouvez le laisser et repartir aussitôt, jamais personne n'apprendra qui vous êtes ! Vous n'avez rien à craindre...

Impitoyablement, la caméra s'attardait sur le visage de Leigh Mellon tandis qu'elle terminait son appel. Enfin, la jeune femme s'écarta, remplacée sur l'écran par le présentateur du journal local qui montra une photo de l'enfant et réitéra la demande d'informations à son sujet.

— Oh ! Tu crois qu'ils finiront par le retrouver ? s'écria Carmen.

Elle s'était assise à côté de Jackie et pleurait sans retenue, le visage barbouillé par le Rimmel et le rouge à lèvres qu'elle venait de mettre avec tant de soin. Jackie tira deux mouchoirs en papier de la boîte posée sur le guéridon, en donna un à Carmen, puis enveloppa son trognon de pomme dans l'autre. Elle songeait toujours à l'appel poignant de Leigh Mellon et à son visage pathétique ravagé par l'angoisse.

— Bien sûr, Carmen, finit-elle par répondre. Ils le retrouveront...

Quelques minutes plus tard, Tony vint emmener Carmen pour la soirée, et Jackie continua à regarder l'émission spéciale dans un silence songeur, regrettant sa promesse de garder Tiffany. Bien qu'elle ne fût pas de service, elle aurait aimé prendre sa voiture, se rendre sur le lieu du drame et se porter volontaire pour les recherches. Elle savait qu'une longue nuit mouvementée attendait la police et le personnel de sécurité du centre commercial...

Leigh Mellon se tenait près de l'entrée du centre, les yeux fixés sur l'équipe de télévision dont la camionnette suivait le maître-chien de la police et son berger allemand. Le puissant animal tirait sur sa laisse et poussait des grognements d'excitation tandis qu'il passait entre les voitures en stationnement. C'était le dernier jour de juin, et le soleil couchant baignait encore l'horizon, inondant le parking d'un flot d'or rougeoyant. Le vent, qui commençait à fraîchir, balayait le pavé sale et soulevait des tourbillons de poussière et de détritus. Leigh frissonna, serrant frileusement les bras, puis elle se tourna vers le jeune officier de police.

— Ça a été... J'ai été bien?

— Vous avez été parfaite, répondit-il avec un sourire encourageant. Comme je vous l'ai dit, ce qui importe dans un appel au public, c'est d'alerter les gens pour qu'ils nous signalent tout ce qui leur semble sortir de l'ordinaire. Mais il faut surtout éviter d'effrayer le ravisseur éventuel. Si quelqu'un a enlevé votre fils, nous voulons qu'il puisse nous le rendre sans se sentir menacé... Venez, entrons ! Nous pouvons discuter dans les bureaux du centre commercial.

La poussette de Michael était juste à côté d'eux, sa petite veste jetée sur le siège. Leigh ramassa le vêtement, le retournant entre ses mains d'un air éperdu. Si petite, cette veste ! Elle était en satin rouge, avec un col et des manchettes tricotés, et une décalcomanie de Mickey dans le dos.

— Nous la lui avons achetée à Disneyland l'été dernier... Juste avant de...

A cet instant, un agent de police s'approcha de Kent Paxton et lui chuchota quelque chose à l'oreille. Les nerfs tendus à se rompre, Leigh attendit que leur conciliabule prît fin.

— Que se passe-t-il ? s'enquit-elle quand l'agent se fut éloigné à la hâte.

— Rien de grave, répondit Paxton. Nous devons rouvrir le centre, mais cela ne pose aucun problème. Nous avons placé toutes les issues sous surveillance.

— Rouvrir le centre ? Que voulez-vous dire ? Il ne ferme pas avant 9 heures...

— Depuis une demi-heure, personne n'a été autorisé à entrer ou à sortir, madame Mellon. Nous espérons que votre fils se trouve toujours à l'intérieur, et si tel est le cas, nous n'aurons aucun mal à le repérer si quelqu'un essaie de partir avec lui.

Etouffant un gémissement, elle pressa la veste contre son visage. La doublure en tissu-éponge gardait encore l'odeur de Michael, un doux mélange de talc pour enfants et d'un petit corps bien vif à la peau dorée par le soleil.

— Je vous en supplie, trouvez-le ! murmura-t-elle. Michael est si petit... Et il ne supporte pas d'être séparé de moi ! Il pleure toujours quand je le laisse avec la baby-sitter le matin avant de partir au travail. Je me demande comment il va...

— Ne vous inquiétez pas, madame Mellon. Nous le retrouverons. Entrez, voulez-vous ? Nous allons nous installer dans un bureau et je prendrai votre déposition. La meilleure façon d'aider Michael en ce moment, c'est de garder son sang-froid.

Leigh acquiesça de la tête et obtempéra. Les gens commençaient à s'attrouper devant les portes du centre commercial. Lorsqu'ils l'aperçurent avec la poussette vide, ils se mirent à chuchoter entre eux en lui lançant des regards compatissants. Elle savait que leur inquiétude était sincère — et pourtant elle se sentait mise à nue... Elle ne supportait pas que son agonie fût ainsi exposée à tous ces regards indiscrets. Baissant la tête, elle suivit aveuglément l'uniforme bleu marine de Paxton et éprouva un intense soulagement quand il l'introduisit dans une pièce vide et referma la porte derrière eux.

Le policier décrocha sa radio portable et signala rapidement où ils se trouvaient.

— Nous sommes au poste de sécurité du centre commercial, lui dit-il ensuite. Nous pouvons y rester pour l'instant. Désirez-vous une tasse de café ? Une autre boisson ?

Elle secoua la tête et se laissa tomber sur un siège, rapprochant d'elle la poussette. De nouveau, elle enfouit son visage dans la petite veste rouge de Michael. Torturée par le besoin irrépressible de récupérer son enfant, incapable de raisonner, elle avait l'impression d'étouffer. Luttant contre la panique qui l'envahissait, elle fixa son attention sur le policier et le regarda s'installer devant le bureau et ouvrir son calepin.

— Vous allez me donner des renseignements d'ordre général, à commencer par votre adresse ; ensuite, vous me raconterez ce qui s'est passé avant la disparition de Michael, d'accord ?

Leigh hocha la tête et fit un violent effort pour recouvrer sa voix. Enfin, elle parvint à articuler un faible « d'accord ».

— Alors, première question, vous résidez à Spokane ?

— Depuis toujours. Ma famille habite l'Etat de Washington depuis... plus de cent ans.

Le policier leva les yeux, soudain alerté.

— Votre père ne serait pas Alden Mellon, par hasard ?

Leigh acquiesça d'un air absent, tout en tortillant la fermeture Eclair de la veste de Michael. Le policier l'étudia avec intérêt avant de prendre quelques notes.

— Vos parents habitent à South Hill, n'est-ce pas ? reprit-il et, comme Leigh hochait la tête, il enchaîna :

— Et vous, madame Mellon ?

— Pas loin d'ici. Dans le Nord aussi, près de Loma Vista Park.

Elle lui donna l'adresse exacte et l'observa pendant qu'il l'inscrivait.

— Bon, dit Paxton en levant la tête. A quelle heure Michael et vous êtes-vous arrivés au centre ?

— A 6 heures environ. Nous avons mangé un sandwich à la cafétéria puis nous avons fait du lèche-vitrines.

— Et à quelle heure êtes-vous allés au magasin de jouets ?

— Juste avant 7 heures. Michael voulait...

Incapable de poursuivre, Leigh se tut un instant, la gorge serrée.

— Il a eu trois ans la semaine dernière... Ses grands-parents lui ont offert une jolie somme d'argent, et je lui ai promis d'en dépenser une partie pour acheter un jouet qui lui plairait.

— Vous lui avez donc donné la permission de choisir lui-même son cadeau ?

— Michael veut toujours tout décider par lui-même. Je... je le laisse faire parfois.

— Si je laissais faire mes gosses, ils voudraient tous des trains électriques et des jeux électroniques Nintendo, remarqua le policier avec un sourire désabusé.

Les mains crispées sur la petite veste, Leigh se balança sur son siège, réprimant un sanglot.

— Si... si seulement je ne m'étais pas éloignée...

— Courage, madame Mellon ! Essayez de garder votre calme. Que s'est-il passé après que vous l'avez amené au magasin ?

— Je lui ai montré un rayon de jouets pas trop chers en lui disant qu'il pourrait s'y promener à sa guise... que je le sortirais de sa poussette et qu'il pourrait faire son choix tout seul, comme un grand garçon. J'ai quitté le magasin avec la poussette et j'ai commencé à regarder les vêtements dans la vitrine voisine. Une robe d'été m'a plu, et je suis entrée pour en demander le prix. En même temps, j'ai continué à surveiller la porte du magasin au cas où Michael s'aventurerait au-dehors. Mais quand j'y suis retournée, il n'était plus là ! Il avait disparu..., conclut-elle d'une voix blanche.

— Pendant combien de temps l'avez-vous cherché avant de prévenir quelqu'un ?

Leigh ferma les yeux et prit une longue inspiration saccadée.

— Je ne sais plus..., balbutia-t-elle. Entre cinq et dix minutes. J'ai cherché partout à l'intérieur, puis sur le terrain de jeux devant l'entrée, et j'ai fini par parcourir la galerie dans tous les sens.

— Ensuite, vous êtes retournée dans le magasin et vous avez parlé à la vendeuse ?

— Oui. Elle m'a accompagnée à travers le magasin pendant quelques minutes encore. Après avoir inspecté l'arrière-boutique et le bureau, elle a informé le service de sécurité. Ils ont lancé un appel par haut-parleur et nous avons attendu une quinzaine de minutes en espérant que quelqu'un le retrouverait. Je suppose que c'est après cela qu'ils ont prévenu la police.

— Avez-vous remarqué quelque chose d'inhabituel pendant que vous et votre fils étiez dans le magasin ?

Leigh posa la veste sur ses genoux et lissa de ses doigts tremblants la rutilante image en satin. Faisant un violent effort sur elle-même, elle essaya de rassembler ses souvenirs.

— Il y avait juste une sorte de chahut à côté de l'entrée. Un groupe de garnements d'une dizaine d'années se bagarraient avec des épées en plastique qu'ils avaient trouvées sur un présentoir près de la porte. La vendeuse a bien essayé de les calmer... Il faut dire qu'ils étaient vraiment grossiers ! La pauvre femme avait l'air bouleversée... Pendant qu'elle s'employait à les séparer, tout le monde avait les yeux rivés sur elle.

— Mais la rixe ne s'est pas produite près de l'endroit où vous avez laissé Michael ?

Leigh secoua la tête.

— Quand j'ai vu les garçons, je me suis un peu inquiétée. Je suis revenue sur mes pas pour jeter un coup d'œil sur Michael, mais lui ne leur prêtait pas la moindre attention. Il était accroupi au milieu du passage, occupé à contempler les soldats en plastique sur les rayonnages du bas.

— Et nous avons déjà une description précise de ses vêtements..., enchaîna Paxton en consultant son calepin. Salopette Denim, T-shirt blanc à rayures rouges et tennis rouges, c'est cela ?

— Avec des lacets bleus, articula Leigh comme un automate. Est-ce que je vous ai dit que les lacets sont bleus ?

— Oui, confirma Paxton, le regard adouci par la compassion. Vous l'avez dit.

Leigh se mordit la lèvre et fixa le mur gris au-dessus de la tête du policier. Ce n'était peut-être qu'un cauchemar, songea-t-elle, désespérée. Peut-être était-elle en train de rêver... et quand elle se réveillerait, elle retrouverait Michael endormi dans sa chambre...

2.

Blottie sur son siège dans la voiture de police conduite par Kent Paxton, Leigh se sentait redevenir une toute petite fille, effrayée et sans défense. Pourtant, la nuit d'été était si douce, avec son sombre manteau parsemé d'étoiles... Songeuse, elle regarda le fragile croissant d'une lune naissante voguer au-dessus de l'horizon.

Longeant la rangée d'immeubles qui séparaient le centre commercial de son domicile, deux autres voitures les suivaient : la sienne, que ramenait un agent, et une voiture de patrouille qui accompagnait Kent Paxton. Par moments, la radio envoyait dans un grésillement sinistre de brefs messages incompréhensibles. A plusieurs reprises, Leigh surprit avec angoisse les regards inquiets que lui lançait le policier tandis qu'il répondait par monosyllabes. Ils s'approchaient de la maison lorsqu'elle l'entendit appeler le commissariat.

— Voulez-vous me trouver un agent de la section féminine qui ne soit pas de service ? demanda-t-il au dispatcheur. L'inspecteur Kaminski n'habite pas loin d'ici. Si vous arrivez à la joindre, dites-lui de venir passer la nuit avec Mme Mellon.

— Oh non, protesta Leigh, cependant que tout son corps se raidissait d'appréhension. Vraiment, je n'ai pas besoin que l'on me tienne compagnie...

— S'il s'agit d'un kidnapping, les ravisseurs pourraient

vous contacter pendant la nuit, insista doucement le policier. Je ne veux pas que vous restiez seule à la maison.

— Mais il y a ma sœur, Adrienne... Je suis sûre qu'elle pourra venir. Ce soir, elle participe à un gala de charité, mais elle sera bientôt chez elle.

— Si nous réussissons à la contacter, ce sera parfait. Sinon, nous trouverons quelqu'un pour rester avec vous.

Manifestement, il était inutile de discuter avec lui, songea Leigh avant de sombrer dans un morne silence.

Cependant, ils arrivaient devant la maison. Paxton descendit de voiture et alla ouvrir le garage pour que l'agent puisse y parquer le véhicule de Leigh. Les deux policiers échangèrent quelques mots, après quoi la voiture de patrouille démarra en trombe et s'évanouit dans l'obscurité. Pour éviter la poignée de journalistes attroupés près de la clôture, et qui ne demandaient qu'à s'approcher, Paxton poussa Leigh dans le hall d'entrée et referma la porte.

— Vous m'avez dit que vous auriez besoin d'une autre photo de Michael ? remarqua-t-elle.

— S'il vous plaît. Et si vous pouvez en ajouter quelques-unes de vous et de vos proches, ce sera parfait. Celle de votre mari surtout... Où se trouve la cuisine ? Je vais préparer du café pendant que vous vous occuperez de rassembler les photos.

Leigh le conduisit dans la cuisine, sortit un pot de café moulu et un filtre, puis monta à l'étage supérieur. De retour dans la cuisine, elle trouva Paxton assis devant la table, en train de prendre des notes, la veste de son uniforme suspendue au dossier de la chaise. Le café s'égouttait lentement dans la cafetière, et Leigh tira un léger réconfort de ce son rassurant qui brisait le silence de la nuit. Elle prit deux tasses, de la crème, du sucre et une boîte de biscuits d'avoine, et disposa le tout sur la table avec des gestes d'automate. Son esprit était paralysé par l'anxiété.

— Où travaillez-vous, madame Mellon ? s'enquit le policier.

— A l'école primaire de Southwood. J'enseigne au cours moyen, mais les vacances d'été ont commencé il y a plus de deux semaines.

— Et le père de Michael ?

— Il est professeur de sciences politiques à l'université Gonzaga ici, à Spokane. Il s'appelle Stefan Panesivic.

Leigh lui tendit une photo de famille où l'on pouvait la voir avec Stefan et Michael, alors âgé d'un an.

— Vous êtes divorcés, c'est cela ? demanda Paxton, tandis qu'il examinait la photographie.

Acquiesçant de la tête, Leigh se leva pour leur servir du café brûlant.

— Depuis combien de temps ?

— Nous nous sommes séparés en août dernier, et le divorce a été prononcé il y a environ six mois, en janvier.

— Nous n'avons pas réussi à joindre votre ex-mari, mais il est peut-être seulement sorti pour la soirée... M. Panesivic prend Michael toutes les semaines ?

Leigh se recroquevilla sur sa chaise et agrippa sa tasse en frissonnant. Ses doigts tremblaient si fort que le policier, soudain alerté, lui lança un regard perçant.

— Leigh ? Quelles sont les modalités de la garde ?

— Il... Stefan est censé garder Michael tous les samedis de 10 heures du matin jusqu'à l'heure du coucher. C'est ce qui a été stipulé dans l'acte de divorce. Mais ces derniers mois...

— Il ne s'est pas donné la peine de venir le prendre ? C'est ce que vous voulez dire ?

— Au contraire, il aurait bien voulu..., articula Leigh d'une voix à peine audible. C'est... c'est moi qui l'ai empêché de rester seul avec Michael. Stefan n'a donc pas gardé notre fils depuis avril. Il l'a vu deux ou trois fois, quand... quand je lui ai permis de venir passer quelques heures à la maison.

— Pourquoi ? Lui est-il arrivé de maltraiter l'enfant ou de commettre un impair quelconque ?

— Oh non, rien de tel. Au début, pendant que nous étions séparés et juste après le divorce, Stefan prenait Michael toutes les semaines. Ils avaient l'habitude de passer la journée chez les parents de Stefan.

— Où cela ?

— Sa famille possède une maison près du terrain de golf Painted Hills. En fait, c'est une petite ferme avec un vaste jardin et toutes sortes d'animaux... Michael adore y aller.

— Mais alors, que s'est-il passé en avril ? Pourquoi lui avez-vous refusé le droit de visite ?

— J'ai eu... très peur, murmura Leigh.

— Peur de quoi ?

— Je suis terrorisée à l'idée que Stefan, profitant de la garde de Michael, l'emmène un jour en Croatie... Et que je ne revoie plus jamais mon fils !

— Votre ex-mari n'est-il pas citoyen américain ? s'enquit Paxton en haussant les sourcils.

— Sa naturalisation est en cours. Il enseigne à l'université Gonzaga depuis cinq ans avec un visa de professeur qui est renouvelé tous les ans.

— Est-ce que votre fils a la double nationalité ?

— Non. Stefan voulait demander la nationalité croate pour Michael, en plus de la citoyenneté américaine. Il n'arrêtait pas de faire pression sur moi en ce sens. Je n'y ai jamais consenti, mais cela me terrifiait quand même, sa façon de me harceler sans répit au sujet de cette double nationalité... De plus, il a l'intention de faire établir un passeport au nom de Michael.

— Votre fils n'a-t-il pas déjà un passeport ?

— Non, il peut voyager avec le mien.

— Ainsi, résuma Paxton, tout en prenant des notes, Michael ne pourra pas voyager avec son père parce que ce dernier n'a pas encore le passeport américain, et que Michael de son côté n'a pas la nationalité croate.

— C'est exact.

— Dans ce cas, enchaîna Paxton, ne serait-il pas terriblement difficile pour votre ex-mari de faire quitter le pays à l'enfant ?

— Je crois que Stefan est capable de réaliser tout ce qu'il désire. C'est un homme très... volontaire.

— Mais enfin, a-t-il proféré des menaces concrètes à part tous ces discours au sujet de la double nationalité ? A-t-il tenté une action qui vous permette de le soupçonner d'un projet d'enlèvement ?

Leigh se tordit les mains dans un geste d'impuissance et de désespoir. Seigneur ! Comment décrire le poids écrasant de la personnalité de Stefan, son abominable froideur alliée à une volonté implacable, et la force redoutable de ses liens familiaux ? Comment expliquer à ce jeune policier américain ce qu'un premier enfant mâle représentait pour un homme comme Stefan Panesivic ?

— Je pense simplement... qu'il en est capable, finit-elle par dire. En fait, j'en suis sûre. Quand Stefan se met en colère, il lui arrive de dire des choses qui me glacent d'horreur.

— Et quoi, par exemple ?

— Oh, toutes sortes de choses ! Il... Je suis désolée, c'est très dur pour moi de me concentrer sur un détail précis...

— Cela ne fait rien. Changeons de sujet et parlons de ce qui s'est passé en avril, décida Paxton, en tapotant pensivement sa lèvre supérieure avec son index. Vous avez autorisé Stefan à approcher l'enfant jusqu'à ce moment-là. Pourquoi avez-vous soudain pris peur ?

— Le contrat d'enseignant de Stefan a expiré à la mi-avril. Il ne serait certainement pas parti au milieu du trimestre, mais maintenant, plus rien ne le retient à Spokane. Et il n'y a rien au monde qu'il désire autant que récupérer Michael !

— C'est dommage que vous ne m'ayez pas raconté tout cela plus tôt, remarqua le policier en consultant ses notes d'un air préoccupé.

— J'ai... j'ai encore autre chose à vous dire, murmura

Leigh. Hier, nous avons eu une audience au tribunal. Stefan avait porté plainte parce qu'on lui refusait le droit de visite le samedi. Il voulait faire valoir ses prérogatives...

Il fixa Leigh de son regard pénétrant.

— Et que s'est-il passé au tribunal ?

— Le juge a tranché..., articula Leigh avant de prendre une profonde inspiration. Il a déclaré que je devais obéir à la loi. Il a dit...

Sa voix se brisa, tandis qu'elle tentait désespérément de refouler ses larmes.

— Il a dit que Stefan pouvait passer tous les samedis matin prendre Michael comme auparavant. Il a précisé que, si je m'y opposais, Stefan avait le droit de venir ici avec un policier, pour faire respecter cette décision.

— Et quelle a été votre réaction, Leigh ?

— J'étais anéantie. Je refuse absolument que Stefan garde Michael en mon absence. Je suis certaine qu'il est capable de me voler mon enfant ! Stefan est un homme... impitoyable.

Paxton regarda les visages souriants sur la photo de famille.

— Pensez-vous qu'il a votre fils en ce moment ?

— Je n'en sais rien.

— Croyez-vous qu'on ait pu vous suivre ce soir dans le centre commercial ?

— Je... je suppose que oui. Il y avait un monde fou, et je ne faisais pas du tout attention aux gens qui m'entouraient.

— Qui savait que Michael et vous alliez vous rendre à Northtown ?

— Je l'ai dit à ma mère hier au téléphone..., répondit Leigh, les sourcils froncés dans un effort de mémoire. Elle avait appelé pour savoir comment s'était passée l'audience au tribunal.

— Et à part votre mère ?

— Il y a Helen, bien sûr... Helen Philps, la baby-sitter, précisa Leigh comme le policier l'interrogeait du regard. Je la connais depuis toujours. Elle habite à South Hill, juste à quelques pâtés de maisons de chez mes parents. Je n'ai pas vraiment besoin d'elle en été, mais j'ai bien laissé Michael avec elle hier, le temps d'assister à l'audience.

— Son adresse ?

Leigh dicta de mémoire l'adresse et le numéro de téléphone de la baby-sitter.

— Que pouvez-vous me dire d'Helen ?

— Eh bien... Elle doit avoir la cinquantaine maintenant. Elle vit dans la demeure familiale et s'occupe de sa mère. Une vieille dame du nom de Grace Philps.

— Helen n'est pas mariée ?

— Il y a des années, elle était fiancée à un jeune soldat originaire de Portland. Il a été tué au Viêt-nam... Ma sœur et moi n'étions que des enfants à l'époque ; Helen était notre voisine... Et toute cette histoire nous a semblé terriblement bouleversante et romantique, conclut Leigh avec un bref sourire triste.

— Pourquoi fait-elle du baby-sitting pour vous ? Compte tenu de son adresse, j'ai du mal à imaginer qu'elle ait besoin d'argent.

— Vous avez raison. Je crois qu'il lui reste une part importante de la fortune familiale. Simplement, elle adore Michael. Il a illuminé sa vie !

— Et c'est une bonne baby-sitter ?

— Elle est formidable, répondit Leigh chaleureusement. Je ne pourrais rêver meilleure nounou pour Michael.

— Bon. Vous étiez en train d'évoquer ceux qui étaient informés de votre visite au centre commercial. Y a-t-il quelqu'un d'autre ?

— Stefan lui-même. Il m'a appelée mercredi, la veille de l'audience au tribunal. En fait, nous avons eu une conversation extrêmement désagréable.

— A quel sujet ?

— L'argent que la famille de Stefan avait donné pour l'anniversaire de Michael. Stefan tenait à savoir quel usage j'allais faire de cette somme. Je lui ai donc dit que je voulais emmener Michael au centre commercial vendredi soir pour qu'il puisse se choisir un jouet. J'ai ajouté à l'adresse de Stefan que, s'il s'inquiétait tant à propos du cadeau de ses parents, je pouvais appeler Miroslav et Ivana le lendemain pour leur dire ce que Michael s'était acheté avec leur argent.

— Miroslav et... ?

— Miroslav et Ivana Panesivic, les parents de Stefan. Je vous en ai parlé, rappela Leigh patiemment. Ils ont une petite ferme au sud-est de la ville.

— Ce sont eux qui habitent près du terrain de golf Painted Hills, n'est-ce pas ? s'enquit Paxton en parcourant ses notes.

— C'est exact.

— Leigh, je ne suis pas sûr d'avoir tout compris. Comment se fait-il que votre ex-mari ait la nationalité croate alors que ses parents habitent ici à Spokane ?

— Miroslav et Ivana ont émigré il y a environ vingt ans. Ils ont amené leur fils cadet avec eux, mais Stefan est resté en Croatie avec son frère aîné, qui y vit toujours.

— Le nom du fils cadet ?

— Zan Panesivic. Il avait quinze ans quand la famille s'est installée ici. Maintenant, il en a trente-cinq ans ; il habite Spokane et travaille comme ingénieur paysagiste.

— Est-il marié ?

— Oui. Sa femme s'appelle Mila, précisa Leigh en avalant une gorgée de café. Elle est décoratrice d'intérieur. Ils ont une petite fille, Deborah, qui a huit mois de plus que Michael.

— Vous entendez-vous bien avec tous ces gens ?

— Eh bien, Michael et Deborah sont les meilleurs amis du monde, et j'ai toujours aimé Zan. C'est un grand type rassurant et gentil... On dirait un ourson en peluche ! Mais Mila est différente. Je... je crois qu'elle me hait.

— Pourquoi ?

— Juste parce que je suis comme je suis, soupira Leigh

en haussant les épaules. Parce que je suis américaine, j'imagine... Et que je viens d'un milieu privilégié. Mila est très sensible aux problèmes sociaux et elle désapprouve la politique et la culture américaines. Elle a le don de mettre les gens mal à l'aise.

— Qu'en est-il des parents de Stefan ? Est-ce qu'ils vous détestent eux aussi ?

— Oh, non ! s'exclama Leigh, le visage adouci. Ils sont merveilleux. C'est un couple vraiment très gentil. Depuis que j'ai rencontré Stefan, ils ont toujours été adorables avec moi.

— Pourquoi Stefan n'a-t-il pas émigré dans les années soixante-dix, en même temps que sa famille ?

— Stefan a quarante-trois ans aujourd'hui. Quand ses parents ont quitté le pays, il avait plus de vingt ans. Il était déjà bardé de diplômes et enseignait à l'université de Zagreb, tout en travaillant à sa thèse de doctorat. C'est bien plus tard que Miroslav et Ivana ont réussi à l'attirer par le rêve américain... La situation en Croatie était alors devenue vraiment sinistre !

— Et c'est juste après que vous l'avez rencontré ?

— Oui, il venait d'arriver. Nous nous sommes connus grâce à des amis communs, au cours d'une soirée à la fac.

— Et vous êtes tombés amoureux l'un de l'autre ?

— Ça a été un coup de foudre, reconnut Leigh avec un sourire mélancolique, se laissant envoûter par le charme de ses souvenirs. C'était comme si le ciel me tombait soudain sur la tête. Stefan me semblait l'homme le plus séduisant du monde, tellement courtois, cultivé... et si différent des autres ! Sa famille était adorable... J'étais sûre que tous mes rêves allaient enfin se réaliser !

La sonnerie stridente du téléphone retentit dans le silence de la maison. Les yeux agrandis par l'effroi, les mains tremblantes, Leigh fixa le policier.

— Il vaut mieux que ce soit vous qui répondiez, dit-il. Donnez-moi l'autre appareil, voulez-vous ?

Elle lui remit le téléphone sans fil, puis se dirigea vers le récepteur fixé au mur de l'autre côté de la cuisine. Comme Paxton appuyait sur la touche verte, Leigh décrocha et, obéissant à un signe de tête impératif du policier, articula un faible « Allô ».

— Leigh ! fit une voix à l'autre bout du fil. Que diable se passe-t-il ? On vient juste de rentrer, pour apprendre que toute la ville est sens dessus dessous !

— Ah ! C'est toi, Rennie ! s'exclama Leigh, qui se détendit en reconnaissant sa sœur. Pourrais-tu venir passer la nuit avec moi ? Je sais que c'est beaucoup demander, mais...

— J'arrive. Je vais juste enlever ces maudites paillettes de gala, et je serai là dans vingt minutes.

Leigh entendit un bruit sec : on avait raccroché. Comme Paxton retournait à ses notes, elle gagna le living et s'immobilisa devant la fenêtre pour scruter les ténèbres, le cœur serré. Quelques instants plus tard, Paxton apparut sur le seuil.

— Dès que votre sœur sera là, je retournerai au commissariat pour enregistrer toutes ces informations. Téléphonez-nous si vous avez besoin de quoi que ce soit, ou si vous vous souvenez d'autre chose.

— Et cette femme inspecteur qui devait venir... ?

— Je vais annuler la demande.

Leigh regagna la cuisine, se versa une autre tasse de café, en but deux gorgées, puis vida la cafetière dans l'évier. Pendant quelques instants, elle regarda Paxton compléter ses notes. Que pouvait-il bien écrire encore ? Finalement, ne tenant plus en place, elle retourna dans le living.

— Voici ma sœur, annonça-t-elle soudain, quand une voiture de sport s'arrêta dans un hurlement de freins près de la clôture. Adrienne a dû conduire encore plus vite que d'habitude...

Elle se dirigea vers l'entrée, suivie de Paxton qui enfilait sa veste de policier.

— Merci d'avoir été si coopérative, Leigh, lui dit-il en posant une main rassurante sur son épaule. Ne vous inquiétez pas, nous le retrouverons.

Ce geste et le ton de sa voix étaient empreints de tant de gentillesse que Leigh n'y tint plus. Toute sa maîtrise d'elle-même s'envola, et elle fondit en larmes. Le policier l'étreignit maladroitement et lui tapota le dos avec affection avant de gagner la porte. Depuis le seuil, elle le regarda saluer Adrienne et lui parler à voix basse...

Elle s'efforçait en vain d'arrêter de pleurer, envahie par le besoin physique de serrer contre elle le petit corps chaud de Michael... Finalement, sans attendre sa sœur, elle laissa la porte ouverte, monta en courant dans la chambre de l'enfant et voulut prendre un jouet afin d'occuper ses mains. C'est alors qu'elle s'aperçut que le canard en peluche de Michael avait également disparu...

Malgré le trouble qui embrumait son esprit, Leigh était sûre que Michael avait emporté le jouet au centre commercial. L'enfant adorait sa peluche jaune Dixie, un canard aux larges pattes orange et aux grands yeux en amande qui lui donnaient un air coquin. Michael ne s'en séparait jamais, pas même pour dormir. Chaque fois qu'il égarait Dixie, Leigh devait mener des recherches frénétiques pour retrouver le jouet fétiche.

« J'espère que tu as Dixie avec toi, mon chéri, songea-t-elle, le regard perdu dans l'obscurité au-delà du carré noir de la fenêtre. J'espère que tu le serres très fort et que tu n'as peur de rien... »

Les arbres bruissaient dans le vent frais, et les étoiles qui scintillaient au-dessus des collines paraissaient terriblement froides et inaccessibles. Leigh se laissa tomber sur le petit lit de Michael et donna libre cours aux sanglots qui lui déchiraient la poitrine.

3.

Carmen et Tony rentrèrent de leur dîner en ville juste avant 11 heures. Ils arboraient tous deux une mine réjouie et semblaient flotter sur un petit nuage. Carmen, qui tenait un bouquet de fleurs à la main, s'empressa de le mettre dans un vase, jetant au passage un coup d'œil sur sa fille endormie.

Assise en tailleur sur le canapé, Jackie observa son amie disposer le bouquet, tandis que sur l'écran défilait le générique du film qu'elle venait de regarder.

— Alors, ça s'est bien passé, vous deux ? demanda-t-elle en éteignant le téléviseur.

— Un vrai dîner de rêve ! répondit Carmen, radieuse comme une adolescente qui vit son premier amour. Un rôti et du homard, pas moins que ça ! Tony a même commandé du champagne.

— En quel honneur ? s'enquit Jackie, soudain inquiète, en les dévisageant l'un après l'autre.

— C'était notre premier dîner en amoureux ! répondit Tony.

Sa veste négligemment jetée sur ses épaules, il semblait attendre, appuyé contre le chambranle de la porte. Souhaitait-il qu'elle parte... ? Jackie l'avait aperçu un peu plus tôt, au moment où il était passé prendre Carmen, mais la rencontre avait été trop brève pour qu'elle pût se faire une opinion sur lui. Maintenant, elle le fixait d'un œil critique, essayant de le sonder jusqu'au tréfonds de l'âme.

De taille moyenne, Tony Bechtmann n'avait certes rien d'un play-boy, avec son physique un peu empâté, ses cheveux châtains clairsemés et ses tempes dégarnies. Mais ses yeux bleus semblaient empreints de bonté, et il ne chercha pas à esquiver le regard scrutateur de Jackie.

Il est vrai que ses douze années de service l'avaient rendue dure et méfiante à l'égard des inconnus, quelle que fût leur gentillesse apparente... Combien d'horreurs, combien de monstruosités n'avait-elle pas vues depuis qu'elle travaillait dans la police ! Et, souvent, il s'agissait d'hommes maltraitant les femmes... Décidément, songea Jackie avec lassitude, un monde où la première réaction était toujours le soupçon ne rayonnait pas de gaieté ! Pourtant, à y bien réfléchir, même dans sa petite enfance, elle n'avait jamais accordé sa confiance aux inconnus. Les rues malfamées de Los Angeles n'étaient pas exactement l'endroit idéal pour apprendre à se fier à son prochain...

Le sourire rayonnant de Tony dissipa la légère tension qui commençait à s'installer entre eux.

— Bon, je dois aller m'occuper de la prochaine fournée, déclara-t-il en enfilant sa veste, avant d'ajouter dans un rire : sinon, les forces de police n'auront pas leurs croissants demain matin, et toute la ville sera paralysée.

Jackie rit avec lui et, en dépit de sa réserve initiale, elle se sentit soulagée. Peut-être Tony allait-il se révéler un gentil garçon, après tout. Et puis, Carmen avait l'air si heureuse...

— Jackie, y a-t-il du nouveau au sujet de l'enfant qui a disparu dans le centre commercial ? demanda Carmen, tout en s'approchant de Tony avec un sourire amoureux. Tony et moi avons tellement bavardé pendant la soirée que nous n'avons même pas écouté les informations dans la voiture.

— Toujours aucune trace de lui. On m'a appelée deux fois du commissariat. D'abord, ils voulaient que je passe chez Leigh Mellon pour lui tenir compagnie pendant la nuit...

— Ils t'ont appelée ici ? s'exclama Carmen, incrédule.

— Quand je n'ai pas mon portable sur moi, je laisse toujours aux dispatcheurs le numéro où ils peuvent me joindre — juste au cas où.

Carmen souffla sur un grain de poussière qui déparait gravement la manche de Tony et lissa le tissu de sa veste. Bien sûr, ce geste n'était qu'un prétexte pour toucher l'homme, le simple besoin du contact physique. Jackie eut soudain l'impression d'être exclue de la partie. Luttant contre le sentiment de solitude qui l'envahissait, elle poursuivit :

— Et puis, ils m'ont rappelée il y a cinq minutes pour décommander. Apparemment, la sœur de Mme Mellon va s'occuper d'elle.

— Pauvre femme ! dit Carmen. Je vais prier toute la nuit pour elle et son petit garçon !

Tony la regarda avec tendresse, effleurant à son tour une mèche de ses cheveux.

— Bon, les enfants, je vais rentrer, déclara Jackie. Demain, je commence à 8 heures.

Ramassant son livre et ses papiers, elle se dirigea vers la porte, puis s'arrêta pour serrer la main de Tony. Elle surprit une étincelle d'humour dans les yeux du boulanger.

— Alors, est-ce que je ferai l'affaire, madame l'inspecteur ? murmura-t-il en souriant.

— Personne n'est assez bien pour Carmen, répondit Jackie en souriant à son tour, mais vous avez quelques bons points pour vous... Maintenant, soyez sage et ne traînez pas pendant des heures avant de rentrer, ajouta-t-elle sur un ton de sévérité comique. Allez plutôt vous occuper de ces croissants ! Mes collègues comptent sur vous.

Comme elle sortait de l'appartement de Carmen, si gai avec son bric-à-brac de meubles multicolores, la sensation de solitude qui lui étreignait le cœur devint plus aiguë...

Chez elle, l'intérieur était beaucoup plus sobre, ordonné, dépouillé. Seuls quelques beaux dessins ornaient les murs, et le mobilier, confortable mais non assorti, avait été choisi au hasard, au fil des ans... Elle ne pouvait tout simplement pas se permettre de songer à la décoration pour l'instant. Quel dommage !... En dépit de la misère dans laquelle elle avait grandi, Jackie avait un goût très sûr, un véritable don pour associer formes et couleurs dans un équilibre harmonieux. Mais, tant qu'elle n'aurait pas les moyens de s'offrir l'intérieur de ses rêves, elle préférait se contenter de meubles simples et pratiques, comme sa bibliothèque faite de briques et de planches de bois dans le living, ou les deux tables pliantes en chêne qu'elle avait fabriquées elle-même quelques années plus tôt, quand elle avait suivi un cours d'ébénisterie proposé par l'université locale.

Les seules taches de couleur dans son salon étaient créées par deux couvertures de laine tricotées qui offraient un invraisemblable mélange de tons rose, orange et vert citron. Une véritable horreur, ces couvertures, dont le style criard tranchait sur le reste de l'appartement ! Mais elles avaient été tricotées par sa grand-mère des années plus tôt, à une époque où la vieille dame semblait bien plus heureuse que maintenant. Non, décidément, Jackie n'avait pas le cœur de s'en séparer...

La sonnerie du téléphone la tira de l'abîme de ses souvenirs, et elle décrocha d'un geste machinal.

— C'est toi, Jackie ? Bonjour, dit une voix grognon.

— Bonjour, grand-ma', répondit Jackie, envahie par une tension soudaine. Pourquoi appelles-tu si tard ? Tu es censée dormir à poings fermés, à l'heure qu'il est !

— Elles sont revenues ! murmura sa grand-mère sur

un ton rauque. Elles se cachent derrière le canapé dans l'autre pièce. Il y en a des milliers...

— Des araignées ?

— Viens vite m'en débarrasser, Jackie ! Elles sont aussi grosses que des soucoupes... Elles ont des dents jaunes et des yeux qui brillent dans le noir !

— Qu'as-tu encore bu, grand-ma' ?

— Je n'ai pas bu, rétorqua la vieille femme. Tu sais que je ne bois plus !

« Mais tu ne te prives pas de ton petit coup ! songea Jackie avec humour. Quelle insupportable tête de mule ! »

Les yeux lui piquaient, elle avait envie de pleurer. Bien qu'elle sût toute l'inutilité de ce discours, elle insista doucement :

— S'il te plaît, grand-ma', pourquoi ne viendrais-tu pas vivre avec moi ? Je peux trouver un appartement plus grand, peut-être même une maison... Nous serons bien ensemble !

— Oui, pour sûr ! Jusqu'à ce que tu déniches un petit copain et me jettes dehors !

— Cela fait au moins trois ans que je n'ai pas de petit copain. Je n'ai pas le temps de tomber amoureuse, grand-ma'. Je travaille comme une forcenée.

— Eh bien, je n'aimerais pas non plus poireauter seule à la maison, à t'attendre du matin au soir ! Je veux rester ici dans mon quartier, où je connais tout le monde.

— Je t'en prie, grand-ma' ! Ton quartier est une véritable zone de guerre civile !

Lasse de répéter cet argument usé jusqu'à la corde, Jackie se tut, les sourcils froncés. Elle songeait à ce misérable trou à rats, à Los Angeles, où elle et ses cousins avaient vécu leur enfance éphémère.

— Dis-moi, grand-ma', combien de coups de feu ont-ils été tirés sur les vitres des maisons, dans ton coin ?

— Inutile d'insister, je ne partirai pas ! répliqua la vieille femme avec une obstination d'ivrogne.

— Et moi, je ne peux pas venir chasser les araignées! Je suis à plus de deux mille kilomètres... Mais où est passé Carmelo ? Lui et Joey n'habitent plus avec toi ?

— Tes cousins ? Ils vont et viennent. Je crois que Carmelo est en prison. Ici, il n'y a que les araignées. Elles veulent m'attraper, Jackie... Elles essaient de se faufiler sous la porte de ma chambre !

— Es-tu couchée, au moins ? demanda Jackie, se forçant à demeurer patiente.

— Oui. Je suis dans mon lit, cachée sous les couvertures.

— Eh bien, tu n'as qu'à y rester. Et tâche de dormir ! Ça ira mieux demain matin.

— Quand est-ce que tu vas m'envoyer de l'argent ? Je n'en ai plus !

— Nous avons déjà abordé ce sujet la semaine dernière, répondit prudemment Jackie. Pas question de t'envoyer de l'argent pour que tu t'achètes de l'alcool ! Si tu arrêtes de boire...

— Je ne bois pas ! se hâta de dire la vieille femme sur un ton soudain éveillé et plein de malice. Je te jure que je ne bois plus du tout ! Envoie-moi de l'argent, Jackie. Je n'ai même pas de tickets alimentaires pour cette semaine ! Il n'y a rien à manger à la maison. Ça fait deux jours que je me nourris de pâtée pour chiens !

— J'appellerai ton assistante sociale demain, promit Jackie. Si elle confirme que tu ne bois plus, je t'enverrai de l'argent.

— Mais elle te racontera des mensonges ! cria sa grand-mère. Ils mentent tous comme des arracheurs de dents ! Et toi... tu es pire que les autres ! Quand je pense que je me suis saignée aux quatre veines pour vous élever, toi et tes cousins... Et maintenant, tu ne veux même pas bouger le petit doigt pour m'aider ! Espèce de petite ingrate...

La voix était chargée de tant de venin que Jackie se

sentit indignée et blessée jusqu'au fond du cœur. Elle continua pourtant d'écouter stoïquement les récriminations de la vieille femme, songeant avec amertume à la façon dont celle-ci l'avait élevée après qu'elle-même eut été abandonnée par sa mère... Rares étaient les jours où Irene Kaminski était assez sobre pour se soucier de ses petits-enfants, lesquels avaient été obligés de faire tout seuls le rude apprentissage de la vie. C'est ainsi que, dès l'âge de dix ans, Jackie avait dû s'occuper de sa grand-mère, désormais complètement à sa charge !

— Méchante fille, égoïste..., marmonnait la vieille femme.

Jackie entendit quelques sanglots, puis des glouglous avides.

— Grand-ma', arrête ! dit-elle d'un ton cassant. Lâche cette bouteille tout de suite !

— Méchante fille... qui se fiche de ces maudites araignées... ces araignées...

A l'autre bout du fil, la voix s'éteignit, remplacée par le bruit d'un souffle rauque. Enfin, il y eut un déclic : sa grand-mère avait raccroché. La main toujours crispée sur le combiné, Jackie sentait le désespoir l'envahir. Elle savait que la vieille femme allait maintenant sombrer dans un sommeil d'ivrogne et que, le matin venu, il ne resterait plus aucune trace d'araignées. Mais le délire reviendrait, et il y aurait un autre appel nocturne, puis encore un autre...

— Et puis merde, murmura-t-elle.

Elle se leva, traversa le living pour brancher sa chaîne stéréo, et se laissa tomber sur le canapé, jetant sur elle une des couvertures tricotées. Le regard dans le vague, elle s'abandonna à la douce mélodie du concerto pour flûte qui emplissait lentement la pièce.

⁂

Le lendemain, Jackie arriva au commissariat juste après 8 heures. Après avoir garé sa vieille Ford, elle saisit ses dossiers et son sac à main, et courut vers l'entrée.

L'antenne de police du quartier Nord-Ouest participait au programme expérimental de Spokane visant un plus grand rapprochement avec la population. Pourtant, à la différence des six autres petits postes de police locaux dont l'équipe comportait essentiellement des civils volontaires, celui du quartier Nord-Ouest était une véritable unité opérationnelle. Jackie en tirait d'ailleurs un orgueil particulier. Elle faisait partie des six inspecteurs du poste, qui comptait en outre dix-huit agents et deux capitaines, ces derniers travaillant en étroite coopération avec le commissariat du centre-ville.

Jackie traversa en courant la petite salle d'accueil et entra en trombe dans le bureau qu'elle partageait avec son coéquipier, Brian Wardlow. Celui-ci lui adressa un sourire radieux.

— Chouette tenue ! C'est neuf ?

Jackie baissa les yeux sur son pantalon de gabardine marron et son vieux blouson de cuir jaune.

— Très drôle. Il y a une raison particulière à ta gaieté ?

— Nous sommes samedi. Encore une journée de travail, et nous goûterons au repos mérité ! Pourquoi ne portes-tu jamais de robes, Kaminski ?

— Parce qu'il n'est pas commode de cacher des menottes et un revolver sous une robe ! rétorqua Jackie.

Incroyable à quel point Wardlow faisait penser à un gamin impertinent, avec sa tignasse de cheveux flamboyants et toutes ses taches de rousseur ! songea-t-elle. Bien qu'il fût de trois ans son aîné, il venait seulement d'obtenir son brevet d'inspecteur après plusieurs échecs. Ce qui expliquait d'ailleurs que Jackie eût été nommée chef de leur équipe.

— Quoi de neuf ? demanda-t-elle.

— Regarde toi-même, répondit-il en désignant de son pouce un nouveau dossier dans le casier de Jackie.

Etonnée par le ton de sa voix, elle ouvrit le dossier et écarquilla les yeux de stupeur.

— Bon Dieu de bon Dieu, qu'est-ce que ça veut dire ?

— Briefing dans le bureau de Michelson, confirma Wardlow. On ferait mieux de prendre un café d'abord !

Jackie sortit à pas rapides, et Wardlow la suivit de sa démarche nonchalante. Deux minutes plus tard, un gobelet fumant à la main, la jeune femme frappait à la porte vitrée de son chef.

Le commissaire Lew Michelson, dont le grand corps au ventre proéminent était moulé dans un uniforme bleu marine, trônait derrière son bureau encombré de papiers. Sa puissante carrure contrastait étrangement avec l'expression fatiguée et un peu désabusée qu'il arborait — expression probablement liée à son ulcère à l'estomac, l'un de ses sujets d'inquiétude permanents.

— Bonjour, Kaminski, dit-il placidement, comme Jackie et son collègue pénétraient dans la pièce. C'est à cette heure que vous arrivez ?

— Il est 8 h 5, répondit Jackie tout aussi sereinement, tandis qu'elle s'installait sur un siège en vinyle à côté de son coéquipier. Sergent, comment se fait-il que nous héritions du dossier Michael Panesivic ?

— Et pourquoi pas ? répliqua-t-il en se renversant dans son fauteuil. Cela s'est passé dans notre secteur. De plus, la mère et le gosse habitent juste à quelques pâtés de maisons d'ici, près de Loma Vista.

— Mais il s'agit d'un kidnapping d'enfant ! Pourquoi la brigade criminelle du commissariat du centre-ville ne s'en charge-t-elle pas ?

— Il y a apparemment des détails... assez particuliers dans cette affaire.

Michelson se redressa sur son siège et joignit les mains par-dessus son bureau. Comme Jackie l'interrogeait du regard, il poursuivit :

— Tout est dans le dossier que les collègues de service ont pu constituer hier soir. Il paraît que les parents sont divorcés, et qu'il existe un différend au sujet de la garde de l'enfant. Depuis quelques mois, la mère refusait les visites à son ex-mari, de peur qu'il n'enlève le gosse pour l'emmener à l'étranger. Jeudi dernier, il y a eu une audience au tribunal.

— La veille du kidnapping ! fit observer Jackie avec un intérêt croissant.

— Exact. Et le juge a décidé que la mère devait respecter les arrêts de la Cour.

Jackie parcourut rapidement le dossier. Il comportait le rapport concernant les recherches entreprises dans le centre commercial, le témoignage des commerçants, et l'entretien de Kent Paxton avec la mère du petit garçon. Une enveloppe marron jointe au dossier contenait une grande photographie prise dans un studio. Celle d'un enfant aux cheveux auburn, aux grands yeux foncés et au sourire timide, vêtu d'une chemise jaune avec un nœud papillon. Le petit avait l'air vraiment adorable...

— Ainsi, dit Jackie, s'arrachant à la contemplation du portrait, vous pensez que le père pourrait être impliqué ?

— Personne n'ose l'affirmer tout haut, reconnut Michelson d'un air gêné. Nous allons mettre un maximum d'agents à votre disposition pour élucider cette affaire. Mais quand un kidnapping suit de si près une dispute à propos de la garde, on ne peut espérer mobiliser autant de forces de police que l'opinion publique le souhaiterait.

— Et si vous vous trompiez ? intervint Wardlow. Si l'enfant avait été kidnappé par un dingue quelconque ?

— Depuis combien de temps êtes-vous dans la police ? demanda le commissaire en posant son regard calme sur le collègue de Jackie.

— Douze ans.

— Et depuis tout ce temps, combien de kidnappings d'enfant en bas âge par un inconnu pouvez-vous citer ?

— Eh bien... aucun, déclara le policier après un silence. En tout cas, il ne m'en revient pas. Pas comme ça, de mémoire.

— Je m'en doutais. Et vous, Kaminski, pendant toutes ces folles années que vous avez passées au département de police de Los Angeles, avez-vous jamais enquêté sur un rapt d'enfant dû à un type étranger à la famille ?

— Pas personnellement, admit Jackie après réflexion. On dirait... on dirait qu'il s'agit d'une sorte de mythe urbain, pas vrai ? Tout le monde vous rebat les oreilles avec ce genre d'histoires, mais vous-même ne tombez jamais dessus !

— J'ai examiné les statistiques ce matin, déclara le commissaire, chaussant ses lunettes et ouvrant un classeur sur son bureau. Pendant que j'attendais que l'inspecteur Kaminski nous honore de sa présence !

Jackie lui adressa un sourire affable, tout en sirotant son café. Le commissaire reprit :

— Moins d'un pour cent des enfants disparus aux Etats-Unis sont kidnappés par des inconnus. Selon les rapports de police, cela représente une centaine d'enlèvements par an sur toute la population, et presque tous les enfants ont plus de neuf ans. Dans un nombre infime de cas — la plupart ayant eu lieu dans des crèches — l'enfant avait moins de quatre ans, et les ravisseurs exigeaient une rançon... Mais, bien sûr, les médias prétendent que cela arrive tous les jours ! conclut-il en jetant un regard amer par-dessus ses lunettes.

— Et combien d'enfants sont-ils kidnappés par leurs propres parents ? s'enquit Jackie.

— C'est un problème plus délicat, dit le commissaire en consultant son dossier. Souvent, l'enlèvement n'est pas signalé du tout, ou bien l'affaire va directement aux Affaires Familiales. L'estimation la plus précise se situe entre vingt-cinq mille et cent mille kidnappings.

— Par an ? demanda Jackie, incrédule.

— Exact.

Elle parcourut le mince dossier une nouvelle fois. Les policiers prenant en charge un premier appel ne faisaient jamais eux-mêmes une enquête approfondie. Ils se limitaient à noter l'heure et le lieu de l'incident, ainsi que les noms, les adresses et les résumés des témoignages, afin de remettre le tout aux inspecteurs. Pourtant, le rapport de Paxton était suffisamment méticuleux et exhaustif pour balayer les derniers doutes dans l'esprit de Jackie.

— Ainsi, c'est bien notre affaire !

— Parfaitement, acquiesça Michelson. Quelques agents continuent les vérifications dans le centre commercial : vous pouvez laisser Wardlow s'en charger. Quant à vous, Kaminski, je veux que vous interrogiez tous les membres de la famille aussi vite que possible, et que vous me disiez vos impressions.

— Est-ce qu'on s'occupe également des pédophiles fichés ? Vérification d'alibis, et tout le bataclan ?

— Si vous le jugez nécessaire. Je veux un rapport complet avant la relève de votre équipe.

Jetant un dernier coup d'œil dans le dossier, Jackie se leva et se dirigea vers la porte, Wardlow sur ses talons. Soudain, le souvenir du visage angoissé de Leigh lui traversa l'esprit.

— Est-ce que je peux demander un test au détecteur de mensonges pour la mère ?

— Savez-vous qui est cette femme ? s'enquit le commissaire d'un air embarrassé.

— Elle appartient à une des familles les plus célèbres de Spokane, intervint Wardlow. Son père est Alden Mellon.

— Jamais entendu parler, fit Jackie.

— Il était juge avant de prendre sa retraite, expliqua le commissaire. Il a aussi exercé le mandat de Procureur général de l'Etat, à deux reprises. Les Mellon représentent le pouvoir et l'argent dans cette ville depuis au moins cent ans.

— Dois-je comprendre qu'on n'a pas le droit de les soumettre au détecteur de mensonges ? demanda Jackie en décochant au commissaire un de ses plus beaux sourires.

Michelson poussa un soupir, sortit de la poche de sa chemise une plaquette de comprimés contre ses maux d'estomac et en avala deux.

— Je vous demande simplement de ne pas y aller comme un éléphant dans un magasin de porcelaine, Kaminski, O.K. ? Si vous tenez vraiment au détecteur de mensonges, il faudra marcher sur des œufs ! Avertissement en bonne et due forme vingt-quatre heures à l'avance, désistement complet à la fin, bref, respecter le règlement sur toute la ligne !

— J'ai toujours respecté le règlement, répliqua Jackie, échangeant un sourire avec son coéquipier.

Leur chef secoua la tête d'un air désespéré, referma le classeur et décrocha son téléphone.

— Maintenant, allez-y ! commanda-t-il. Ratissez le terrain, et tenez-moi au courant. Je veux recevoir des rapports heure par heure !

4.

La plupart des adresses citées dans le dossier de police renvoyaient à des quartiers bien plus huppés que ceux où Jackie passait habituellement ses journées. Les parents de Leigh Mellon et sa baby-sitter habitaient à South Hill, sa sœur avait une maison dans le quartier sud-est de la ville, Stefan Panesivic occupait un appartement sur le campus de l'université Gonzaga, tandis que ses parents possédaient une ferme dans la vallée.

Cependant, la maison de Leigh Mellon où Jackie se rendit tout d'abord n'avait l'air ni snob ni prétentieux. Blanche avec des bordures vert foncé, entourée d'un petit jardin, elle ressemblait en tout point aux autres demeures à deux étages qui bordaient la rue.

Jackie gara sa voiture de patrouille banalisée derrière une Porsche décapotable toute rutilante qui, elle, semblait totalement déplacée dans ce modeste quartier. Ayant pris quelques notes, Jackie cacha son calepin et son téléphone portable au fond de son sac à main, ferma la voiture et se dirigea vers la porte d'entrée. Une jeune femme vêtue d'un jean marron très moulant et d'une tunique de soie beige très stylée vint lui ouvrir. Elle semblait à la fois fatiguée et exaspérée.

— Qui êtes-vous ?

— Inspecteur Kaminski, police de Spokane, répondit Jackie en présentant sa plaque.

La femme la regarda d'un air mi-amusé mi-stupéfait.

— Sans blagues ! Vous êtes chargée de cette affaire ?

Jackie examina attentivement le délicat visage dont les traits fins ressemblaient étonnamment à ceux de Leigh Mellon. La jeune femme portait ses cheveux foncés très court, mais cette coupe presque masculine ne faisait qu'accentuer le charme profondément féminin de son visage illuminé par deux immenses yeux noirs. Elle avait les pommettes saillantes, et sa peau évoquait l'éclat d'une perle rose. Seigneur, comment les femmes riches faisaient-elles pour avoir une si belle peau ? Etait-ce dû à une certaine potion magique importée en contrebande de quelque pays lointain dans de petites fioles en jade ? Ou étaient-ce simplement les litres de jus d'orange et les kilos de légumes frais que ces gens consommaient depuis l'enfance ?

— Je suis Adrienne Calder, la sœur de Leigh, déclara la jeune femme, en invitant Jackie à la suivre à l'intérieur. La nuit dernière, un policier a demandé que je tienne compagnie à Leigh, car elle était dans tous ses états. De plus, les ravisseurs pouvaient téléphoner pour exiger une rançon.

— Y a-t-il eu des appels ?

— J'ai bien peur que non, répliqua la femme avec le même sourire sarcastique.

— Comment va votre sœur ?

— Alors ça, c'est une question géniale ! Dans quel état seriez-*vous*, si l'on vous avait volé votre enfant de trois ans pratiquement sous votre nez ?

— Je serais bouleversée, répondit Jackie d'une voix neutre. Pensez-vous qu'elle puisse me parler ? Je voudrais avoir un maximum de détails sur ce qui s'est passé.

— Elle a tout raconté à la police hier soir. En ce moment, elle dort. Ne pourriez-vous pas laisser cette pauvre femme tranquille pendant quelques heures ?

— Hier, elle a été interrogée par les agents de service, expliqua patiemment Jackie, qui était habituée à ce genre de réaction. Je fais partie de l'équipe d'inspecteurs chargée de l'affaire, et c'est à nous qu'il incombe de mener une enquête plus approfondie.

— Vous voulez dire qu'on a multiplié les services dans la police !

La femme prit une orange dans une corbeille de fruits posée sur une console ancienne et se mit à l'éplucher délicatement de ses doigts aux longs ongles laqués de rouge. Fixant Jackie avec une insolence détachée, elle ajouta :

— Il faut bien que mes impôts servent à quelque chose !

Jackie sentait l'irritation la gagner. Elle sortit son calepin et son stylo, puis se mit à écrire d'un air affairé.

— Ainsi, vous êtes Adrienne Calder... Et que faisiez-vous hier soir, entre 18 et 21 heures ?

— Vous ne pensez tout de même pas..., articula la femme, perdant sa belle contenance. Voyons, c'est ridicule !

Jackie attendait, le visage impassible.

— J'étais à un gala organisé par l'association d'aide à la troupe de ballet locale, répondit Adrienne froidement. La soirée s'est tenue dans la salle de réception du Sheraton. J'y ai assisté en compagnie de mon mari, Harlan Calder. Nous faisons partie du comité d'organisation ; nous nous trouvions donc à la table d'honneur. Cinq cents personnes au moins pourront témoigner de ma présence.

— Merci, répondit Jackie en fermant son calepin.

Elle regarda autour d'elle. L'intérieur de la maison n'avait rien à voir avec sa modeste apparence extérieure. Si Leigh Mellon vivait aujourd'hui de son salaire, elle avait dû se constituer jadis toute une collection d'objets raffinés et luxueux. Pourtant, à en juger par la sobre élégance des meubles et des bibelots, la maîtresse de maison avait su éviter un étalage ostentatoire. Jackie fixa tour à tour le rocking-chair de bois sur lequel on avait négligemment jeté un beau tissu d'un blanc immaculé ; la collection de verres bleus, manifestement très précieux, qui scintillaient dans le soleil matinal ; les étagères anciennes supportant deux fougères de Boston qui balayaient le parquet de leurs frondes vert émeraude. La draperie, les verres et les plantes étaient les seuls objets décoratifs dans cette partie de la pièce, qui pourtant respirait le bon goût et la perfection. Jackie songea à son humble appartement au mobilier disparate et rudimentaire... Chaque fois qu'elle se trouvait en présence d'un intérieur aussi harmonieux, elle se sentait troublée et un peu effrayée à l'idée que jamais, au grand jamais, en dépit de tous ses efforts, elle ne saurait offrir au monde une image d'une telle sobriété, qui semblait accompagner naturellement une femme comme Leigh.

Oui, les riches étaient différents, ils constituaient une espèce à part, pensa Jackie avec une certaine amertume. Et la maison de la *mère* de Leigh ? De quoi pouvait-elle avoir l'air ?

A cet instant, alors qu'Adrienne venait de s'éclipser dans la pièce voisine, Leigh apparut dans l'escalier, vêtue d'un pantalon de jogging bleu marine et d'un simple sweat-shirt blanc. Elle paraissait fatiguée et mal à l'aise.

— Adrienne, j'ai entendu sonner à la porte...

Elle s'interrompit en apercevant Jackie près de l'entrée du salon.

— Oh, pardon, ajouta-t-elle précipitamment. Je ne vous avais pas vue.

— J'aimerais vous poser quelques questions, dit Jackie en présentant de nouveau sa plaque.

Comme Leigh acquiesçait, Adrienne revint dans le salon, un grand sac de daim en bandoulière.

— J'ai un rendez-vous d'affaires, expliqua-t-elle à sa sœur en l'embrassant sur la joue. Tu vas mieux maintenant, n'est-ce pas? En tout cas, tu n'as pas à t'en faire. Toute la police de la ville s'est donné pour tâche de veiller sur toi !

— C'est vraiment gentil d'être venue, Rennie, murmura Leigh.

— Pas de quoi, répliqua Adrienne, avant de se tourner vers Jackie avec un clin d'œil familier : à présent, je dois foncer à la maison et mettre au point nos alibis avec mon mari... Et Dieu nous protège si nos versions divergent sur le moindre détail, pas vrai ?

Jackie ravala la réplique cinglante qui lui montait aux lèvres. Apparemment, Adrienne Calder aurait adoré la faire sortir de ses gonds... Inutile de lui donner ce plaisir !

— Nous sommes toujours ravis quand les alibis se tiennent, déclara-t-elle avec un sourire affable. En plus, cela vous épargne des heures et des heures d'interrogatoire éprouvant au commissariat !

Adrienne la transperça du regard, puis partit d'un rire amusé et disparut derrière la porte.

— Ne faites pas attention à Rennie, s'excusa Leigh, debout au pied de l'escalier. Elle aime bluffer et provoquer, mais au fond, elle a un cœur d'or !

Se tournant vers Leigh, Jackie examina pour la première fois la mère de Michael Panesivic. En dépit de sa pâleur et de ses yeux rougis par les larmes, la jeune femme était encore plus séduisante qu'à la télévision. De plus, son visage rayonnait d'une gentillesse naturelle qui semblait faire défaut à sa sœur.

— Allons dans la cuisine, suggéra Leigh. J'espère qu'il reste un peu de café...

Peu après, Jackie s'installait devant une tasse de porcelaine fine en humant le délicieux arôme du café tout juste préparé — un luxueux mélange d'Arabica velouté et de café brésilien corsé, pensa-t-elle. Devant la fenêtre, une pendeloque de cristal en forme de larme tournoyait lentement entre les rideaux de mousseline, projetant sur les murs un reflet ondoyant d'arc-en-ciel.

— Avec de la crème et du sucre ? demanda Leigh.

— Noir, s'il vous plaît.

Leigh s'installa en face d'elle et, pendant quelques instants, scruta d'un air sombre le café fumant dans sa tasse.

— Comment dois-je m'adresser à vous ? demanda-t-elle quelques instants plus tard en levant la tête. J'ai à peine aperçu votre plaque, et je ne sais ni votre grade ni votre nom...

— Inspecteur Kaminski. Mais vous pouvez m'appeler Jackie, si vous le préférez.

— D'accord.

Leigh tourna la tête vers la fenêtre pour jeter un coup d'œil au petit jardin où quelques massifs de fleurs se détachaient sur le fond émeraude de l'herbe soigneusement tondue.

Jackie en profita pour étudier le profil gracieux de la jeune femme, ses yeux cernés et l'expression qui marquait douloureusement son visage. De toute évidence, Leigh Mellon était une femme malheureuse, décida Jackie. Et pourtant, elle ne semblait pas vraiment désespérée...

— Si nous parlions de ce qui s'est passé hier dans le centre commercial ? proposa-t-elle en savourant son café.

Leigh soupira, puis se lança dans le récit détaillé de ses faits et gestes de la veille au soir, tandis que Jackie consultait les notes dans le dossier qu'elle avait apporté. L'histoire correspondait presque mot pour mot à celle rapportée par Kent Paxton.

— Ainsi, vous vouliez voir ces robes d'été, déclara Jackie après avoir longuement écouté son interlocutrice.

— Dans la boutique d'à côté. Et je me suis absentée cinq minutes à peine ! Quand je suis revenue, il... Michael avait disparu.

Ses yeux se remplirent de larmes. Elle les essuya du revers de la main et, portant la tasse à ses lèvres tremblantes, avala une gorgée de café.

— Comment ai-je pu être aussi insouciante ! Le laisser seul, alors qu'il est si petit... C'est un enfant tellement gentil et fragile ! Je ne peux supporter l'idée...

Jackie s'éclaircit la voix.

— Madame Mellon, commença-t-elle en saisissant son stylo d'un air impassible. Afin de faciliter notre enquête, j'aimerais avoir recours au détecteur de mensonges... Accepteriez-vous de passer ce test ?

— Mais bien sûr ! s'exclama Leigh sans hésiter. Si cela peut nous aider à retrouver Michael... Quand voudriez-vous procéder à... ?

— Nous sommes obligés de respecter certaines formalités, répondit Jackie, se rappelant l'avertissement du commissaire au sujet de la famille Mellon. D'abord, vous devez savoir que les résultats de ce test, bien que concluants, ne sont pas recevables par le tribunal. Un avertissement officiel vous sera adressé vingt-quatre heures à l'avance, ainsi que la liste des questions qu'on vous posera. Si vous le souhaitez, nous les passerons en revue ensemble avant le test.

— Vingt-quatre heures ! Nous pourrons donc le faire demain, c'est-à-dire... dimanche ?... Mon Dieu, je ne me rappelle même pas quel jour nous sommes !

Elle secoua la tête et se frotta les tempes d'un air las.

— Je vais demander le test pour dimanche après-midi, si l'officier préposé est disponible, déclara doucement Jackie.

Les sourcils froncés, elle se pencha sur son calepin. Elle se sentait un peu troublée car, contrairement à ce qu'elle avait imaginé, Leigh ne manifestait pas la moindre réticence à l'idée de passer au détecteur de mensonges ! Curieux...

— A votre avis, où est votre fils en ce moment, madame Mellon ? demanda-t-elle.

— Comment le saurais-je ? Et d'ailleurs, pourquoi cette question ?

Jackie prit une profonde inspiration, se préparant à choisir soigneusement ses mots.

— A cause de votre réaction, répondit-elle. J'ai l'impression que vous êtes bouleversée... mais pas réellement affolée ou terrifiée, comme le serait une mère en imaginant son fils entre les mains d'un étranger. Je crois que vous avez une idée plus ou moins précise de l'endroit où se trouve Michael.

Pour toute réponse, Leigh se tordit les mains et baissa la tête, laissant échapper un son inintelligible.

— Vous dites ? insista Jackie en se penchant vers la jeune femme.

— Je pense qu'il est... chez Stefan !

— Ce n'est pas ce que vous avez déclaré hier ! objecta Jackie en consultant le dossier. Vous sembliez croire alors...

— Je n'ai pas cessé de réfléchir toute la nuit, l'interrompit Leigh. J'ai d'abord cru que Michael avait été kidnappé par un étranger, comme l'autre policier l'a suggéré. Mais maintenant, je suis sûre qu'il s'agit de Stefan ! Il a dû me suivre toute la soirée en prenant des précautions pour que je ne m'en aperçoive pas, et il aura profité de la première occasion pour se saisir de Michael !

— Pourtant, ni le personnel du magasin de jouets, ni les commerçants voisins n'ont rien remarqué de suspect !

— Qu'y a-t-il de suspect dans l'image d'un père qui emmène son enfant ? C'est une chose parfaitement normale, personne n'y aurait pris garde !

— Franchement, Leigh, n'avez-vous pas l'impression que c'est un peu tiré par les cheveux, compte tenu de ce qui a précédé la disparition de Michael ?

Jackie avait mentionné exprès le prénom de la jeune femme, espérant donner à l'entretien une allure un peu plus intime. Mais Leigh ne parut même pas s'en apercevoir. Elle fixa Jackie d'un air de totale incompréhension.

— Vous le savez bien, précisa cette dernière, il y a eu

cette audience au tribunal. Et votre ex-mari a eu gain de cause. On peut même dire qu'il a gagné sur toute la ligne ! Alors, pourquoi aurait-il enlevé son fils ?

— Vous ne comprenez pas, murmura Leigh, serrant sa tasse entre ses mains comme pour les réchauffer. Stefan n'a pas gagné sur toute la ligne ! Il a juste obtenu confirmation de son droit de visite le samedi.

— Et que veut-il de plus ?

— Il veut Michael, dit la jeune femme, dont le visage délicat avait soudain pris une expression dure et tendue. Stefan veut m'enlever Michael à tout jamais... Il veut gagner la guerre !

— Vous voulez dire qu'il considère tout cela comme un véritable affrontement ? Qu'il serait capable de se montrer vraiment cruel ?

— Oui. Stefan est un monstre. Une créature diabolique !

Pour la première fois, Jackie se demanda si Leigh Mellon était saine d'esprit. Elle songea à l'image souriante du petit garçon dans son costume du dimanche, avec son nœud papillon... La peur s'empara d'elle et la fit frissonner.

— Vous semblez terriblement sûre de ce que vous avancez, finit-elle par remarquer.

— Je *suis* sûre, souligna Leigh en se renversant dans son fauteuil d'un air las et distant. Stefan est un monstre, il ferait n'importe quoi pour obtenir ce qu'il veut. Je n'arrête pas de le répéter autour de moi, mais c'est comme si je criais dans le désert...

Le soleil était déjà haut dans le ciel quand Jackie quitta la maison de Leigh pour se diriger vers le sud. Elle longea la rivière Spokane et le parc qui la borde. Comme elle atteignait le campus de l'université Gonzaga, elle ralentit, admirant les arbustes en fleurs, les arbres énormes à l'épais feuillage et les imposants bâtiments en brique avec leurs façades à colonnes et leurs gracieuses tourelles.

Gonzaga, cette très ancienne université jésuite, alma mater de Bing Crosby, était un des endroits les plus charmants de la ville. Certains étudiants de la session estivale flânaient entre les bâtiments, leurs livres sous le bras ; d'autres, allongés sur les pelouses en petits groupes, menaient des discussions animées, ponctuées d'éclats de rire. Jackie les observa avec mélancolie. Comme cela semblait merveilleux d'être jeune et insouciant, et de passer l'été dans cet endroit de rêve, avec pour seule occupation les études et les débats !

Elle gara sa voiture près d'un bâtiment élevé en marge du campus, vérifia l'adresse et descendit. Après avoir présenté sa plaque au concierge, elle prit l'ascenseur, l'esprit toujours occupé par Leigh Mellon.

L'homme qui ouvrit la porte lui adressa un long regard interrogateur.

— Inspecteur Kaminski, dit-elle, de la police de Spokane. Etes-vous Stefan Panesivic ?

— Oui. Entrez, je vous prie ! Je vous attendais.

Il s'effaça courtoisement pour la laisser pénétrer dans le vestibule, puis la précéda dans le salon. Il n'était pas seul : une demi-douzaine de jeunes gens, installés sur les sièges et le canapé dans la grande pièce baignée par le soleil, observèrent Jackie en silence.

— Ce sera tout pour aujourd'hui, annonça Stefan Panesivic aux étudiants. J'ai à discuter avec cette dame. Prenons rendez-vous pour demain, d'accord ?

Les jeunes gens ramassèrent leurs livres et se dirigèrent vers la sortie, saluant leur hôte avec un respect mêlé d'affection. Jackie profita de ces quelques instants pour se faire une idée à la fois de l'homme et de son domicile.

Stefan Panesivic avait à peine dépassé la quarantaine, et Jackie dut admettre qu'il était séduisant en diable. Ses cheveux bruns et bouclés étaient traversés de fils d'argent sur les tempes, et son fin visage au nez aquilin semblait dévoré par de grands yeux noirs qui scrutaient son interlocutrice jusqu'au fond de l'âme. Grand, bâti en athlète, il était vêtu d'un jean et d'un polo au col ouvert. Sa voix grave et musicale, légèrement teintée d'accent, avait la douceur d'une caresse. Les consonnes et les voyelles se succédaient comme autant de sons harmonieux composant une mélodie, et Jackie se surprit en train d'attendre le moment où il se remettrait à parler...

Essayant de briser l'envoûtement qui l'avait saisie, elle regarda autour d'elle. L'appartement de Stefan paraissait plus négligé, mais aussi plus chaleureux que la maison de son ex-femme. Un vieux canapé de cuir et des fauteuils assortis composaient le mobilier du salon ; des tapis orientaux recouvraient le sol, et les murs étaient ornés d'estampes et de tableaux aux teintes sombres. Mais ce qui caractérisait surtout la pièce, c'étaient les livres ; il y en avait partout : dans la bibliothèque vitrée, sur les rayonnages, sur les étagères et, plus simplement, en piles à même le sol.

— Désolé pour le désordre, dit-il. Je n'ai jamais le temps de ranger mon appartement.

— Vous étiez en réunion de travail ? demanda Jackie en s'installant dans un des fauteuils de cuir. D'après nos informations, vous n'enseignez pas en ce moment.

— Cela n'est pas prévu au programme. Il s'agit d'étudiants qui suivent des cours d'été en sciences politiques. Je les aide un peu en organisant des discussions le week-end et en les orientant dans leurs recherches.

— Juste par charité chrétienne ?

— Vous pouvez le dire, en effet, répondit-il en souriant, sans se laisser troubler le moins du monde par le ton provocant de la question. Mais c'est aussi un peu par égoïsme, car j'adore les échanges.

Jackie se sentit de nouveau prise au charme de

l'homme. Son sourire le rendait particulièrement séduisant, illuminant ses yeux noirs d'une pointe de malice et accentuant le contraste entre ses dents blanches et son teint délicatement hâlé.

— Vous avez là un groupe très mélangé, fit observer Jackie.

— Dans quel sens ?

— J'ai remarqué que, sur les sept étudiants, il y avait deux Afro-Américains, deux Asiatiques et un Hispanique.

— Et alors ? La police s'intéresserait-elle aux origines ethniques des citoyens, inspecteur ?

— Bien sûr que non. Nous autres policiers avons l'œil, c'est tout. Cela fait partie du travail.

— Je vois. Et nous autres professeurs, nous aimons à penser que nos étudiants reflètent le visage de l'Amérique d'aujourd'hui... En fait, vous êtes vous-même le produit d'un mélange, n'est-ce pas ? ajouta-t-il en l'observant de son regard sombre et pétillant.

Etonnée par cette question directe, Jackie hésita à répondre. Mais le ton et la voix de l'homme dégageaient tant de chaleur, tant de bienveillance qu'elle finit par répondre :

— En effet, on peut le dire.

— Américaine de naissance ?

— Cherokee. En réalité, je suis à moitié américaine.

— Et l'autre moitié ? Irlandaise ?

— Vous êtes très fort, monsieur Panesivic. Ou dois-je vous appeler « professeur » ?

— Surtout pas de ça ! protesta Panesivic d'un revers de main. Je suis en effet docteur en sciences politiques... Mais les titres, c'est trop ronflant pour la vie de tous les jours. Et puis, je ne voudrais pas qu'on me demande mon avis sur les tremblements de terre ou les attentats terroristes et qu'on réclame ma présence sur les lieux des catastrophes !

Jackie éclata de rire puis, retrouvant aussitôt son

sérieux, ouvrit son calepin. Mais Panesivic continuait d'examiner son visage.

— Afro-américaine ? suggéra-t-il.

— Un peu.

— Et russe... De la Russie de l'Ouest, déclara-t-il en se renversant dans son fauteuil d'un air de triomphe.

— C'est trop facile ! protesta Jackie. Vous savez que mon nom est Kaminski.

— Pas du tout ! Vos merveilleuses pommettes slaves vous ont trahie !

Son beau visage prit soudain une expression grave.

— Avez-vous du nouveau, inspecteur ?

— Toujours rien de précis, répondit Jackie, intriguée par son calme apparent comme elle l'avait été tout à l'heure par le manque d'émotion de Leigh. Vous n'avez pas l'air particulièrement bouleversé, monsieur Panesivic... Pas comme un père dont l'enfant vient d'être kidnappé !

Stefan se leva d'un bond et se mit à arpenter la pièce. Il prit un livre, le reposa à sa place, puis s'approcha de la fenêtre, le regard dans le vague.

— Michael n'a pas été kidnappé, déclara-t-il enfin.

— Alors, où se trouve-t-il ?

— Chez Leigh. Je suis sûr qu'il va parfaitement bien... Du moins, sur le plan physique, ajouta-t-il sur un ton amer.

Jackie observa attentivement le visage de son interlocuteur.

— Voilà qui est étrange, dit-elle. Votre ex-femme porte exactement les mêmes accusations contre vous ! Elle prétend que c'est vous qui avez l'enfant.

— Ça c'est la meilleure ! s'exclama-t-il avec un rire sans joie. Regardez mon appartement ! Ce n'est pas dans cette cage à lapins qu'on pourrait cacher un enfant de trois ans. A moins que je ne l'aie carrément enfermé dans ma cave...

— Et comment Leigh s'y serait-elle prise, elle, pour le cacher ?

Stefan revint s'installer dans son fauteuil et déclara d'un ton froid :

— Manifestement, vous n'avez pas encore rencontré les autres membres de la famille Mellon ! Ils disposent de moyens que vous ne soupçonnez même pas. Des maisons partout, du personnel, des parents richissimes... Ils ont pu emmener Michael n'importe où.

— Dans un autre Etat ? Ou même à l'étranger ?

— C'est possible. Au Mexique ou au Canada, sans problème.

— Si Leigh est impliquée dans la disparition de Michael, et qu'elle continue à mentir à la police, elle commet un délit très grave. Quelle serait donc sa motivation ?

— J'aurais dû me rendre compte, juste après l'audience au tribunal, que la situation ne pouvait que s'envenimer, dit Stefan en feuilletant machinalement un livre qu'il avait pris sur le guéridon. Les Mellon n'admettront jamais une défaite. D'ailleurs, ils n'en ont jamais subi jusqu'à présent.

Jackie songea au visage mortellement pâle de Leigh et à son regard terrifié... Etait-il possible que le seul mobile de la jeune femme fût la volonté de gagner à tout prix ?

— Leigh est persuadée que vous avez enlevé Michael pour l'emmener en Croatie, et qu'elle ne reverra jamais son fils. Qu'en pensez-vous, monsieur Panesivic ?

— C'est tout simplement ridicule. Ma famille, mon travail, toute ma vie est maintenant en Amérique. Mes parents habitent ici, ainsi que mon frère et sa famille... Pourquoi voudrais-je retourner en Croatie ?

— Vous avez donc définitivement élu domicile à Spokane ?

— J'aurai la nationalité américaine avant la fin de l'année... A propos, je suppose que Leigh n'a pas précisé, dans son délire paranoïaque, que Michael n'a pas de passeport, et qu'il ne peut pas voyager avec le mien ?

— Cette information est consignée dans le rapport préliminaire. Pourtant... Michael a-t-il vraiment besoin d'un passeport pour quitter le pays ? Je pensais que ce n'était pas obligatoire pour les enfants en bas âge...

— Eh bien, vous vous trompiez ! répliqua calmement Stefan. Personne ne peut aller en Europe sans passeport, pas même un nourrisson — à moins qu'il n'ait la même nationalité que son père ou sa mère.

Stefan observa un instant Jackie pendant qu'elle complétait ses notes.

— Ecoutez, inspecteur, reprit-il, je sais que votre juridiction est limitée, de même que vos effectifs — sans parler des restrictions budgétaires qui empoisonnent le quotidien de la police, n'est-ce pas ?... Bien. Je pense que je vais vous laisser travailler pendant quelques jours. Si vous n'avez rien trouvé d'ici là, j'engagerai un détective privé, et j'organiserai moi-même les recherches... Mais, quoi qu'il arrive, conclut Stefan avec une froide détermination, vous pouvez être sûre que je retrouverai mon fils !

Jackie acquiesça de la tête, tout en consultant ses notes.

— Votre mariage remonte à quatre ans, c'est ça ? demanda-t-elle. Et Leigh est tombée enceinte peu après...

— Nous n'avions aucune raison d'attendre. J'avais près de quarante ans à l'époque, et Leigh affirmait qu'elle se sentait prête à devenir mère. Michael est né un an après notre mariage, presque jour pour jour.

— Etiez-vous heureux ?

— Au début, oui...

Il se tut, son beau visage soudain figé dans une expression de souffrance muette.

— Que s'est-il passé ?

— Rien de spécial... Et tout à la fois ! C'est souvent comme ça, dans une relation : mille petites choses qui vont de travers...

— Vous pouvez en évoquer quelques-unes ?

— Pour commencer, répondit-il en soupirant, Leigh n'était pas aussi mûre qu'elle me l'avait laissé croire. En fait, c'est une personne instable et déséquilibrée, en dépit des conditions privilégiées dans lesquelles elle a été élevée. D'autre part, elle s'est révélée maladivement jalouse. Mais le problème principal, c'était sa famille. Les Mellon ne supportaient pas le fait que Leigh ait épousé ce qu'ils appellent un « étranger »... Vous savez, ils ne sont pas très larges d'esprit, malgré leur fortune et leur pouvoir. Barbara Mellon, par exemple, est terriblement snob... L'avez-vous déjà rencontrée ?

— Je vais la voir cet après-midi.

— Alors, prenez garde à votre dos, dit Stefan avec un sourire lugubre. Un coup de poignard est vite donné !

— Parlez-moi de votre famille, à présent. Comment vos parents ont-ils réagi à ce mariage ?

— Ils étaient ravis. Ils ont tout de suite adoré Leigh, et elle les aimait bien aussi. Encore aujourd'hui, ma mère a l'impression d'avoir perdu une fille.

— Que faisiez-vous hier, entre 19 heures et 21 heures ?

— J'étais invité à un petit dîner avec des amis de la faculté. Nous avions souhaité nous réunir une dernière fois avant les vacances d'été.

— Pourriez-vous me donner les noms des personnes présentes à ce dîner ?

Après avoir noté quelques noms et adresses, Jackie continua à interroger Panesivic sur ses études universitaires, son travail d'enseignant et l'état de ses démarches pour obtenir la citoyenneté américaine, complétant ainsi les informations déjà consignées dans le dossier. Enfin, elle se leva pour prendre congé.

— J'aimerais pouvoir vous joindre en cas de besoin, dit-elle. Vous n'avez pas l'intention de quitter la ville ?

— Pas tant que je ne saurai pas où se trouve mon fils.

— Parfait. Autre chose... Votre ex-femme a accepté un test au détecteur de mensonges concernant les détails de la disparition de Michael. N'est-ce pas surprenant ? Si vos accusations contre elle sont vraies, elle aurait dû refuser de se soumettre à une expérience aussi risquée !

Stefan s'adossa calmement contre le mur et fixa Jackie de son regard intense.

— Pas du tout, répondit-il. Et savez-vous pourquoi ? Une personne à l'esprit dérangé peut tromper le détecteur de mensonges très facilement !

La sensation soudaine d'un danger s'empara de Jackie. Tel un chat dont le poil se hérisse, elle sentit un frisson glacé lui parcourir la nuque et le dos.

— Pensez-vous que votre ex-femme ait l'esprit dérangé ?

— Ce sera votre travail de le découvrir ! répliqua-t-il en lui ouvrant la porte. Tenez-moi au courant, inspecteur Kaminski. Si vous apprenez quelque chose, faites-le-moi savoir à la minute même.

5.

Le temps de vérifier l'alibi de Stefan et de revenir au centre-ville, il était près de midi. Jackie avait faim, et devait absolument faire le plein d'essence. Elle quitta donc le centre, se dirigeant vers une station-service souvent utilisée par la police dans le quartier Est.

Pendant que l'employé nettoyait son pare-brise, son attention fut attirée par une jeune fille au coin de la rue voisine. Ses cheveux blonds étaient ébouriffés, et son visage au teint livide arborait une expression maussade. Elle était très jeune et semblait terriblement mal à l'aise, sanglée dans sa minijupe de cuir et son bustier léopard, perchée sur des talons aiguilles. Où donc ces « fleurs de macadam » se procuraient-elles leurs frusques incroyables? songea Jackie avec une grimace. Elles devaient avoir un fournisseur de vêtements criards et bon marché dans le quartier...

Et puis soudain, Jackie eut l'étrange impression que quelque chose clochait. La fille était vraiment trop jeune! Elle avait un air presque touchant, timide et sans défense, qui contrastait avec sa tenue aguicheuse...

A tout autre moment, Jackie aurait pris le temps d'interroger la gamine et de vérifier si ce n'était pas une fugueuse. Mais l'affaire Panesivic requérait toute son attention. Elle ne pouvait tout simplement pas se permettre de s'en détourner. Pourtant, avant de partir, Jackie mémorisa l'endroit, se promettant d'y revenir dès qu'elle aurait un moment.

Elle quitta la station, se dirigeant vers le commissariat. Après avoir, en chemin, acheté dans un fast-food un cheeseburger avec des frites et un milk-shake, elle gara sa voiture et, son déjeuner dans une main et son calepin dans l'autre, elle se hâta à l'intérieur.

Installé devant son bureau, Wardlow entrait des informations dans l'ordinateur. Apercevant Jackie, il lorgna vers son sac d'un air affamé.

— Tu aurais pu penser à ton coéquipier ! s'exclama-t-il d'une voix plaintive.

— Je croyais que tu devais déjeuner avec ta femme dans le centre commercial.

— Sarah s'est décommandée.

Jackie lui lança un regard pénétrant, mais Wardlow semblait absorbé par les papiers empilés près de l'ordinateur. Si joyeux d'ordinaire, il avait les traits tirés et paraissait malheureux. Bizarre !...

Sortant quelques frites du sac en papier, Jackie prit sa carte téléphonique dans son portefeuille, l'inséra dans l'appareil et, tout en grignotant, composa un numéro de longue distance. Enfin, elle entendit la voix de son cousin à l'autre bout du fil.

— Salut, Joey ! dit-elle en souriant de plaisir.

Joey, de dix ans son cadet, était sans doute son préféré dans cette bande de bons à rien que composaient ses cousins.

— Je suis un peu inquiète pour grand-ma', dit Jackie. Elle m'a appelée l'autre nuit. J'ai l'impression qu'elle était dans un sale état !

— Je suis vraiment désolé, Jackie. Je ne sais pas comment elle a réussi à mettre la main sur cette bouteille... Tu la connais !

— Oui, je la connais. Ça va mieux maintenant ?

— Beaucoup mieux. Je te l'aurais passée, mais elle est partie déjeuner chez Maria.

— Du moment qu'elle va bien... Ecoute, grand-ma'voulait que je lui envoie de l'argent. Elle s'est plainte de n'avoir plus rien à manger et de se nourrir de pâtée pour chiens...

— C'est un mensonge éhonté ! s'écria Joey avec indignation. Elle veut de l'argent pour s'acheter de la gnôle. J'ai fait une foule d'emplettes pour elle, l'autre jour !

— Tu travailles en ce moment ?

— J'ai un truc qui rapporte un peu d'argent, répondit-il évasivement.

— Surtout ne me raconte pas de quoi il s'agit, répliqua Jackie en souriant.

— Compte sur moi !

Pendant un instant, ils se turent tous deux. Jackie enroula le fil téléphonique autour de ses doigts, puis reprit :

— Grand-ma'a dit que Carmelo est en prison...

— Pour un ticket de parking. La belle affaire !

— On l'a arrêté pour un ticket de parking ?

— C'était une question de principe, déclara Joey d'un ton solennel. Tu n'as jamais entendu parler de principes ?

— Un jour, vous aurez ma mort, les gars ! Je vais d'ailleurs appeler Lorna, pour qu'elle passe chez vous.

— Ecoute, je n'aime pas voir les assistantes sociales débarquer chez moi. Enfin, je n'ai rien contre Lorna. Peut-être qu'elle pourra même raisonner un peu grand-ma'...

— Essaie de garder l'alcool hors de sa portée, d'accord ?

— J'essaierai, promit-il d'une voix morne. Je ne fais que ça...

— Je te crois, soupira Jackie. Bon, prends soin de toi.

Elle raccrocha, but une gorgée de son milk-shake puis se pencha sur les papiers devant Wardlow.

— As-tu trouvé quelque chose ? lui demanda-t-elle.

— Rien d'intéressant. La fille de la cafétéria se rappelle avoir servi Mme Mellon et le gosse. Elle prétend les avoir regardés avec attendrissement assis l'un à côté de l'autre. Ils avaient l'air mignons comme tout, paraît-il.

— Il était quelle heure ?

— Autour de 6 heures. Comme Mme Mellon l'a dit à l'agent.

— Bon. Autre chose ?

— La vendeuse de jouets les a vus entrer dans le magasin, reprit Wardlow en consultant l'écran. Elle a admiré l'enfant, elle aussi ; au fait, elle a même remarqué ses lacets bleus !

— Mais elle ne se souvient pas de les avoir vus partir ?

— C'eût été difficile ! Il y avait une bande de gamins dans le magasin qui occupaient toute son attention. Ils faisaient les fous avec les jouets et s'employaient à la narguer par tous les moyens. Elle a dû les jeter dehors. Peu après, Mme Mellon est arrivée pour lui signaler la disparition de l'enfant.

— Et les commerçants voisins n'ont rien remarqué, eux non plus ?

— J'ai cru comprendre qu'il y avait foule dans le centre commercial hier soir. J'ai visionné les vidéo de la sécurité. Toutes les galeries marchandes étaient en effet pleines à craquer.

— Le magasin de jouets a-t-il été filmé ?

— Pas de chance. La caméra la plus proche se trouve à mi-chemin entre l'entrée du centre et le magasin, et elle n'était pas branchée hier soir. La panne avait été signalée mais le technicien n'avait pas eu le temps de la réparer.

— Super, commenta Jackie d'un air sombre. Bravo pour les caméras de sécurité !

— Il y a encore un détail, ajouta Wardlow. Pas grand-chose, à vrai dire... Mais qu'est-ce que tu as à trifouiller toujours tes sandwichs ? s'interrompit-il, tandis que Jackie ouvrait son hamburger et réarrangeait les pickles à l'intérieur.

— J'aime avoir un peu de pickles avec chaque morceau que j'avale. Ça te dérange ?

— Tout me dérange quand j'ai faim.

A d'autres ! songea Jackie. L'exaspération de son coéquipier avait une raison et une seule : le rendez-vous manqué avec sa femme. Elle décida cependant qu'il était plus sage de s'abstenir de tout commentaire...

— Il y a un petit magasin d'informatique juste devant la boutique de jouets, poursuivit Wardlow. Le propriétaire a aperçu une fille qui s'amusait avec le modèle exposé, à 7 heures environ. Il a déclaré qu'elle avait l'air « suspect » — c'est le mot qu'il a employé.

— Quel genre de fille ? Quel âge ?

— Collégienne, ou peut-être étudiante. Il a précisé que, maintenant qu'il avait dépassé la cinquantaine, pour lui toutes les femmes se ressemblaient.

— Etudiante ? répéta Jackie, songeuse.

Elle pensait au groupe de jeunes gens qu'elle avait croisés dans l'appartement de Stefan, et à l'adoration qu'elle avait perçue dans leur regard au moment où ils prenaient congé.

— Ce n'est pas tout, dit Wardlow. Hé, je peux te piquer au moins quelques frites ? Merci. Bon, la vendeuse a aperçu une fille elle aussi : une brune avec une queue-de-cheval ou un chignon. Mais sa description ne correspond pas à celle du commerçant d'en face, qui prétend, lui, que la fille avait des cheveux roux, coupés court et coiffés en arrière.

— Y a-t-il au moins un détail sur lequel ils tombent d'accord tous les deux ?

— Un jean et un chemisier vert foncé. Mais rien de précis en ce qui concerne le visage. Ils en ont eu une vision trop fugace, occupés qu'ils étaient avec leurs clients.

— Mais on a vraiment vu une fille traîner à l'intérieur du magasin de jouets ?

— La vendeuse prétend l'avoir vaguement aperçue, au moment où elle-même bataillait avec les gamins. La fille errait entre les rayons et semblait chercher quelqu'un. Elle est sortie en courant dès que la vendeuse s'est approchée d'elle.

— Seule ?

— Oui. Juste après, Mme Mellon est arrivée en disant que son fils avait disparu. La vendeuse l'a accompagnée à travers le magasin pendant quelques minutes, puis elle a informé le centre de sécurité, qui a appelé la police à 8 heures, après avoir lui-même effectué des recherches dans les environs.

— Cette histoire me rend folle, remarqua Jackie en se frottant les tempes. J'ai discuté avec la mère et le père du petit, ce matin. Chacun prétend que c'est l'autre qui l'a enlevé.

— Alors, qu'est-ce que tu en conclus ?

— J'ai une trouille de tous les diables, répondit-elle sur un ton brusque. L'un d'eux se trompe forcément. Et si l'on admet cela, autant dire qu'ils peuvent se tromper tous les deux.

— En d'autres termes, il n'est pas impossible que le gosse ait été kidnappé par un inconnu !

Jackie acquiesça de la tête. Comme elle posait son regard sur la photo souriante de Michael, une bouffée d'angoisse lui étreignit le cœur. Où était-il, cet émouvant petit garçon aux yeux noirs et au nœud papillon ? Comment voler à son secours ?

— Et si l'on demandait plus d'effectifs ? demanda Wardlow, qui semblait gagné par l'inquiétude de Jackie. Nous pourrions interroger tout le quartier, faire du porte-à-porte...

— Michelson doute qu'on mette plus d'hommes sur cette affaire, et il a sûrement raison. Il est quand même très probable qu'il s'agisse d'une guerre sans merci entre le père et la mère ! Ce qui m'intrigue le plus, c'est que... Leigh Mellon a accepté de passer le test au détecteur de mensonges ! Elle n'a pas hésité un instant... D'ailleurs, j'ai déjà prévenu le sergent Kravitz et pris rendez-vous pour demain après-midi.

— Dans ce cas, le coupable est peut-être le père ? avança Wardlow, perplexe. Comment est-il ?

— Extrêmement gentil. Il semble très inquiet au sujet de son fils. Et il a un alibi en béton ! Je l'ai vérifié avant de quitter le campus.

— Mais il a pu engager quelqu'un pour kidnapper le gosse, objecta Wardlow. Je pense à la fille qui traînait par là.

— La vendeuse l'a vue partir seule. Elle n'a tout de même pas caché l'enfant dans sa poche ou son sac à main ! D'autre part, Panesivic vient d'obtenir gain de cause au tribunal. Pourquoi monterait-il un kidnapping à présent ?

Wardlow tendit le reste des frites à Jackie, qui secoua la tête.

— Tu peux les finir, je n'ai plus faim, dit-elle en posant de nouveau son regard sur la photo du petit garçon. Les manuels de police citent trois cas de figure concernant le kidnapping d'un enfant en bas âge, tu t'en souviens ? Demande de rançon, détention illégale, pratiques abusives.

— La famille Mellon est assez fortunée pour que le mobile soit la rançon. Mais nous pouvons sans doute l'exclure si Leigh Mellon n'a toujours pas été contactée par les ravisseurs.

— Elle ne l'a pas été. Sa sœur est restée avec elle toute la nuit, dans l'attente d'un appel téléphonique. C'est sa sœur qui lui a tenu compagnie... Vraiment charmante, celle-là !

— Tu ne la portes pas dans ton cœur, hein ? remarqua

Wardlow avant de poursuivre en plissant le front : admettons qu'il s'agisse de détention illégale ; l'enfant aurait donc été enlevé par quelqu'un de la famille...

— Pas forcément, objecta Jackie. Ce peut être une personne mentalement déséquilibrée, prête à tout pour avoir un enfant.

— Dans ce cas, il faudra vérifier auprès des agences d'assistance sociale. Elles pourront nous conduire à tous les couples en mal d'adoption.

— Vaste programme, n'est-ce pas ? Prenons-en bonne note, mais laissons cela pour plus tard, quand nous aurons écarté les autres pistes.

— Bon, acquiesça Wardlow. Il nous reste donc le cas des pratiques abusives.

— Oui, c'est un mobile plus plausible. Existe-t-il un fichier des personnes coupables d'avoir maltraité des enfants dans le secteur ?

— Les gars du commissariat du centre-ville sont en train de l'établir pour nous, et j'ai ici trois agents prêts à nous donner un coup de main en cas d'intervention. Doit-on commencer à vérifier les alibis des pédophiles qui ont un casier ?

— Je crois que oui. Mais je ne veux pas négliger la piste de la famille non plus, dit Jackie en tendant une enveloppe à son collègue. Tu trouveras là-dedans les photos des proches, du côté des Mellon et du côté des Panesivic. Il faudra que tu retournes avec ces clichés au centre commercial, tant que les mémoires sont encore fraîches ; peut-être quelqu'un reconnaîtra-t-il une de ces personnes.

— Je parie que nous n'aurons pas un seul jour de congé cette semaine, commenta Wardlow en soupirant.

— Si, à condition de trouver l'enfant. Nous aurons l'air de quoi, autrement ?

— Super, grogna Wardlow. C'est exactement ce qu'il me fallait en ce moment : annoncer à ma femme que je vais encore bosser le prochain jour férié !

— Quel jour férié ?
— C'est le Quatre juillet, jeudi. Nous devions avoir trois jours de congé cette semaine, tu te rappelles ?
— Ecoute, Brian..., murmura Jackie en jetant un regard de sympathie à son collègue.
Il tira sur son nœud de cravate d'un air fatigué.
— Allez, ce n'est pas grave, l'interrompit-il. Je ne devrais pas me plaindre, c'est inévitable dans notre secteur. J'ai simplement remarqué que Sarah est devenue un peu...
Il se tut sans terminer sa phrase. Détournant les yeux, Jackie entreprit de taper sur son clavier d'ordinateur les notes figurant sur son calepin. Pour rien au monde elle n'aurait voulu augmenter le malaise évident de son collègue. Brian était marié à une femme d'une beauté saisissante, une brune doté d'un visage d'ange et d'une silhouette voluptueuse digne des Mille et Une Nuits. Sarah Wardlow travaillait dans une boutique de prêt-à-porter au centre-ville et faisait des extra en fabriquant des modèles de costumes pour les films publicitaires à la télévision. Elle avait l'allure sexy et les manières aguichantes d'une vamp, et ses apparitions dans le commissariat mettaient toujours les policiers dans un état d'excitation proche de l'euphorie.
Wardlow aimait sa femme d'un amour possessif et inconditionnel, mais Jackie soupçonnait cette dernière de ne pas s'investir beaucoup dans leur mariage. Et, bien sûr, les exigences du travail de policier n'arrangeaient rien, surtout lorsqu'il s'agissait de sacrifier les week-ends ou les jours fériés. Ces derniers temps, Wardlow semblait particulièrement accablé, même si, à part quelques allusions à ses problèmes de couple, il n'avait rien confié de précis à Jackie. Eh bien, en attendant qu'il se décide à lui parler à cœur ouvert, se dit-elle, il fallait s'occuper de l'affaire Panesivic...
A cet instant, une femme corpulente et échevelée, une pile de papiers sous le bras, fit son entrée dans le bureau.

— C'est bien à vous deux qu'il faut transmettre les nouvelles informations concernant l'enlèvement du petit garçon ?

— Oui, répondit Jackie. Vous avez reçu beaucoup d'appels provenant du public ?

Alice Polson leva les bras au ciel. Elle faisait partie du personnel civil employé par le commissariat en qualité de secrétaire. De même qu'elle menait à la baguette ses quatre enfants, presque adolescents, elle avait adopté la manière rude avec le personnel du poste, y compris les deux commissaires. Elle considérait tous ses collègues comme des blancs-becs indociles ayant besoin d'une poigne de fer et d'une discipline draconienne. La plupart des hommes la craignaient un peu, mais Jackie aimait bien cette femme énergique et efficace, et appréciait surtout son franc-parler.

— On dirait que tout le monde en ville a vu le gosse ! déclara Alice, posant quelques chemises de documents sur le bureau de Brian. On l'a aperçu dans plusieurs restaurants, et stations-service, sans parler des terrains de jeux. Trois personnes — habitant d'ailleurs des quartiers opposés de la ville — prétendent l'avoir vu au même moment dans leur voisinage immédiat !

— C'est le problème habituel des appels du public, marmonna Wardlow en parcourant l'un des dossiers déposés par Alice. Ils s'imaginent des choses, et nous, on croule sous une montagne de renseignements inutilisables !

— Et pourtant, il faudra tous les vérifier, insista Jackie. Dans le tas, on peut découvrir l'indice précieux qu'on recherche. Wardlow, tu ferais mieux d'avertir tout de suite Michelson qu'il nous faudra plus d'effectifs ; il pourra mettre à notre disposition quelques agents de la patrouille régulière. De mon côté, je vais faire ce que je peux, mais j'aurai besoin d'au moins deux jours pour finir d'interroger les membres des deux familles. En plus,

Leigh Mellon doit passer le test au détecteur de mensonges demain après-midi, et je compte y assister.

— A propos de Leigh Mellon, elle a appelé, intervint Alice. Il y a à peine dix minutes. Elle a laissé un message pour toi, Jackie. Attends que je le trouve... Voilà : elle s'est souvenue que son fils avait un jouet avec lui au moment de sa disparition. Une grande peluche facile à repérer.

— Description ?

— Un canard jaune aux énormes pattes orange.

— Elle ne l'a pas signalé aux agents qui l'ont interrogée, fit observer Jackie, tout en notant cette nouvelle information dans son calepin.

— D'après ce qu'elle dit, elle l'avait complètement oublié. Cela lui est revenu tout à l'heure, pendant qu'elle réfléchissait à tout ce qui pouvait vous aider.

— Ce détail va rester confidentiel, d'accord ? proposa Jackie en échangeant un regard éloquent avec ses deux collègues. Inutile de le mentionner à la presse ni à qui que ce soit. Nous pourrons l'utiliser pour vérifier les témoignages et les aveux.

— Des aveux, il en existe déjà, remarqua Alice en consultant ses papiers. Un type prétend avoir étranglé le gosse et jeté le cadavre dans la rivière. Par ailleurs, une bonne femme affirme qu'il est enfermé dans une église désaffectée, en attendant d'être sacrifié au cours d'une messe noire. Aucun des deux individus n'a laissé son numéro.

— Seigneur, les gens sont vraiment cinglés ! grogna Wardlow, dégoûté.

— Et à part cela ? reprit Jackie.

— Cinq médiums ont appelé. Ils prétendent avoir eu des intuitions très nettes pouvant les conduire jusqu'à Michael.

— Ce sont bien les médiums que je déteste le plus, avoua Jackie. Toujours prêts à s'emparer d'un drame personnel pour attirer l'attention sur eux !

— Il en existe qui sont fiables, objecta Wardlow. N'importe quel flic connaît au moins une affaire qui a été élucidée grâce à un médium.

— Pour ma part, il faudrait que je sois vraiment dans une impasse pour recourir à cette engeance. Et même dans ce cas, j'y regarderais à deux fois avant de les contacter. Tout ce qu'ils nous communiquent spontanément n'est que du charabia. Si on les laissait faire, ils mobiliseraient la plupart des effectifs — et tout cela, en pure perte !

— Justement, déclara Alice d'un air gêné après un silence, un de ces... médiums est venu au commissariat ce matin. Je pensais que je devais vous le signaler...

— Pourquoi ? demanda Wardlow, surpris.

— Eh bien... Il sort un peu de l'ordinaire. Pour commencer, c'est un jeune homme d'à peu près votre âge, Wardlow. Et puis, il a un métier : charpentier ou quelque chose dans ce goût-là. Il portait un jean et une paire de bottes usées, et il a déclaré qu'il passait en se rendant à son travail.

Jackie sentit un frisson d'angoisse lui parcourir le corps et nouer tous ses muscles.

— Un jeune gars dans le genre ouvrier qui affirme savoir quelque chose ? Et il s'est déplacé en personne ?

— Oui. Il aurait eu une sorte de vision la nuit dernière, au sujet de l'endroit où le petit garçon serait caché.

— J'espère que vous avez noté son nom et son adresse, Alice, dit Jackie d'un air préoccupé.

— Tous les appels reçus dans la matinée sont dans l'ordinateur. Je les ai fait tirer sur l'imprimante, et j'ai ajouté l'adresse du chantier où l'on pourra trouver le charpentier aujourd'hui.

— Parfait, approuva Jackie, parcourant la liste. Tiens, c'est à South Hill — à moins de deux pâtés de maisons de chez les parents de Leigh Mellon. Je dois les rencontrer juste après l'heure du déjeuner.

— Tu ferais mieux d'y aller tout de suite, observa Wardlow. Veux-tu que je t'accompagne ?

Après un instant de réflexion, Jackie secoua la tête.

— Je t'appellerai si j'ai besoin de toi. Dès que j'aurai interrogé ce type, je me rendrai chez les Mellon... Au fait, comment s'appelle-t-il, cet extralucide ? ajouta-t-elle en plissant les yeux. Je n'arrive pas à lire vos pattes de mouche, Alice !

— Paul Arnussen, répondit la secrétaire.

Puis elle ajouta d'un air pensif :

— Il n'a pas vraiment l'air d'un médium, Jackie... Il pourrait être tout, sauf cela !

6.

Quand Jackie vit Paul Arnussen, elle comprit immédiatement pourquoi la secrétaire ne lui avait pas trouvé un look de médium. L'homme était en train de restaurer une véranda affaissée, dans une de ces antiques demeures de South Hill qui faisaient partie du patrimoine de l'Etat. Jackie se gara derrière une camionnette bleu foncé tendue d'une bâche blanche. A travers les vitres, elle aperçut des râteliers chargés d'outils soigneusement rangés.

Après avoir consigné sur son calepin le numéro d'immatriculation du véhicule, elle prit le sentier qui menait vers la véranda. L'homme, doté d'une carrure impressionnante, vêtu d'un jean délavé, d'un T-shirt jaune échancré et d'une casquette de base-ball, s'appliquait à ôter à l'aide d'un levier les lattes du plancher.

Pendant quelques instants, elle observa son large dos, ses hanches fines et les muscles qui tendaient la peau de ses bras puissants et hâlés, tandis qu'il appuyait sur la barre. Un fragment de bois pourri céda avec un craquement sonore. L'homme fit un pas en arrière pour ne pas perdre l'équilibre, puis entreprit de retirer les éclats de bois qu'il jetait ensuite dans l'herbe.

— Vous êtes Paul Arnussen ? demanda Jackie.

Rapide comme l'éclair, il pivota sur lui-même sans lâcher la barre. Déconcertée, presque éblouie par sa beauté virile,

Jackie remarqua confusément la mâchoire carrée, le torse luisant de sueur, et les grands yeux sombres sous la visière de la casquette.

— Oui, c'est moi, lui répondit-il d'une voix posée. Que puis-je pour vous ?

Dans l'esprit de Jackie, l'étonnement mêlé de trouble ne dura qu'un instant. Elle détailla son vis-à-vis. Bâti en athlète, il mesurait au moins un mètre quatre-vingt-dix, et son grand corps souple dégageait une puissance contenue, évoquant un félin. Jackie remarqua qu'il portait un petit pansement tout récent sur l'une des joues, entre l'oreille et le coin de la bouche.

— Inspecteur Kaminski, dit-elle en présentant sa plaque. On m'a avertie que vous étiez venu ce matin au commissariat avec des informations au sujet de Michael Panesivic.

Il ôta sa casquette et lui serra la main d'un geste à la fois digne et courtois. Décidément, Paul Arnussen était un homme déroutant ! Et, surtout, plein de charme... Plus encore sans son couvre-chef : ses cheveux d'un blond doré formaient un étrange contraste avec ses yeux sombres et ses pommettes hautes, comme taillées dans du bois. Ses origines devaient être aussi métissées que les siennes, songea Jackie. Impossible de deviner lesquelles, bien sûr, mais elle aurait parié sur une alliance aussi insolite que celle d'un Apache et d'une Suédoise !

D'un air embarrassé, il se balança d'un pied sur l'autre en remettant sa casquette.

— Je n'appellerais pas cela des informations, répondit-il. J'ai eu juste... une sorte d'intuition. Mais elle était tellement forte et troublante que j'ai cru devoir en parler à quelqu'un.

« Sans blague ! pensa Jackie cyniquement. N'auriez-vous pas plutôt commis un crime atroce, que vous avez parfait en venant narguer la police par pure perversité ? »

— Pourriez-vous décrire cette... intuition ? prononça-t-elle à haute voix.

— Hier soir, au volant de ma camionnette, j'ai entendu à

la radio la nouvelle de la disparition de l'enfant. Quelques heures plus tard, alors que j'étais déjà couché et à moitié endormi, j'ai vu une sorte de puits obscur. Et le petit garçon se trouvait au fond de ce puits.

— Enterré vivant, vous voulez dire ?

— Non, pas enterré, précisa-t-il en jetant un regard oblique à la barre qu'il tenait à la main. Cela ressemblait davantage à une cave aménagée.

Comme il levait de nouveau les yeux vers elle, Jackie dut faire un effort pour résister à la fascination de son regard intense, presque hypnotique.

— Vous connaissez les contes de Peter le Lapin ? poursuivit-il. Il vit dans un terrier, mais il a un lit avec une couverture, quelques meubles et des images sur les murs... Ma vision tenait un peu de cela.

— Autre chose ? s'enquit Jackie après avoir pris quelques notes.

— Il y avait une sorte de coq...

Jackie lui lança un regard perçant, se demandant s'il n'était pas en train de se moquer d'elle. Mais l'expression de l'homme demeurait grave.

— Un coq ?

— Oui, mais ce point est assez vague. J'ignore s'il s'agissait d'un coq réel ou d'une image. J'ai eu l'impression qu'il était plutôt... décoratif. Comme les artisans en fabriquent souvent, vous voyez le genre ?

— Je ne suis pas experte en volatiles, rétorqua Jackie. Je ne connais que les poulets de supermarché, conditionnés dans leurs emballages.

— Une vraie citadine ! observa-t-il en souriant. Bon, je peux affirmer que ce coq-là avait des plumes.

— Pensez-vous que l'enfant puisse être caché quelque part à la campagne, à proximité d'un poulailler ?

— Je n'en sais rien. Je n'ai pas vraiment vu ce coq, je n'ai aperçu que son reflet dans les yeux du petit garçon.

— Parlez-moi encore de cette... intuition qui vous a tant troublé.

— L'enfant semblait très malheureux. La terreur qu'il éprouvait m'a bouleversé. Il n'arrêtait pas de pleurer et d'appeler sa maman.

— Je vois, marmonna Jackie.

Elle imaginait très bien la peur panique du petit garçon et ressentit aussitôt une bouffée de haine envers Paul Arnussen.

— Il se balançait d'avant en arrière... Il portait une chemise rouge et une salopette bleue.

Ces informations ayant été données à la radio et à la télévision, il n'y avait rien d'étonnant à ce que l'homme les connaisse. Impassible, Jackie attendit qu'il poursuive.

— Et il avait quelque chose entre les mains... Une peluche jaune. Je n'ai rien vu de plus.

Jackie sentit ses cheveux se dresser sur la tête. Elle promena son regard scrutateur sur le corps puissant de l'homme, ses bras musclés sous sa peau hâlée et ses mains calleuses.

— Où étiez-vous hier soir? demanda-t-elle avec une feinte insouciance. Je veux dire, au moment où vous avez entendu les informations à la radio.

— A la campagne, au nord de la ville.

— Pas loin du centre commercial?

— A quelques kilomètres de là. Il y a une sorte de canyon à l'ouest de l'autoroute. Je vais souvent m'y balader quand il fait beau.

— Vous êtes donc allé à la campagne simplement pour vous promener?

— J'ai grandi à la campagne, expliqua-t-il de sa voix calme. Parfois, je deviens nostalgique... A vrai dire, j'ai horreur de la ville.

— Quelqu'un vous a-t-il vu?

— Hier soir? Non, j'étais seul. J'ai terminé mon travail à 5 heures, pris une douche chez moi et...

— Où habitez-vous?

Comme il dictait son adresse, Jackie remarqua qu'elle correspondait à celle fournie par Alice, la secrétaire.

— C'est à côté de Cannon Hill, n'est-ce pas ? A quelques kilomètres d'ici.

— Oui, mais c'est loin d'être aussi chic. J'occupe un appartement très modeste situé au sous-sol, et je passe le plus clair de mon temps à restaurer des demeures anciennes à South Hill.

— Poursuivez, je vous prie. Qu'avez-vous fait ensuite ?

— Je me suis préparé à manger, puis je suis sorti à 6 heures environ. Je me suis dirigé vers ce canyon au nord de la ville, et je m'y suis promené jusqu'à la tombée de la nuit. Sur le chemin du retour, j'ai entendu l'appel concernant le petit garçon.

— Et cette entaille sur votre joue, comment est-ce arrivé ? demanda Jackie de but en blanc.

— Vous voulez dire cela ? demanda-t-il d'un air surpris, en levant la main pour tâter le petit pansement. Je l'avais complètement oublié ! Je me suis coupé en me rasant ce matin.

— Vous n'utilisez pas de rasoir électrique ?

— A vous entendre, remarqua Arnussen en lui lançant un regard pénétrant, il s'agirait d'un véritable crime. A propos, puis-je continuer mon travail pendant que nous parlons ? Il faut que j'aie fini cela avant le coucher du soleil.

— Ne travaillez-vous pas demain ?

— J'ai pris mon dimanche pour rendre visite à un ami qui habite à Kalispell.

Soulevant une pile de planches de bois pourri, il la rangea avec soin sur un côté du sentier, puis se remit à manier son levier. Jackie s'installa sur une marche du vieux perron et l'observa en silence pendant quelques instants, son calepin sur ses genoux.

— Revenons à cette entaille sur votre visage, finit-elle par dire.

— Je ne peux pas me servir d'un rasoir électrique, répondit-il calmement, tout en ôtant sa casquette et en essuyant la sueur sur son front. J'ai la barbe dure et, si je n'utilisais pas un rasoir mécanique, je serais obligé de me raser deux fois par jour.

Sur ce point, Jackie ne trouva rien à objecter, car elle avait effectivement remarqué, soulignés par le doux soleil de juillet, les reflets dorés d'une barbe naissante sur le menton volontaire de l'homme.

— Et puis, ajouta-t-il dans un souffle, je ne fais pas très attention en me rasant. Je suis toujours trop pressé, et quand j'aperçois du sang sur mon visage, je ne pense plus qu'à chercher frénétiquement un bout de sparadrap.

Jackie ne put s'empêcher d'éprouver un sentiment de solidarité : cela lui arrivait tout le temps, à elle aussi ! L'innocente blessure qui ornait en ce moment sa propre cheville témoignait bien de sa négligence et de sa précipitation. Mais peut-être l'homme essayait-il simplement de la dérouter... La marque sur la joue de l'homme aurait pu être laissée par les ongles d'un petit garçon terrorisé cherchant à résister à son ravisseur...

— Vous êtes donc rentré de votre promenade vers 21 heures, reprit-elle.

— Plutôt entre 22 h 30 et 23 heures.

— Mais cela ne tient pas debout ! Vous n'étiez qu'à quelques kilomètres au nord de la ville, et vous êtes parti du canyon alors que le jour commençait juste à décliner. Qu'est-ce qui vous a retenu aussi longtemps ?

— J'ai eu des problèmes. Quel âge avez-vous, inspecteur Kaminski ?

— Pourquoi ? s'étonna Jackie.

— Je suis plein d'admiration pour les femmes qui font un travail aussi difficile que le vôtre, répondit-il en regardant à la dérobée son calepin noirci. Vous devez être terriblement compétente pour avoir obtenu le grade d'inspecteur — vous êtes si jeune !

— Pas tant que vous semblez le croire, rétorqua-t-elle d'un ton cassant, tout en se demandant s'il n'essayait pas de la troubler exprès. J'ai plus de trente ans. N'importe quel officier de police peut passer le concours d'inspecteur après quatre ans de service.

— Mais la plupart d'entre eux n'y arrivent pas du premier coup, n'est-ce pas ? Vous devez vous montrer efficace dans votre travail, et de plus, réussir toutes les épreuves.

— Comment savez-vous tout cela ?

— J'ai un ami qui est resté dans le Montana... Un certain Clint Paget. Il habite à Great Falls depuis plusieurs années. Il doit avoir le grade de lieutenant aujourd'hui.

Jackie nota le nom, songeant que la vie de Paul Arnussen et son passé allaient sans doute les occuper un certain temps, Wardlow et elle.

— Et vous-même avez toujours travaillé à Spokane ? demanda l'homme.

Il venait de débarrasser la véranda des restes du plancher. Prenant une lampe de poche dans sa boîte à outils, il la braqua sur le sol et se pencha afin d'examiner le soubassement.

— Non, répondit Jackie. J'ai commencé ma carrière comme simple agent de police à Los Angeles. Ensuite, quand j'en ai eu assez des guerres de gangs et de la rue, je suis venue m'installer ici.

— Vous avez dû repartir de zéro pour monter tous les échelons de la hiérarchie, n'est-ce pas ? C'est ce qui se passe quand on change de secteur...

— Exact. Mais un flic qui refait le même parcours est déjà suffisamment rodé pour y mettre moins de temps.

— Toutefois vous êtes devenue inspecteur il n'y a pas très longtemps, n'est-ce pas ?

— Il y a deux ans, répliqua Jackie froidement.

Elle s'en voulait d'avoir laissé cet inconnu l'entraîner sur un terrain aussi personnel. Elle aurait dû se méfier ! Nombre de maniaques sexuels étaient connus pour leurs manières séduisantes, qui trompaient aussi bien les victimes que les policiers. En fait, ils agissaient exactement de la même façon qu'Arnussen ! Ils commençaient par se montrer profondément concernés par l'affaire, après quoi ils brouillaient les pistes et faisaient dévier la conversation du terrain professionnel vers le domaine personnel, tout en manipulant adroitement leur interlocuteur et le cours même de l'interrogatoire...

— Puis-je jeter un coup d'œil dans votre camionnette? demanda Jackie.

— En quoi ma camionnette vous intéresse-t-elle, inspecteur Kaminski? Je vous signale qu'il s'agit d'un modèle très courant.

Jackie fut de nouveau troublée par l'intensité de son regard sombre. Elle avait l'impression que Paul Arnussen pouvait lire dans son cœur et dans son âme à livre ouvert, et qu'il était amusé par ce qu'il y voyait...

— Et si je refusais? dit-il soudain.

— Dans ce cas, je devrais revenir avec un mandat, répondit Jackie en haussant les épaules. Et je m'efforcerais de découvrir la raison de votre réticence!

Il enjamba le bord du soubassement et s'approcha des marches où Jackie était assise. Il était si près qu'elle pouvait sentir l'odeur chaude et humide de sa chemise en coton, ainsi que les relents de vieux bois, de terre et de mousse qui émanaient de ses bottes.

— Suis-je suspect dans cette affaire, inspecteur Kaminski? lui demanda-t-il.

— Etes-vous vraiment médium, monsieur Arnussen? répliqua Jackie en le transperçant du regard. Si ce n'est pas le cas, alors vous êtes effectivement suspect.

Prenant le levier près des marches, il en frappa le bout contre la paume de sa main gauche, comme pour se donner une contenance.

— J'ai déjà ressenti cela plusieurs fois, dit-il enfin. Je n'aime pas trop en parler. Tout a commencé quand j'étais gosse.

— Vous voulez parler de vos visions?

— C'étaient juste des « flashes ». A sept ans déjà, une image s'est imposée à moi, celle d'un cheval pris dans une sorte de fil de fer et qui se débattait au milieu d'un pré. Je l'ai raconté à mon père, et nous sommes allés voir. On a fini par trouver la jument à plus de six kilomètres du ranch. Elle aurait certainement perdu tout son sang si on ne l'avait pas libérée à temps.

— Ces flashes ont-ils persisté à l'âge adulte ? demanda Jackie d'une voix neutre.

— N'imaginez surtout pas que je les ai sur commande ! Si je suis resté longtemps sans en avoir, il est également vrai que je n'en ai jamais reçu d'une manière aussi forte que la nuit dernière... Seigneur, c'était horrible ! Ce pauvre petit garçon...

— L'avez-vous déjà rencontré ?

— Bien sûr que non ! Comment aurais-je pu le rencontrer ?

— Vous auriez pu l'apercevoir, puisque vous travaillez ici. Une partie de sa famille et sa baby-sitter habitent dans ce quartier.

— Bon sang, mais c'est vrai ! Ses grands-parents habitent juste au coin de la rue, dans cette monstrueuse bâtisse en brique rouge, c'est cela ?

Jackie acquiesça. En réalité, elle ne savait guère à quoi ressemblait la maison, mais la façon dont Arnussen l'avait évoquée correspondait à l'image qu'elle s'en faisait. Elle repensa aux parents, puis aux grands-parents de Michael Panesivic, tandis qu'une terrible appréhension lui serrait la gorge. Pour la première fois, elle avait la glaçante certitude que l'enfant courait un danger mortel... Ou qu'il était déjà mort !

— La camionnette, rappela-t-elle, le visage impassible. Puis-je y jeter un coup d'œil ?

Arnussen haussa les épaules et jeta la barre sur l'herbe.

— Pourquoi pas ?

Jackie remonta le sentier sur ses talons, puis elle attendit qu'il ouvre la cabine et s'écarte pour la laisser regarder à l'intérieur.

La camionnette était propre, spacieuse et soigneusement rangée. Des rouleaux de ficelle, une boîte à outils et une torche électrique étaient disposés derrière les deux sièges. Dans la boîte à gants, il y avait seulement quelques cartes pliées, un carnet de factures et les papiers de la camionnette.

— Vous feriez une bonne ménagère, monsieur Arnussen, remarqua Jackie en contournant la camionnette.

Elle attendit qu'il soulève la porte arrière. Ce qu'il fit de bonne grâce. Des boîtes à outils s'empilaient sur le plancher ; d'autres outils étaient rangés sur des râteliers disposés le long des parois ; au fond du coffre, se trouvaient une brouette et une bâche pliée. Après avoir examiné les outils, Jackie jeta un regard circulaire à la recherche d'un détail qui sortirait de l'ordinaire. Elle souleva machinalement un coin de la bâche, puis s'immobilisa, glacée d'horreur. Une tache brun foncé, laissée par une substance séchée, maculait le plancher métallique. Elle remarqua une tache similaire sur l'envers de la bâche.

— Qu'est-ce que c'est ? demanda-t-elle d'un ton cassant.

Arnussen, qui taillait un morceau de chêne avec un canif qu'il avait sorti de sa poche, s'approcha de sa démarche féline. Jackie perçut de nouveau l'odeur mâle de son corps et la chaleur toute proche de ses muscles puissants.

— Cela ? Je suppose que c'est du sang, répondit-il, une expression énigmatique sur son visage. C'est du sang séché. Allez-vous m'arrêter ?

Il ne cherchait pas à esquiver son regard. Le cœur battant la chamade, Jackie entreprit d'examiner le sol et la bâche pliée.

— D'où viennent ces taches de sang ? demanda Jackie,

— Hier soir, dans le noir, j'ai heurté un chien sur le chemin du retour. C'était sur l'autoroute, juste après la sortie de Newport. Je l'ai mis à l'arrière de la camionnette et l'ai conduit à la maison la plus proche, probablement celle de son propriétaire. Mais il était mort quand je suis arrivé.

— C'est donc du sang de chien ?

— Evidemment, répliqua Arnussen d'un air ennuyé. Qu'est-ce que ça pourrait être d'autre ?

Jackie hésita, ne sachant quelle décision prendre. De graves présomptions pesaient sur Paul Arnussen, et elle pouvait l'arrêter en tant que suspect principal dans l'affaire Panesivic. Mais si jamais l'histoire du chien mortellement blessé était confirmée, il serait relâché immédiatement. D'autre part, s'il avait enlevé Michael et que le garçon se révélait vivant, la police avait plus de chances de le coincer en le laissant libre. En effet, un accusé en détention préventive pouvait se dérober à toutes les investigations rien qu'en gardant le silence...

— Puis-je vous emprunter cette bâche pour quelques jours ?

— Vous avez besoin d'une bâche, inspecteur ? Aucun problème !

Ignorant le sarcasme, Jackie prit précautionneusement la toile pliée et la posa sur le coffre de sa voiture. Puis elle ouvrit son calepin, griffonna quelques mots et tendit la feuille à Arnussen.

— Pourriez-vous signer cela ? Ce n'est qu'une formalité, pour signaler que vous me remettez ce matériel de votre propre gré, en l'absence de mandat.

— Bien sûr. Puis-je emprunter votre stylo ?

Jackie l'observa pendant qu'il écrivait son nom en bas de la feuille. Sa signature était étonnamment gracieuse et fluide, les lettres bien formées, les traits verticaux droits et vigoureux.

— Puis-je encore vous être utile ? demanda-t-il en lui rendant le stylo et le calepin.

— Oui. En m'indiquant la ferme où vous avez ramené le chien.

— Je peux faire mieux : vous donner l'adresse, le nom et le numéro de téléphone de la dame, dit-il en tirant son portefeuille de la poche arrière de son jean.

Jackie prit le bout de papier qu'il avait sorti du portefeuille et recopia les informations sur son calepin.

— Comment avez-vous eu le nom et le numéro de cette dame ?

— Elle était vraiment triste à cause du chien. C'était un berger bleu australien, et mon ami à Kalispell en élève. Une de ses chiennes a eu des petits il y a quelques semaines. C'est pourquoi j'y vais demain matin. J'espère ramener un chiot à la dame, pour la consoler de celui que j'ai tué.

— Comme c'est gentil à vous, marmonna Jackie. Faire plus de deux cents kilomètres, rien que pour rendre service à une inconnue.

Arnussen lui lança un de ces regards sombres, intenses et pénétrants qui donnaient à Jackie l'impression d'être à nu.

— Mais je suis un gars sympa, déclara-t-il.

Elle sentit son sang-froid l'abandonner et dit d'une voix rauque et tendue :

— Ecoutez, Arnussen, je ne sais pas à quel jeu vous jouez. Mais si vous avez omis quelque chose, vous feriez mieux de me l'avouer tout de suite. Cela épargnera à tout le monde beaucoup d'ennuis.

L'homme sembla d'abord surpris, puis son visage devint froid et distant.

— Je n'ai rien à ajouter, inspecteur, déclara-t-il en se retournant pour aller reprendre son travail. A part ceci : j'espère que vous retrouverez le petit garçon avant qu'il ne lui arrive malheur. Il a affaire à de véritables monstres, savez-vous ? Des créatures diaboliques !

Après avoir rangé la bâche dans le coffre de sa voiture, Jackie s'installa sur son siège et appela le commissariat, tout en regardant Arnussen empiler au loin les lattes de bois devant la véranda. La voix de Wardlow lui procura un soulagement certain. Son coéquipier était toujours dans son bureau, à vérifier la masse de renseignements téléphoniques avec un autre policier.

— J'ai besoin d'aide, déclara-t-elle lorsqu'il répondit à l'appel radio.

— Pas de problème ! De quoi s'agit-il ?

Jackie dicta le nom et l'adresse qu'elle venait de recopier sur le papier d'Arnussen.

— Il faut vérifier si ce chien a effectivement été écrasé hier soir. Je veux qu'on parle à sa propriétaire en personne.

— D'accord, je m'en occupe, assura Wardlow. De toute façon, je vais dans le coin. Il faut que je repasse au centre commercial cet après-midi, et la maison se trouve apparemment juste à quelques kilomètres au nord...

— A supposer qu'elle existe, marmonna Jackie. Ecoute, cette vérification est vraiment urgente. J'ai un véhicule sous surveillance, et je ne partirai pas d'ici avant que tu m'aies confirmé les informations que je t'ai données. Mais je dois me rendre à un autre rendez-vous cet après-midi. Alors, dépêche-toi, d'accord ?

— J'y vais de ce pas. Je te rejoindrai dans une demi-heure environ, cela dépendra de la circulation.

— Essaie de voir le cadavre du chien. Je veux être absolument certaine de ce qui s'est passé.

Sans demander plus de détails, Wardlow confirma son départ et raccrocha. Jackie reposa le micro, se renversa sur son siège et se mit à parcourir ses notes, tout en observant Paul Arnussen. Elle était persuadée que l'homme se savait surveillé. Pourtant, il continuait à travailler, le visage impassible, les gestes calmes et mesurés. Quel sang-froid, songea-t-elle avec un frisson.

Un camion arriva, apportant une pile de planches neuves. Arnussen aida le chauffeur à les décharger, puis retourna à son travail. Lorsqu'il eut fini de dégager le soubassement de la véranda de ce qu'il restait de vieux bois, il s'installa sur le rebord, porta à ses lèvres une Thermos argentée et but à longues gorgées. Puis il sortit de sa gamelle deux sandwichs et une pomme. Son repas terminé, il se dirigea à travers la pelouse vers la voiture de Jackie.

— J'ai besoin de quelques fournitures, lui dit-il en se penchant vers la vitre baissée de sa portière. Avez-vous l'intention de me suivre au magasin ?

— Je vous suivrai si vous partez tout de suite, répondit Jackie. Quelqu'un est en train de vérifier votre histoire de chien écrasé. Si vous nous donnez encore quelques minutes, vous serez libre d'aller et venir à votre guise.

A cet instant, la radio se mit à grésiller, puis la voix de Wardlow emplit la voiture. Essayant de cacher sa tension, Jackie prit le micro, s'annonça et demanda d'une voix brusque :

— Alors ?

— J'ai vu le cadavre du chien. Racé, poil gris tacheté. Il a l'air bien abîmé. La propriétaire de la ferme semble dans tous ses états, elle a pleuré toute la nuit.

— Merci. C'est tout pour l'instant, dit Jackie en reposant le micro. Vous pouvez partir maintenant, ajouta-t-elle à l'intention de Paul Arnussen.

L'homme, qui l'avait fixée en silence pendant tout ce temps, répondit par un hochement de tête, puis s'éloigna en direction de la camionnette. Jackie le regarda monter dans le véhicule. Quand il démarra, elle le suivit jusqu'à la route, puis elle obliqua et se dirigea vers la résidence des Mellon, à quelques pâtés de maisons de là.

7.

Les parents de Leigh Mellon habitaient l'une des maisons particulières les plus impressionnantes que Jackie avait jamais vues. Entièrement construit en vieilles briques rougeâtres, l'imposant bâtiment à trois étages présentait une vaste véranda à colonnade et, au-dessus, d'élégants balcons aux courbes gracieuses. En dépit de ses dimensions, la demeure semblait légère et raffinée. La seule fausse note venait des colombages un peu voyants dans le style Tudor, ornement favori de toutes les résidences du quartier.

Le portail automatique caché par une haie s'ouvrit, laissant passer la voiture de Jackie. Elle roula jusqu'à la maison et se gara dans l'allée centrale. Quand elle sonna à la porte, une gouvernante en uniforme vint lui ouvrir et l'introduisit dans un salon aux murs tapissés de blanc et au sol de marbre beige traversé de rayures or et chocolat. Le mobilier se réduisait à quelques pièces en teck d'une extrême simplicité.

Au-dessus d'une console, elle remarqua un immense tableau stylisé. La toile représentait deux coqs de combat qui s'affrontaient gracieusement tels deux danseurs, leurs longues plumes formant autour de leurs corps un halo vert et orange.

La vision troublante de Paul Arnussen s'imposa aussitôt à sa mémoire. Il avait parlé d'un coq et d'un puits. Réprimant un frisson d'angoisse, elle fouilla dans sa poche à la recherche de sa plaque d'inspecteur.

— Mme Mellon vous attend, déclara la gouvernante après avoir examiné son nom. Si vous voulez bien me suivre.

A en juger par son accent, la gouvernante était philippine. C'était une petite femme corpulente d'âge moyen, aux courts cheveux noirs, vêtue d'un uniforme gris et chaussée de tennis. Jackie la suivit à travers une enfilade de pièces, retenant un souffle d'admiration. De grands tapis ocre, si épais que les pieds y disparaissaient à moitié, couraient d'une pièce à l'autre. Les meubles en teck, aussi sobres que ceux du premier salon, offraient leur surface polie à la lumière changeante de l'après-midi, miroitant mystérieusement sur le passage de Jackie. Quelques fauteuils et canapés de cuir blanc cassé ou brun, disposés çà et là, offraient au décor leur chaud camaïeu.

Les seules touches de couleur provenaient d'une abondance de plantes et de fleurs, des toiles accrochées aux murs, et des couvertures tricotées aux riches teintes automnales. Les lieux dégageaient un curieux mélange d'austérité luxueuse et de charme raffiné et insaisissable.

« Si un jour je gagne au loto, je veux une maison exactement comme celle-ci », songea Jackie.

La gouvernante l'introduisit dans une pièce haute de plafond, dont les fenêtres à la française donnaient sur le jardin derrière la maison. Manifestement, c'était ici que la famille Mellon passait le plus clair de son temps, dans le confort de ces fauteuils moelleux, ou devant les deux tables de travail et les rayonnages chargés de livres... A côté de la fenêtre, une femme était assise devant un métier à tisser muni d'une pédale ; elle tenait une navette à la main et surveillait un carré de tissu qui prenait forme sous ses doigts. Jackie en demeura bouche bée : à en juger par la couleur du tissu, la plupart des tapisseries de la maison avaient été fabriquées dans cette pièce !

— Voici l'inspecteur Kaminski, madame.

Barbara Mellon quitta son ouvrage. C'était une femme grande et svelte comme ses filles. Ses yeux bleus ne portaient aucune trace de maquillage, pas plus que le reste de son visage d'ailleurs, et ses cheveux argentés étaient négligemment attachés à la base du cou. Elle portait un sweat-shirt bleu pâle, un jean délavé et d'épaisses sandales de cuir.

— Bonjour, inspecteur ! Installez-vous, je vous prie, s'exclama-t-elle en désignant un siège. Monica, ne partez pas, j'ai besoin de vous.

Jackie revit Stefan Panesivic évoquant le snobisme de son ex-belle-mère, et elle attendit avec intérêt la suite de l'échange : comment Barbara Mellon traitait-elle sa gouvernante ? se demanda-t-elle en retenant son souffle. Mais elle n'était pas au bout de ses surprises.

— J'ai essayé cette nuance d'orange que nous avions choisie, dit Barbara. A présent, j'en suis moins convaincue. Qu'en pensez-vous ?

— La couleur est trop vive, c'est vrai, déclara la gouvernante après s'être approchée du métier à tisser. Il faudrait une nuance tirant plus sur le marron. Sinon, cela va jurer avec ce vert mousse... N'est-ce pas ?

— C'est exactement ce que je pensais, répondit Barbara avec une grimace. Zut, zut et zut ! Tout est à recommencer... Enfin !

— Désirez-vous du café, madame ? demanda la gouvernante avant de quitter la pièce.

— S'il vous plaît. A moins que l'inspecteur Kaminski ne préfère du thé ?

— Un café sera parfait, répondit Jackie, embarrassée à la fois par le luxe des lieux et par la courtoisie nonchalante de la maîtresse de maison. Mais vraiment, il ne faut pas vous préoccuper de moi, je n'ai pas beaucoup de temps...

— Je ne me préoccupe nullement de vous, répliqua

Barbara d'un ton amusé. Le fait est que je n'ai pas déjeuné aujourd'hui. Sans une bonne dose de caféine, je risque tout simplement de m'endormir... Monica, apportez aussi du fromage et des fruits.

Comme la gouvernante acquiesçait de la tête avant de disparaître, Jackie s'approcha de la machine à tisser et la contempla, fascinée.

— Je n'ai jamais rencontré quelqu'un qui sache tisser, remarqua-t-elle. Est-ce difficile à apprendre ?

— Pas plus qu'un autre travail, répondit Barbara d'un ton brusque. En revanche, il existe une différence énorme entre le bricolage d'amateur et le véritable savoir-faire.

— L'avez-vous appris par vous-même, ou avez-vous suivi des cours ?

— Inspecteur, répliqua Barbara, ce n'est pas pour une causerie mondaine sur mes marottes que vous vous êtes déplacée. Venons-en au fait, voulez-vous ?

— D'accord, acquiesça Jackie en ouvrant son calepin. Votre petit-fils a disparu dans le centre commercial hier, entre 19 heures et 20 heures. Avez-vous une idée de l'endroit où il se trouve ?

— Il faudrait le demander à son père, répondit Barbara en jetant machinalement une pelote de laine dans une boîte posée à ses pieds. Le salopard !

— Vous n'aimez pas beaucoup votre gendre, remarqua poliment Jackie.

— Mon *ex*-gendre. Dieu merci, ils sont divorcés depuis janvier.

Jackie garda le silence. Elle sentait confusément que Barbara Mellon était de ces personnes qui deviennent loquaces à condition qu'on leur laisse l'initiative de la conversation.

— Vous savez, je regrette de ne pas y avoir pensé moi-même, finit par déclarer la femme avec humeur. A enlever Michael, j'entends. Si j'en avais pris l'initiative, il serait en sécurité en ce moment, au lieu de courir je ne sais quel danger... J'aurais dû le faire il y a longtemps ! Cela aurait épargné à Leigh ce supplice...

— Un kidnapping d'enfant est un délit très grave.

A peine avait-elle formulé cette réflexion que Jackie en comprit toute l'inutilité. Des gens comme Barbara Mellon ne craignaient pas d'enfreindre la loi. Leur fortune n'était pas seulement le gage de leur pouvoir ; elle constituait une sorte de matelas bourré de billets de banque qui les protégeait des conséquences de leurs actes.

— Madame Mellon, pouvez-vous me préciser pourquoi vous n'aimez pas Stefan Panesivic ?

Barbara haussa les épaules, puis s'étira, tout en jetant un coup d'œil sur sa montre.

— J'espère que Monica va se dépêcher, remarqua-t-elle. Je meurs de soif... En ce qui concerne Stefan, je l'ai détesté d'emblée. J'ai toujours considéré cet homme comme un aventurier, si vous me permettez d'utiliser ce terme démodé.

— Vous doutez que son amour pour Leigh soit sincère ?

— Sincère ? répéta Barbara avec un rire amer. Voyons, il ignore jusqu'au sens de ce mot ! Je pense qu'il a agi en immigré opportuniste qui, ayant eu la chance de rencontrer une riche Américaine, a décidé de se caser pour tirer profit de cette alliance. Une personne d'un tel niveau social cherche toujours quelqu'un pour l'aider à grimper les échelons !

Décidément, se dit Jackie, elle appréciait de moins en moins son interlocutrice. Ce qui l'avait surtout choquée, c'était l'allusion faite sur un ton méprisant au « niveau social » de son gendre. Néanmoins, elle continua à prendre ses notes, s'efforçant de garder un masque impénétrable.

— Croyez-vous que Stefan aime son fils ?

— Je crois qu'il *veut* son fils. Ce n'est pas pareil.

— Et vous, aimez-vous votre petit-fils ?

— Michael ? Bien sûr ! C'est mon unique petit-fils et il le restera peut-être toujours... Quand je pense qu'on essaie de me l'enlever...

Barbara détourna la tête et saisit machinalement la navette, perdue dans ses pensées.

— Vous suggérez que vous n'aurez pas d'autres petits-enfants. Pourquoi cela ?

— Je doute que Leigh veuille se remarier après le traumatisme causé par cette expérience. Et Adrienne ne peut pas avoir d'enfants... Je ne serais pas capable de vous donner le diagnostic exact, ajouta-t-elle en rencontrant le regard interrogateur de Jackie. Tout ce que je sais, c'est qu'elle et Harlan ont essayé pendant des années, sans y réussir. Adrienne se sent d'ailleurs très malheureuse à cause de cela...

Jackie songea à la sœur de Leigh Mellon, à son beau visage encadré de cheveux bruns, à ses manières si déconcertantes... Adrienne dévorée par le désir d'avoir un enfant ? Troublée sans savoir pourquoi, elle en prit note, ajoutant une grande croix dans la marge.

— Je trouve assez bizarre la façon dont chacun se contente d'imaginer Michael en sécurité avec un proche, fit-elle observer en choisissant soigneusement ses mots. De fait, Stefan est persuadé de son côté que c'est *votre* famille qui le cache quelque part.

— Est-ce aussi votre point de vue, inspecteur ? rétorqua Barbara.

— Je suis seulement surprise que personne ne s'inquiète de la sécurité de l'enfant. Tous ceux avec qui je me suis entretenue semblent plus ennuyés que véritablement soucieux.

— La police a-t-elle une raison particulière de soupçonner qu'il a été enlevé par un inconnu ?

Jackie songea aux mains calleuses de Paul Arnussen, à son regard sombre et pénétrant, aux taches de sang dans la camionnette et, surtout, au récit si déconcertant de ses visions — le puits et le coq.

— Aucune raison concrète, déclara-t-elle à voix haute. Par ailleurs, je suppose que personne ne vous a menacée, ni exigé quelque chose qui ressemblerait à une demande de rançon ?

— Bien sûr que non. Sinon, je vous l'aurais signalé tout de suite. On sait bien comment cela se passe, précisa Barbara d'un air lugubre. Ce ne serait pas la première fois.

— Un membre de votre famille a-t-il déjà été kidnappé ? demanda Jackie.

A cet instant, la gouvernante apparut avec un plateau. Comme Barbara la remerciait d'un sourire, elle disposa les fruits, le fromage et un gâteau sur le guéridon. Le service à café était en céramique fine, couleur de rouille striée de vert.

— C'est une autre de mes marottes, déclara Barbara en remarquant l'intérêt avec lequel Jackie observait les tasses. J'ai fait installer un four et un tour de potier dans le hangar.

— Elles sont exquises. Vous parliez d'un kidnapping dont votre famille a été victime...

— C'était il y a longtemps, dit lentement Barbara en sirotant son café. Il y a au moins vingt ans, car Adrienne devait avoir douze ou treize ans à l'époque... Elle était inscrite dans une école privée en Californie. Un jour, elle a disparu du dortoir... Peu après, on a reçu une demande de rançon : deux cents mille dollars pour la récupérer saine et sauve.

— Et qu'avez-vous fait ?

— Alden était en train d'essayer de rassembler désespérément cette somme quand, trois jours plus tard, Adrienne est réapparue à l'école, comme si de rien n'était...

— Mais enfin, où avait-elle passé ces trois jours ? demanda Jackie, déconcertée par le ton détaché de la femme. Qui l'avait enlevée ?

— Nous ne l'avons jamais su. Adrienne a refusé d'évoquer ce qui lui était arrivé.

— Mais vous avez dû vivre de terribles moments d'inquiétude ! N'avez-vous pas tenté de la faire parler ?

— Comme si quelqu'un pouvait forcer Adrienne ! rétorqua Barbara en riant. D'ailleurs, ajouta-t-elle avec sérieux, nous avions bien d'autres soucis à l'époque. Alden était en pleine campagne pour la charge de procureur... De toute façon, Adrienne ne courait plus aucun danger, et nous avions mieux à faire que de nous occuper de ses escapades !

Tout en complétant ses notes, Jackie ne put s'empêcher d'établir un parallèle avec sa propre enfance. Troublée jusqu'au fond de l'âme, elle songea à ses fugues qui pouvaient durer des jours, sans que quiconque parût s'en soucier. En fait, sa famille — comme celle d'Adrienne — ne s'apercevait même pas de son absence... Après tout, il existait peut-être une ressemblance entre les immensément riches et les infiniment pauvres, un certain comportement qui leur était commun, même si un fossé séparait les classes aisées de ce que son interlocutrice appelait sans doute la classe laborieuse...

Barbara, qui l'observait de son regard aigu, avait apparemment deviné ses pensées.

— Stefan ne vous a-t-il pas annoncé que j'étais snob, inspecteur ?

— En effet, répondit Jackie d'une voix neutre.

Un rictus méprisant sur les lèvres, Barbara s'apprêtait à répliquer, lorsqu'un homme vêtu d'un pantalon en velours côtelé et d'un vieux cardigan marron apparut dans le jardin. Il traversa la pelouse et entra dans la pièce par une des baies vitrées. Grand, très droit, le crâne un peu dégarni sous sa chevelure blanche, il avait un beau visage aux traits fins et délicats qui frappait par sa ressemblance avec Leigh Mellon.

— Barbie ? Viens voir ma dernière orchidée, dit-il. Elle vient d'éclore !

— Tout à l'heure, chéri, murmura Barbara. Je vous présente mon mari, ajouta-t-elle en se levant.

Elle traversa la pièce et posa sa main sur l'épaule de l'homme, lui murmurant quelques mots à l'oreille. Jackie nota la tension soudaine de la femme et l'expression troublée et embarrassée qui apparaissait sur le visage de son mari.

— Un policier? répéta-t-il.

— Un inspecteur, Alden. Inspecteur Kaminski. Elle est passée pour bavarder un peu avec moi. Veux-tu une tasse de café?

— Non, répondit-il d'un air malheureux. Je voulais que tu voies mon orchidée... Que fait ici cette femme de la police?

— Juste une petite visite, répondit Barbara. Elle s'intéresse aux tissus que je fabrique.

— Michael doit-il venir cet après-midi? demanda l'homme en plongeant les mains dans ses poches.

Jackie jeta un regard rapide à la maîtresse de maison, qui avait regagné son siège et repris sa tasse de café avec des gestes délibérément calmes et posés.

— Pas aujourd'hui, chéri.

— Pourtant, tu m'as assuré qu'il viendrait, insista le vieil homme, tandis que son visage exprimait une profonde déception. Tu as dit qu'il m'aiderait à remplir les pots.

— Demain, peut-être, répondit Barbara d'une voix conciliante. Maintenant, va arroser tes orchidées. Je viendrai les voir dans un instant.

— Tu viendras avec Michael?

— Pas aujourd'hui, répéta-t-elle patiemment. Demain, peut-être.

L'homme ferma la baie vitrée et repartit de son pas fatigué, abandonnant Jackie et la maîtresse de maison dans un silence pesant.

— Alden a fait une grave dépression il y a quelques

années, expliqua enfin Barbara. Il est resté hospitalisé pendant des mois, puis on l'a laissé rentrer à la maison, mais il n'a pas complètement récupéré — et, sans doute, n'y parviendra-t-il jamais. Malgré cela, il prend plaisir à s'occuper de ses orchidées, et je crois qu'il est heureux.

— Il semble attendre Michael d'un moment à l'autre...

— Je n'ai pas eu le cœur de lui dire la vérité... Il n'aurait pas compris la gravité de la situation, mais cela l'aurait quand même attristé. Alden adore Michael ! Helen l'amène presque tous les après-midi, et mon mari s'est habitué à le voir ici à cette heure.

— Helen ?

— Helen Philps. Elle habite dans le quartier et garde Michael pendant que Leigh donne ses cours. Cette fille... Je veux dire, cette femme, car elle doit approcher la cinquantaine, corrigea Barbara en souriant, je la connais depuis toujours... Elle doit être vraiment dans tous ses états. Elle aussi adore le petit !

— Oui, je vois de qui il s'agit, acquiesça Jackie. Son nom est dans le dossier. Elle n'habite pas loin, n'est-ce pas ?

Tout en parlant, Jackie songea que cela la changerait de rencontrer enfin une personne vraiment traumatisée par la disparition de Michael. Mais elle continua de prendre des notes, le visage impénétrable.

— A propos, madame Mellon, que faisiez-vous hier soir entre 18 et 21 heures ? C'est une pure question de routine, bien sûr.

— Je me trouvais ici, répondit Barbara, un peu décontenancée. J'étais en train de tisser.

— Seule ?

— Alden m'a tenu compagnie la plupart du temps. Il peignait à mon côté.

— A quelle heure dînez-vous ?

— Nous n'avons pas d'heure fixe en ce moment, avec cette chaleur. Je crois qu'hier, Monica a servi un potage et des sandwichs à 19 heures environ.

— Est-elle restée un peu avec vous ?

— Bien sûr, répliqua Barbara avec étonnement. Nous avons dîné tous ensemble, puis, après avoir débarrassé, elle a aidé Alden à préparer ses couleurs et m'a donné son avis sur mon tissage. Elle a passé toute la soirée avec nous.

— Vous semblez très liée avec votre gouvernante !

— Monica est une de mes amies les plus proches, répondit Barbara avec simplicité. Quelles que soient les absurdités que Stefan a pu vous raconter à mon sujet !

— Y a-t-il autre chose que vous aimeriez ajouter, madame Mellon ? Une suggestion ou un détail qui pourraient nous aider à retrouver Michael.

— Quel genre de détail ?

— Concernant Stefan, par exemple... Puisque vous semblez le tenir pour responsable de l'enlèvement !

— Vous devriez peut-être discuter avec Adrienne, déclara Barbara après réflexion.

— Pourquoi Adrienne ?

— Parce que c'était la personne qui lui était la plus proche de toute la famille. A part Leigh, bien sûr.

Surprise et déroutée, Jackie mit quelques instants à intégrer cette information. Mais déjà la maîtresse de maison lui adressait un froid sourire et se levait, signifiant que l'entretien était terminé.

— Désolée, inspecteur, mais mon mari m'attend dans la serre. Je vous prie de nous tenir au courant de votre enquête aussi rapidement que possible.

Installée au volant de sa voiture, Jackie s'accorda un instant de réflexion, contemplant la photo de Paul Arnussen qu'elle avait prise avec son Polaroïd pendant qu'elle attendait l'appel de Wardlow. Elle aurait aimé montrer la photo à Barbara Mellon... Mais non, décida-t-elle finalement, elle ferait mieux de garder cet atout pour plus tard : la photo était une excellente raison pour revenir dans cette maison, et Jackie sentait qu'elle allait le faire très bientôt...

8.

Obéissant à une soudaine impulsion, Jackie vérifia une adresse dans le dossier, puis longea la rue bordée d'arbres jusqu'à la maison où Helen Philps vivait avec sa mère.

Elle n'avait pas prévu de s'entretenir tout de suite avec la baby-sitter, puisque celle-ci n'était pas employée par Leigh Mellon pendant l'été. Mais Leigh avait mentionné son nom, et Barbara venait de l'évoquer à son tour... Jackie était de plus en plus curieuse de rencontrer cette femme. Qui sait ? Peut-être Helen Philps s'était-elle trop attachée au petit garçon... et avait-elle finalement décidé de le garder rien que pour elle ! Ce cas de figure se présentait, hélas, trop souvent...

La maison des Philps était située à l'écart de la route principale, et Jackie dut suivre un petit chemin bordé d'arbustes et de fleurs pour y accéder. C'était une ancienne demeure à l'allure moins luxueuse que la résidence Mellon, et néanmoins impressionnante. Sous un toit élevé aux pentes raides, la façade de bois clair arborait encorbellements et pignons. Le vaste jardin alentour était agrémenté d'arbres et de massifs de fleurs bien entretenus.

En pénétrant dans le jardin, Jackie remarqua une femme penchée sur les pivoines plantées près de la palissade. Elle traversa la pelouse pour aller à sa rencontre.

— Inspecteur Kaminski, déclara-t-elle en sortant sa plaque. J'aimerais parler avec Helen Philps.

— C'est moi-même.

Mince et petite, la baby-sitter portait une longue robe en coton, des chaussures de sport et un large chapeau de paille. Avec ses yeux bleus au regard très doux, sa peau piquetée de taches de rousseur, sa superbe natte auburn qui lui descendait jusqu'aux reins, elle était agréable à regarder, n'était une expression d'angoisse qui crispait ses traits.

En fait, Helen Philps semblait littéralement en état de choc. Ses lèvres tremblaient, et sa main qui serrait la bêche était tellement crispée que les jointures de ses doigts en avaient blêmi.

Pourtant, en dépit des fils d'argent qui parsemaient sa chevelure, elle avait un petit air touchant de jeune fille timide. On aurait dit quelque belle au bois dormant que le temps avait épargnée... Jackie se souvint des notes de Kent Paxton, où il évoquait cette femme fidèle à la mémoire de son fiancé, tué au Viêt-nam. Helen Philps avait choisi de rester dans sa maison natale, à s'occuper de sa mère vieillissante. Cette maison l'avait-elle protégée des ravages du temps et des coups durs de la vie ?

Jackie considéra son interlocutrice avec sollicitude. Cette dernière parut enfin trouver le courage de demander :

— Avez-vous retrouvé... Savez-vous où est Michael ?

— Pas encore.

— Mon Dieu, j'ai si peur, murmura la femme d'une voix blanche, tandis que des larmes se mettaient à couler sur ses joues. C'est un amour de petit garçon... Je ne vois pas pourquoi quelqu'un voudrait...

— Ce n'est pas la peine d'imaginer le pire, pour l'instant, dit doucement Jackie en lui entourant les épaules. Il est tout à fait possible que Michael soit en sécurité.

— En sécurité ? répéta Helen, perplexe. Mais vous venez de dire que vous ne l'avez pas encore retrouvé !

— En effet, cependant il pourrait être avec un membre de sa famille, et, dans ce cas, il ne court aucun danger physique.

— Les Mellon auraient-ils... ? commença Helen, les yeux écarquillés de stupeur.

— Pouvez-vous m'accorder un peu de votre temps, *miss* Philps ? J'aimerais avoir vos impressions sur les deux familles concernées par cette affaire.

— Mais je ne sais rien ! objecta Helen, la main de nouveau crispée sur sa bêche. Je ne suis que la baby-sitter...

— Cependant, vous connaissez les Mellon depuis toujours, n'est-ce pas ?

— Oui, j'ai beaucoup fréquenté Alden et Barbara. Mais leurs filles sont tellement plus jeunes que moi ! Je ne les ai pas vraiment vues grandir, et elles ont quitté la maison il y a des années.

— Pourtant, vous gardez Michael depuis un bon moment, n'est-ce pas ?

— Depuis un an et demi.

— Racontez-moi comment cela a commencé.

— L'année dernière, juste après Noël, Leigh a voulu reprendre son travail à l'école, pour remplacer l'une des enseignantes démissionnaires. A cette époque, à défaut de baby-sitter, elle laissait Michael chez ses parents. Mais Monica était complètement débordée...

— Monica, la gouvernante ?

— Oui. Il m'arrivait souvent de venir passer l'après-midi avec eux. Quand j'ai vu quelle charge cela représentait pour Monica et Barbara, j'ai pensé que ce serait une bonne idée si je prenais Michael chez moi. C'est un enfant vraiment adorable. Ma mère s'est attachée à lui... Et, quant à moi, je peux dire qu'il a illuminé ma vie !

Ses lèvres tremblaient de nouveau. Elle se pencha vers les pivoines et entreprit de fixer leurs tiges à un tuteur. Quelques fourmis passèrent des fleurs sur sa main, et elle les secoua d'une chiquenaude, la tête toujours courbée, le visage caché sous son chapeau de paille. Jackie sortit la photo de Paul Arnussen de son calepin.

— Avez-vous jamais rencontré cet homme, miss Philps ?

Helen se leva et examina la photo en plissant le front d'un air pensif.

— Ce n'est pas impossible. Mais je ne saurais dire où ni quand... Désolée !

— Ce n'est pas grave, répondit Jackie en rangeant la photo. Pourriez-vous m'accorder quelques instants ?

— Mais bien sûr !... Allons nous installer dans la maison.

Helen alla ranger le râteau et la bêche dans une remise au fond du jardin. Pendant ce temps, Jackie admirait la pelouse parsemée de fleurs, les saules pleureurs balayant l'herbe de leurs branches gracieuses, les massifs de roses longeant la coquette palissade...

— Vous faites des merveilles dans votre jardin, dit-elle à Helen une fois que celle-ci l'eut rejointe.

— Le mérite ne m'en revient pas entièrement. Un jardinier vient m'aider deux fois par semaine. Au fait, c'est un cousin de Monica. Il s'occupe des plus gros travaux : balayer la neige en hiver, ramasser les feuilles mortes en automne, retourner la terre...

— Mais c'est vous qui vous occupez des fleurs ?

— Mon père a reçu cette maison en héritage, expliqua Helen avec un sourire timide. Il y a amené ma mère alors qu'ils étaient jeunes mariés, dans les années trente... C'est elle qui a planté la plupart des fleurs, et je considère qu'il est de mon devoir d'en prendre soin à mon tour !

Comme elles s'approchaient de l'entrée, Jackie remarqua d'autres bâtiments derrière la maison : une petite serre et un long garage pourvu de fenêtres à meneaux. Helen suivit son regard.

— Autrefois, c'étaient les écuries, expliqua cette dernière. A la fin du siècle dernier, mon grand-père y gardait encore une huitaine de chevaux.

Jackie se laissait envoûter par le charme du jardin. Les abeilles bourdonnaient paisiblement parmi les fleurs, les oiseaux gazouillaient dans l'épaisse frondaison des arbres, et une antique girouette en cuivre patiné tournoyait paresseusement au-dessus du toit de l'ancienne écurie.

— C'est si beau ici ! remarqua Jackie d'un air songeur. Leigh devait être ravie de laisser son fils dans cet endroit de rêve pendant qu'elle travaillait...

Etrangement, le visage d'Helen refléta de nouveau un trouble profond. Elle ôta son chapeau d'un geste nerveux et se dirigea vers la maison, Jackie sur ses talons.

Elles passèrent par la porte de derrière dans une charmante cuisine vieillotte, qu'embaumait un délicieux arôme de gâteau fraîchement cuit. Helen alla se laver les mains au-dessus de l'évier, tandis que Jackie s'installait sur un siège de bois rustique et ouvrait son calepin.

— Michael est venu ici jeudi après-midi, il y a juste deux jours, c'est cela ?

— Oui. Leigh avait... un rendez-vous d'affaires, et je l'ai gardé... C'était merveilleux de l'avoir de nouveau avec moi ! Il me manque réellement pendant les vacances d'été.

Elle lui tendit un verre de thé glacé et Jackie la remercia en souriant, avant de reprendre :

— Ce rendez-vous de jeudi, c'était bien l'audience au tribunal au sujet des droits de visite de son ex-mari ?

— En effet.

Helen s'agita encore quelques instants, plaçant plusieurs biscuits sur un plateau de fine porcelaine blanche, puis disposant sur la table des assiettes assorties garnies de serviettes de lin bleues. Enfin, elle prit place en face de Jackie.

— Comment était Leigh au moment où elle est passée prendre Michael après l'audience ?

— Pauvre femme..., murmura Helen. Elle semblait bouleversée.

— Vous a-t-elle parlé de la manière dont l'audience s'est déroulée, ou de ses résultats ?

— Pas vraiment. Mais j'ai deviné que cela s'était mal passé.

— Comment cela ?

— Eh bien, je lui ai dit que j'étais surprise de la voir revenir si vite. C'était l'heure de la sieste, et je venais de coucher Michael et maman, pensant que Leigh serait absente tout l'après-midi. Elle m'a répondu que l'affaire avait été vite expédiée. Elle paraissait vraiment malheureuse, avec une expression à la fois triste et amère.

— Mais elle n'a pas livré de détails ?

— Les Mellon ne sont pas comme ça, répliqua Helen en secouant la tête.

— Que voulez-vous dire ?

— Ils ne sont pas portés sur les confidences, même avec les amis proches. Lorsqu'ils ont à affronter un problème en famille, ils le gardent pour eux et se serrent les coudes.

— Pouvez-vous me donner un exemple ? demanda Jackie.

— Eh bien, quand Alden est tombé malade, il y a quelques années... Les voisins n'ont appris que beaucoup plus tard qu'il avait été à la clinique. Et même aujourd'hui, Leigh ne me parle jamais de l'état de son père.

— Leigh Mellon n'est donc pas pour vous une amie proche ?

— Pas proche, mais certainement une amie. En semaine, je la vois chaque jour. Son école n'est pas loin, et, toutes les fois qu'elle peut s'échapper, elle vient ici déjeuner avec Michael. En fait, nous passons beaucoup de temps ensemble.

— Mais vous n'avez jamais discuté de son mariage, ou de ses relations avec son ex-mari ?

— Je doute que Leigh accepte ce genre de discussion avec qui que ce soit, à part sa mère et sa sœur.

— Et Stefan ? Continuez-vous à le voir ?

— Plus maintenant. Du temps où ils vivaient encore ensemble, il passait parfois prendre Michael, quand Leigh travaillait tard.

— Que pensez-vous de lui ?

— Il m'a toujours semblé un homme très bien. Très courtois, et merveilleux avec Michael...

Le visage agréable d'Helen prit soudain une expression tendue et nerveuse. Comme Jackie l'encourageait du regard, elle se décida à poursuivre.

— Un jour, il est venu ici, il y a environ deux mois... Je crois que c'était au début du mois de mai, juste avant la Fête des mères... Il voulait que je le laisse voir Michael à l'insu de Leigh. Il disait que Leigh lui refusait tout droit de visite, et qu'il ne pouvait plus supporter d'être séparé de son fils. Il m'a demandé la permission de l'emmener parfois à un terrain de jeux ou ailleurs, juste pour deux ou trois heures.

— Je vois, dit Jackie d'un air songeur.

— Je me rappelle qu'il voulait surtout conduire Michael chez sa grand-mère — la mère de Stefan — aux environs de la Fête des mères.

— Et que lui avez-vous répondu ?

— C'était un véritable supplice pour moi, déclara Helen, les yeux agrandis par ce souvenir douloureux. Il aime vraiment son fils, vous savez ! Et Michael était toujours ravi de voir son père... Mais j'ai dû refuser.

— Pourquoi ?

— Parce que Leigh me payait pour garder Michael, et j'aurais eu l'impression de la trahir en acceptant. J'ai répondu à Stefan que, s'il voulait voir Michael, il devait régler ça avec Leigh. Je lui ai dit que je ne voulais pas être impliquée dans quelque chose de... pas très honnête.

— Et quelle a été la réaction de Stefan ?

— Il était accablé. Je me rappelle toujours l'air triste qu'il avait en partant.

— Est-il jamais revenu pour essayer de voir Michael ?

— Non. Ce fut la seule et unique fois.

— Vous avez bien agi, déclara Jackie en voyant les lèvres de la femme se mettre à trembler de nouveau.

— Vous croyez ? fit Helen avec un regard pathétique. Cela me rendait vraiment malade de me retrouver ainsi au milieu de leurs disputes ! Et je n'avais personne à qui me confier...

A cet instant, une vieille femme vêtue d'un jogging usé, les épaules enveloppées d'une couverture de laine, entra dans la cuisine en traînant les pieds. Elle tenait, attaché à son oreille gauche, un appareil auditif encombrant, manifestement ancien.

— Voici ma mère, Grace Philps, murmura Helen. Maman, je te présente l'inspecteur Kaminski.

Ridée comme une vieille pomme, la peau de la douairière évoquait un antique parchemin, et sa tête, couverte d'un duvet blanc, une corolle de fleur. Mais le regard qu'elle posa sur Jackie était vif et étonnamment lucide.

— Vous êtes une femme flic ? demanda-t-elle.

Comme Jackie acquiesçait, la vieille femme continua à l'observer attentivement, puis se tourna vers sa fille.

— Il fait froid ici, Helen, dit-elle. Allume le chauffage !

— Impossible, maman, j'ai demandé qu'on change les joints, pendant qu'il fait si beau...

— J'ai froid ! insista Grace Philps en jetant un regard hostile à sa fille.

— S'il te plaît, maman... Dès que notre invitée sera partie, je monterai le radiateur électrique de la cave.

— Alors, dépêche-toi ! Je suis gelée...

Elle considéra les biscuits sur le plateau pendant quelques instants, en prit un et le mâcha longuement, pendant que les miettes tombaient sur sa poitrine.

— Avez-vous un revolver ? demanda-t-elle à Jackie.

— Oui, j'en ai un.

— Comment ? Parlez plus fort, jeune fille !

— Oui, j'ai un revolver ! cria Jackie, tout en sentant le ridicule de la situation.

— Bien ! Vous aurez peut-être à vous en servir d'ici peu ! remarqua Grace d'un air sombre, avant de quitter la cuisine en traînant sa couverture derrière elle.

— N'en veuillez pas à maman, murmura Helen, rouge d'embarras. Elle n'est pas très commode...

— Ne vous inquiétez pas, assura gentiment Jackie en se levant. Je sais ce que c'est, j'ai moi-même une grand-mère qui peut être infernale quand elle le veut.

— Merci de votre gentillesse, répondit Helen avec gratitude. Désolée si je n'ai pas pu vous aider davantage...

— Mais si, vous m'avez été d'un grand secours, protesta Jackie en tendant à Helen sa carte. Si vous pensez à quelque chose, n'hésitez pas à m'appeler.

— Inspecteur..., commença Helen d'une voix tremblante. J'espère de tout mon cœur que vous retrouverez Michael rapidement. Je ne suis pas moi-même tant qu'on ignore... J'ai si peur...

— Tranquillisez-vous, insista Jackie en lui tapotant l'épaule. Je vous promets que nous le retrouverons, ajouta-t-elle avec beaucoup plus d'assurance qu'elle n'en ressentait.

Leigh se prépara un sandwich à l'œuf, puis réchauffa un bol de potage au micro-ondes. Elle s'installa ensuite devant son repas, fixant la place vide de Michael de l'autre côté de la table de cuisine. Depuis quelques mois, son fils n'utilisait plus la chaise haute pour bébé, mais avait droit à un siège ordinaire surmonté de coussins. Comme c'était étrange de manger toute seule, privée de la présence bruyante et joyeuse de son enfant ! songea-t-elle en frissonnant. Le silence sinistre de la maison vide lui pesait, augmentant les sentiments d'angoisse et de fatigue qui lui broyaient le cœur.

Elle lutta pour réprimer les sanglots qui lui montaient à la gorge, s'efforçant de retrouver l'image de son petit Michael aux yeux noirs si espiègles, sous ses boucles auburn aux reflets dorés... Elle le revit empoigner la fourchette de sa petite main potelée, son geste plein d'assurance imitant celui de sa mère...

— Où es-tu, Michael? murmura-t-elle, comme elle suivait des yeux la pendeloque de cristal qui tournait lentement dans la brise devant la fenêtre. Est-ce que tu vas bien? As-tu peur? Tu me manques tellement...

La sonnerie de l'entrée l'arracha brutalement à ses pensées. Les yeux agrandis par la peur, elle se hâta vers l'entrée et jeta un coup d'œil par le judas avant d'ouvrir.

L'inspecteur Kaminski se tenait sur le perron, son grand sac de cuir suspendu à l'épaule. Leigh s'écarta pour la laisser passer, non sans essayer de maîtriser sa tension et son malaise grandissants.

Pourquoi était-elle si intimidée par l'inspecteur Kaminski? Etait-ce son sang-froid à toute épreuve, ses manières si détachées et professionnelles, son regard calme et pénétrant? Ou était-ce le fait qu'elle appartenait à une race à part — ces femmes fascinantes, mystérieuses et intrépides, qui portaient un revolver et savaient au besoin s'en servir? Leigh frissonna au souvenir de l'arme qu'elle avait aperçue pendant l'entretien du matin, au moment où le blouson de la femme s'était ouvert, découvrant un holster noir attaché à sa ceinture... Pourtant, Jackie Kaminski n'avait rien d'une virago à l'allure masculine. Son corps svelte et élancé ne manquait guère de grâce. C'était même une femme très séduisante, dans le style de la beauté brune et exotique. Elle avait les cheveux noirs, brillants, la peau dorée et d'immenses yeux noisette traversés de reflets verts. De plus, les rares fois où elle l'avait vue sourire, Leigh avait remarqué les deux charmantes fossettes qui se creusaient aux coins de ses lèvres pleines, lui donnant le charme d'une toute jeune fille fragile et vulnérable...

Pourtant, cette fascination que Jackie semblait exercer sur son entourage la rendait plus dangereuse que si elle avait été brusque et désagréable. Leigh savait combien il serait grave pour elle de se laisser influencer par la personnalité de cette femme. En aucun cas, songeait-elle, elle ne pouvait se permettre de lui faire confiance. L'inspecteur Kaminski pouvait devenir une véritable menace pour elle...

— J'étais en train de grignoter un morceau dans la cuisine, déclara Leigh. Voulez-vous vous joindre à moi ?

— Merci, j'ai déjà dîné. Des collègues ont apporté un repas chinois au bureau.

Leigh prit malgré tout le chemin de la cuisine, entraînant Jackie avec elle.

— Il est 6 heures passées, s'exclama-t-elle. Vous ne vous reposez donc jamais? Vous êtes venue si tôt ce matin !

— J'ai encore des points à vérifier avant de rentrer.

— Prendriez-vous au moins une tasse de thé ? J'allais en faire pour moi.

— D'accord. Merci.

Leigh se sentait paralysée par le regard scrutateur de Jackie. Elle s'efforça cependant de ne pas détourner les yeux, tandis qu'elle demandait :

— Avez-vous des indices sur l'endroit où Michael pourrait se trouver ?

— Rien de précis, répondit Jackie. Connaissez-vous cet homme ? ajouta-t-elle en sortant la photo de Paul Arnussen de son sac.

Leigh examina attentivement le cliché sur lequel on voyait un beau jeune homme vêtu d'un jean, de bottes de travail et d'une casquette de base-ball, une pile de planches sous le bras.

— Je ne crois pas, finit-elle par déclarer. Pourquoi ?

— Il est charpentier, et il est en train de restaurer une vieille demeure dans le quartier de vos parents. Je voulais juste savoir si vous l'aviez déjà rencontré.

Secouant la tête, Leigh versa l'eau bouillante dans une théière en céramique.

— C'est votre mère qui a fait la théière et les tasses, n'est-ce pas ?

— Comment le savez-vous ?

— Je reconnais bien là son style, dit Jackie en prenant sa tasse.

S'asseyant à son tour, Leigh désigna le siège en plastique rouge.

— C'est la place de Michael, dit-elle. Juste avant votre arrivée, j'étais en train de la regarder, en pensant à quel point la maison est vide sans lui... Je tourne en rond, je ne parviens à rien faire...

— Pour commencer, nous allons regarder ensemble les questions du test au détecteur de mensonges, dit Jackie en sortant un classeur de son sac.

Leigh croisa les mains sous la table.

— En quoi cela consiste ? demanda-t-elle, anxieuse.

— N'ayez pas peur, cela n'a rien d'effrayant. Nous allons passer en revue toutes les questions et je vais noter vos réponses. Demain, au commissariat, on vous connectera à des appareils spéciaux, et le sergent Kravitz vous posera les mêmes questions. Elle est spécialement formée pour faire passer ce test.

— Et vous serez là, vous aussi ?

— Je me tiendrai dans la pièce voisine, derrière un miroir sans tain, avec un micro pour que je puisse interrompre le test si l'une des réponses n'est pas claire.

— Et tout ce que je dois faire, c'est dire la vérité ?

— Exact, affirma Jackie en la fixant d'un air grave.

— Je n'ai donc pas à avoir peur, en effet, conclut Leigh en prenant une longue inspiration.

Elle sentait toujours Jackie l'observer avec acuité, pendant qu'elle essayait d'avaler une cuillerée de son potage.

Par bonheur, une fois la séance terminée, Leigh put remarquer que les questions n'étaient en fait ni compliquées ni perfides. Et elles tournaient toutes autour du même point, l'emploi du temps : à quel moment Leigh était arrivée au centre commercial, à quelle heure elle avait mangé avec Michael, comment Michael avait disparu du magasin de jouets, et ce que Leigh avait fait tout de suite après.

Patiemment, Leigh donna les mêmes réponses qu'auparavant, et Jackie les nota sur son calepin.

— Bon, déclara enfin cette dernière en fermant son classeur. Je pense que je peux y aller à présent... A propos, vous n'avez rien à signaler aujourd'hui ? Pas d'appels suspects ?

— Non, rien. Il y a beaucoup de journalistes dans le coin, et j'ai remarqué qu'un nombre important de voitures passaient devant la maison, mais je pense qu'il s'agit de curieux...

— Oui, c'est classique. Tant de gens trouvent un intérêt morbide au malheur des autres ! A propos, Leigh...

Le ton de Jackie semblait insouciant. Leigh se força à dominer une bouffée d'appréhension.

— Oui ?

— J'ai une voisine de palier qui s'appelle Carmen. C'est une mère célibataire qui vit avec sa fille de quatre ans, Tiffany. Il m'arrive de garder la petite... Eh bien, j'ai appelé ma voisine ce soir. Je voulais l'interroger...

— A quel sujet ?

— J'étais intriguée par le fait que vous ayez laissé Michael sans surveillance pour aller regarder ces robes d'été... La fille de ma voisine, Tiffany, a un an de plus que Michael, mais Carmen affirme qu'elle ne l'aurait jamais abandonnée une minute toute seule dans un magasin !

— Insinuez-vous que je suis une mère indigne ? demanda Leigh, le cœur battant à tout rompre.

— Non. Vous avez toujours été une mère très attentive. Voilà pourquoi je ne parviens pas à vous imaginer laissant Michael seul pendant cinq minutes dans le centre commercial rempli de monde.

— Il était occupé à regarder les jouets, expliqua Leigh, les yeux rivés sur son assiette. J'ai... je n'ai pas dû voir le temps passer. Je l'ai observé, puis je me suis absentée l'espace d'un instant... Mais je n'ai pas quitté des yeux l'entrée du magasin, au cas où il se serait aventuré dehors...

— Et vous n'êtes pas retournée vérifier s'il était là...

— Pas avant quelques minutes, confirma Leigh doucement. Je sais que c'est ma faute ! Je vais regretter ces instants jusqu'à la fin de mes jours. Mais c'est ainsi que ça s'est passé.

— Et vous continuez de croire que c'est votre mari qui l'a enlevé ?

— Bien sûr que c'est Stefan ! Qui d'autre cela pourrait-il être ?

— J'ai visité son appartement ce matin. Il ne dispose pas d'assez de place pour cacher un enfant de trois ans.

— Mais il y a la ferme de ses parents ! Michael peut être chez Miroslav et Ivana... Y êtes-vous allée ?

— J'y vais demain à la première heure, affirma Jackie en se levant et en prenant son sac. Oh, j'ai posé une autre question à Carmen, ajouta-t-elle du même ton insouciant.

Leigh se leva à son tour pour raccompagner la jeune femme.

— Quelle question ?

La main crispée sur la poignée de la porte, elle attendait que l'inspecteur Kaminski quitte enfin la maison...

— Carmen a dit qu'à votre place, elle serait littéralement folle d'inquiétude. Elle était même bouleversée, au bord des larmes, rien qu'en m'en parlant au téléphone...

— Ce n'est pas en devenant hystérique, répondit Leigh froidement, que je pourrai aider Michael !

— Certes, mais il s'agit d'une réaction plutôt naturelle, non ?

— Cela dépend de l'éducation qu'on a reçue, fit observer Leigh. Notre mère nous a appris, à ma sœur et à moi-même, qu'il faut toujours garder son sang-froid dans une situation critique, et surtout n'en rien laisser paraître. Pour elle, c'est une responsabilité dont les gens comme nous sont investis.

Leigh n'avait pas terminé sa phrase qu'elle regrettait déjà de l'avoir prononcée, sentant à quel point celle-ci lui donnait l'air pompeuse et prétentieuse. Du reste, les yeux de Jackie s'écarquillèrent de stupeur, avant de prendre une expression hostile et fermée, comme si l'on avait soudain abaissé un rideau sur son visage.

« Mon Dieu, elle pense que je prends son amie pour un être inférieur..., songea Leigh, au désespoir. Elle doit croire que je suis exactement comme ma mère... »

Mais elle demeura silencieuse. Pour le bien de Michael, elle devait garder ses distances avec cette femme.

— Je vous verrai demain après-midi au commissariat du centre-ville, dit Jackie en sortant dans la douceur de la nuit d'été. Appelez-moi si vous avez du nouveau. Vous avez ma carte, n'est-ce pas ?

— Oui, murmura Leigh.

Elle regarda Jackie marcher en direction de sa voiture. Puis elle referma la porte et erra dans la maison vide envahie par le silence.

9.

Le lendemain matin, Jackie traversa la ville et se dirigea vers la région sud, à Painted Hills plus exactement. En ce dimanche d'été, il y avait peu de voitures sous l'immensité du ciel bleu.

Jackie dépassa le parc naturel, puis le terrain de golf, tout en admirant le jeu de lumière sur le feuillage vert et lustré des arbres, en haut des collines. Les quartiers résidentiels firent bientôt place aux fermes isolées au fond de la vallée. Comme elle regardait défiler les palissades blanches derrière lesquelles des chevaux paissaient paisiblement, elle se sentit envahie par une extraordinaire sensation de bien-être, comme grisée par l'odeur de l'herbe fraîchement coupée.

Cependant, elle s'approchait du lieu de sa visite. Ayant vérifié l'adresse des parents de Stefan Panesivic, elle quitta l'autoroute pour prendre un petit chemin de campagne qui serpentait à travers une colline. Sur le terrain en surplomb des Panesivic, elle découvrit une cour bien entretenue, plusieurs enclos à bétail et un immense pré. Un moment plus tard, elle s'arrêtait pour regarder la maison. C'était une vaste construction de plain-pied entourée de vérandas à colonnade, aux murs recouverts de stuc blanc, aux fenêtres hautes et au toit de tuiles rouges. Impressionnée, Jackie songea que cette demeure évoquait un château féodal érigé au milieu de ses terres... Cela n'avait rien à voir avec la vieille bicoque entourée de hangars qu'elle avait imaginée, influencée par les allusions des Mellon à la « petite ferme » et au niveau social de Stefan. Seigneur, pensa-t-elle, pourvu qu'elle ne devienne pas aussi snob que tous ces gens ! Le snobisme se révélait une maladie contagieuse.

Comme elle atteignait le sommet de la colline, elle put jouir d'une vue imprenable sur toute la vallée. Derrière la maison, une piscine se découpait sur une pelouse entourée d'arbustes et de massifs de fleurs. Les dépendances et les enclos semblaient fraîchement repeints, et le gazon était entretenu avec soin.

En contrebas, tout près de la palissade, quelques poneys à long poil flânaient en secouant leur crinière et en donnant des coups de sabot — sûrement pour exprimer leur plaisir de se prélasser sous la caresse du soleil. Non loin de là, quelques poules et deux coqs picoraient le sol autour d'un poulailler peint en blanc. C'était apparemment une race spéciale, très décorative, avec un plumage aux couleurs chatoyantes vert et bronze.

Jackie gara sa voiture et contempla avec humeur les poules et les coqs. Décidément, il y avait déjà toute une basse-cour dans cette affaire, si l'on comptait le canard en peluche jaune de Michael et le « coq » de Paul Arnussen. Mais enfin, c'était stupide d'attacher de l'importance à ce dernier volatile, alors qu'elle ne croyait pas le moins du monde aux visions d'Arnussen !

Elle secoua la tête et se dirigea vers la maison. Des voix l'arrêtèrent à mi-parcours.

Il y avait du monde dehors, dans le jardin alentour. Elle pouvait entendre des voix d'hommes et de femmes, accompagnées d'un gazouillis d'enfant en bas âge. Alors, suspendant son sac à l'épaule, elle marcha vers le jardin et y pénétra par le portillon de la palissade faite de piquets.

Deux hommes étaient occupés à biner les pommes de terre, tandis que deux femmes penchées ramassaient des haricots, les déposant dans de larges paniers accrochés à leur bras. L'enfant restait invisible, mais il devait jouer non loin de là, car sa voix résonnait clairement dans l'air d'été.

Comme Jackie s'approchait, l'un des hommes leva les yeux sur elle et se redressa, essuyant son front en sueur du revers de sa main calleuse. Grand, large d'épaules, il avait la peau tannée par le soleil, de longs cheveux grisonnants peignés en arrière et une moustache impressionnante. L'autre homme, beaucoup plus jeune, était blond et présentait les mêmes traits marqués et la même expression aimable que le premier.

Jackie tendit la main à l'homme âgé.

— Je suis l'inspecteur Kaminski, dit-elle. Et vous devez être Miroslav Panesivic.

— Nous vous attendions, inspecteur, déclara l'homme avec un accent prononcé, tout en lui serrant la main avec une vigueur cordiale. Voici mon fils Zan.

— Salut, fit Zan en souriant de toutes ses dents. Le département de police de Spokane a mis la main sur les plus belles filles de la ville !

Les deux femmes s'approchèrent à leur tour, et Miroslav les présenta comme sa femme Ivana et sa belle-fille Mila.

A cet instant, une petite fille fit irruption dans le potager et s'arrêta net, examinant Jackie avec curiosité.

— Et voici ma petite-fille Deborah, ajouta le vieil homme avec tendresse en caressant les cheveux de l'enfant.

— Bonjour, Deborah, dit Jackie en souriant.

La petite fille devait avoir environ trois ans. Vêtue d'un short rouge et d'un T-shirt blanc, elle serrait un petit chaton noir contre sa poitrine. Avec ses cheveux châtains et ses grands yeux sombres, elle ressemblait beaucoup à sa mère, une jeune femme mince et petite, dont les traits délicats semblaient marqués par la fatigue.

Quant à Ivana Panesivic, grande et majestueuse, elle avait vraiment l'air d'une reine avec son abondante chevelure blanche tressée et enroulée sur sa tête à la manière d'une couronne. Son nez aquilin et ses yeux noirs pénétrants évoquaient irrésistiblement Stefan... Cependant, en se rappelant le sourire chaleureux et confiant de ce dernier, Jackie fut frappée par l'expression réservée et presque timide d'Ivana.

— Tu es vraiment de la police ? demanda Deborah, brisant le silence.

Comme Jackie acquiesçait gravement de la tête, la petite fille reprit :

— Alors, tu dois avoir un revolver ?

— Bien sûr.

Elle écarta un pan de son blouson pour révéler un holster noir suspendu à sa ceinture, dans lequel on devinait un revolver à canon court.

Les yeux de la petite fille s'agrandirent d'une admiration mêlée de crainte. Dans un silence intimidé, elle serra plus fort son chaton.

— Comment s'appelle ton ami ? demanda Jackie.

— Etoile. Parce qu'il a une petite étoile blanche sur le front, répondit-elle en lui présentant le chaton. Il habite dans le hangar.

— Il est très beau, commenta Jackie en le caressant derrière l'oreille, qu'il avait douce comme du velours.

— Ramène Etoile dans le hangar, ordonna Miroslav à sa petite-fille. Nous avons à discuter avec la dame.

Les femmes demeurèrent silencieuses, tandis que Zan s'éloignait en emportant ses outils de jardinage. Deborah, son chaton dans les bras, suivit son père.

— Vous souhaitez parler à chacun séparément, ou à nous tous ensemble ? demanda Miroslav en faisant face à Jackie.

— A chacun de vous, si possible. J'aimerais commencer par vous, monsieur Panesivic. Où pourrions-nous nous installer ?

— Sous la véranda... Tu veux bien t'occuper de nous ? ajouta-t-il à l'adresse de sa femme.

— Je vais vous préparer du thé glacé, acquiesça Ivana avec un sourire en direction de Jackie. Viens, Mila, tu vas m'aider.

Comme les deux femmes s'éloignaient vers la maison, Jackie suivit Miroslav Panesivic sous la véranda. Quelques meubles en rotin étaient disposés dans l'ombre de l'épais feuillage de la vigne vierge. Jackie s'installa dans un des fauteuils garnis de coussins, sortit son calepin et jeta un long regard sur la vallée entourée de collines boisées.

— Quel paysage magnifique, murmura-t-elle.

— Nous sommes très heureux ici, répliqua doucement Miroslav. Nous avons acheté ce terrain il y a vingt ans. A l'époque, c'était un monticule nu comme ma paume. Nous avons travaillé dur pour construire cet environnement.

— C'est vous qui avez bâti la maison et les dépendances ?

— Chaque centimètre carré, oui. Avec ces deux mains, ajouta-t-il fièrement en montrant à Jackie ses larges paumes calleuses. Nous avions un peu d'argent en arrivant... Ma famille possédait un grand vignoble près de Zagreb, et j'en ai hérité quand mes parents sont morts. Ivana et moi nous rendions parfaitement compte que la situation en Yougoslavie allait de mal en pis. Alors, nous avons vendu le vignoble et sorti l'argent du pays. Zan avait quinze ans à l'époque. Il est arrivé avec nous... A la différence de Stefan.

— Si mes calculs sont justes, Stefan devait avoir vingt-trois ans quand vous êtes partis ?

— Oui. Il enseignait déjà. Nous pensions qu'il allait épouser une des jeunes filles qu'il fréquentait là-bas, mais aucune ne semblait correspondre à ce qu'il espérait... Il avait des idées nobles et élevées au sujet de celle qui devait devenir la femme de sa vie.

— Barbara Mellon pense qu'il cherchait simplement une riche héritière.

— Mme Mellon est une vieille femme stupide, rétorqua Miroslav, dont le visage devint dur comme la pierre. Cela me fend le cœur de songer que mon petit-fils...

Il se tut, fixant le ciel sans nuage au-dessus des arbres, puis, quand Jackie l'encouragea du regard, il poursuivit, ses épaules musclées tendues comme dans un effort physique :

— La seule idée que Michael subisse une telle influence me fait horreur. Egoïsme, superficialité et méchanceté composent un cocktail dangereux qui peut empoisonner l'âme si l'on n'y prend pas garde.

Jackie savait que c'était la vérité, mais elle n'était pas là pour exprimer ses opinions personnelles. Elle se contenta donc de noter la déclaration du patriarche avec une expression impénétrable.

— Avez-vous une idée de l'endroit où se trouve votre petit-fils, monsieur Panesivic ? demanda-t-elle ensuite.

— Absolument pas, répondit-il avec fermeté. Mais je suis persuadé que ce sont les Mellon qui ont tout manigancé. Elle a toujours détesté le partager avec nous. Elle pense que nous sommes des créatures inférieures, et que nous allons contaminer le petit avec nos manières communes et vulgaires.

— Parlez-vous de Leigh ?

— Non, pas de Leigh, répliqua le vieil homme, tandis que ses traits se détendaient. Leigh est une jeune femme délicieuse. Je l'aimais comme ma propre fille, depuis le début. Elle avait l'habitude de venir ici et de me suivre partout dans la ferme, me posant des questions comme ma petite Deborah, et m'aidant en tout. Même sous une pluie battante, elle enfilait des bottes de caoutchouc et sortait avec moi pour donner à manger aux animaux, ou ramasser des œufs...

Intriguée, Jackie songea à cette nouvelle image de Leigh, si inattendue, si différente de celle qu'elle avait présente à l'esprit.

— Ainsi, dit-elle enfin, c'est Barbara qui ne s'entendait pas avec vous ?

— Oui. C'est elle qui détient tout le pouvoir dans cette famille, et elle est vraiment mauvaise. Elle n'a pas de cœur.

— Croyez-vous qu'elle ait fait enlever Michael ?

— Rien ne me surprendrait de sa part.

Ils continuèrent à discuter, Jackie posant des questions de

routine, Miroslav répondant de sa voix ferme et assurée. Ensuite, Jackie lui montra le cliché de Paul Arnussen sans fournir le moindre commentaire. Miroslav chaussa une paire de lunettes pour examiner la photo, et déclara qu'elle ne lui évoquait personne de sa connaissance.

Dix minutes plus tard, Ivana apparut, portant une carafe de thé glacé au citron. Mila la suivait avec un plateau chargé de verres et d'une assiette remplie de gâteaux d'avoine qui sortaient du four. Après avoir disposé le tout sur la table, les deux femmes s'apprêtaient à partir lorsque Jackie intervint :

— Madame Panesivic, puis-je vous parler maintenant ? Votre mari a déjà répondu à la plupart des questions. Je ne vous retiendrai que quelques minutes.

Ivana jeta un coup d'œil inquiet à son mari, qui hocha la tête d'un air encourageant.

— Cette jeune femme est quelqu'un de bien. Si tous les policiers étaient comme elle, je ne me déroberais pas à une convocation pour excès de vitesse !

Comme la plaisanterie détendait un peu Ivana, Miroslav s'éclipsa en entraînant sa belle-fille. Ivana servit deux verres de thé glacé, prit place devant Jackie et fixa la table, les mains posées sur ses genoux.

— Madame Panesivic, commença doucement Jackie, où pensez-vous que votre petit-fils se trouve en ce moment ?

La femme lança à Jackie un long regard désespéré.

— Je n'en ai aucune idée, murmura-t-elle, tandis que les larmes se mettaient à rouler sur ses joues. Michael est un enfant très gentil et très fragile. Il est timide, il prend facilement peur. Il a toujours été effrayé par l'obscurité et par les monstres. S'il...

La détresse de la vieille femme était si poignante que Jackie ne put s'empêcher de poser une main sur celles d'Ivana.

— Nous le retrouverons, je vous le promets, l'assura-t-elle. Nous étudions toutes les possibilités, nous suivons toutes les pistes, aucun indice ne nous échappera !

— Si on lui a fait du mal, ou..., articula la vieille femme, étouffée par les sanglots. Je l'aime tant, inspecteur... Je ne pourrais survivre si...

Enfin, songea Jackie sombrement, quelqu'un dans la famille semblait affecté par la disparition de l'enfant !

— Une dernière chose, madame Panesivic. A propos de Leigh Mellon... Quel genre de personne est-ce ? Pensez-vous qu'elle soit une bonne mère ?

— Oh oui ! Une très bonne mère ! Une jeune femme bien sous tous rapports. Il m'arrive encore de pleurer en pensant que nous l'avons perdue...

— Qu'entendez-vous par « perdue » ?

— Le divorce est une chose terrible. Il ne s'agit pas simplement d'un problème de couple. D'autres personnes se trouvent impliquées dans cette guerre et véritablement déchirées... Je traitais Leigh comme ma propre fille, et je l'aime toujours autant, mais je ne la vois plus jamais ! Quant à Michael, il ne vient que le samedi, lorsque Stefan l'amène à la ferme.

— Mais ces derniers mois, Leigh n'autorisait plus ces visites...

— Non. Elle... elle a peur.

— Peur de quoi ?

— Je suppose que c'est à cause de notre famille, si différente de la sienne, et aussi de nos liens avec notre pays d'origine. Leigh a peur pour son fils, mais elle n'a aucune raison de nous craindre, *nous* ! Jamais on ne pourrait faire le moindre mal à Michael ni le séparer de sa mère !

Ivana était sur le point de sortir quand elle se retourna, fixant Jackie d'un air timide.

— Si vous voyez Leigh, inspecteur, dites-lui... que je l'aime, et qu'elle me manque. Dites-lui aussi que j'ai de la peine pour elle, et que je prie tous les jours pour qu'on retrouve Michael sain et sauf.

Jackie sentit une boule d'émotion se former dans sa gorge et dut prendre sur elle pour ne pas laisser paraître son émotion. Elle plaignait la vieille femme de tout son cœur, et en même temps, elle se demandait une fois de plus qui était la véritable Leigh Mellon...

— Je le lui transmettrai, promit-elle. Voulez-vous demander à votre belle-fille de venir ?

Dès que Mila se fut installée devant Jackie, elle se hâta de manifester des sentiments autrement moins tendres à l'égard de son ex-belle-sœur.

— Leigh n'est qu'une salope arrogante, déclara-t-elle. C'est à peine si elle acceptait de boire un thé glacé en notre compagnie. Trop pressée de partir, comprenez-vous ?

Jackie prit le temps d'examiner la femme et, à sa grande surprise, se sentit de plus en plus intriguée par la personnalité de Mila. Son pâle visage encadré de cheveux châtains était aussi impassible que sa voix, qui n'avait pas le moindre accent étranger. Par ailleurs, en dépit de l'ample chemisier et du bermuda qu'elle portait, Jackie crut reconnaître le corps svelte et le port altier d'une ballerine.

— Vous êtes danseuse ? demanda-t-elle.

— Pas que je sache, répondit Mila avec un sourire glacial. J'ai un diplôme d'arts appliqués, et je suis spécialiste de décoration intérieure. J'ai monté ma propre entreprise, et je travaille surtout avec des sociétés.

— Des sociétés basées à Spokane ?

— Pour la plupart d'entre elles, oui. Mais j'ai aussi une activité de conseil qui m'oblige à me déplacer dans d'autres Etats.

Après avoir noté ces informations, Jackie posa la même question cruciale qu'aux autres membres de la famille : où pouvait bien se trouver Michael ?

— Je pense qu'il a été enlevé par les Mellon, répondit Mila sans hésitation. Ce sont des arrivistes et des profiteurs sans vergogne. Ils ne s'intéressent qu'au pouvoir. Ils ne peuvent supporter que les gens refusent de se plier à leurs quatre volontés, et la notion de partage les dépasse totalement.

— Même Leigh n'échappe pas à la règle ?

— Je vois que cette femme modèle vous a dupée, vous aussi. Etonnant comme tout le monde se trompe sur son compte !

— Vous ne la portez vraiment pas dans votre cœur.

— Je la déteste. A mes yeux, Leigh Mellon incarne tous les défauts dont souffre l'Amérique.

— Et quels sont ces défauts ? demanda Jackie innocemment.

— Il y en a un sacré paquet ! s'exclama Mila, les yeux brillant d'indignation. Hypocrisie, apathie, sentimentalisme à quatre sous, violence, laxisme moral et indifférence complète à la souffrance d'autrui.

— Voilà une liste de péchés bien lourde ! Compte tenu de vos reproches, vous n'êtes pas citoyenne américaine ?

— Vous vous trompez. Je suis une Américaine de la première génération. Mes parents sont arrivés de Croatie après la guerre, au début des années cinquante, dans l'espoir de réussir une nouvelle vie.

— Et leurs espoirs se sont réalisés ?

— Et comment ! rétorqua Mila amèrement. Ils sont devenus des Américains très prospères.

— Alors, quel est votre grief principal à l'encontre des Etats-Unis ?

— Pour commencer, l'absence criminelle d'une politique ferme au moment où la guerre en Yougoslavie a éclaté. Les Américains commettaient bourde sur bourde à propos de ce conflit, imposant des embargos stupides, empêchant les gens de se défendre, accordant un soutien illégal à qui ils voulaient, et détournant pudiquement les yeux devant les massacres... Ils flirtaient avec chacun des camps opposés, tout en pensant garder les mains propres ! C'était un spectacle vraiment dégoûtant... Et le comportement le plus scandaleux était celui des gens comme les Mellon !

Zan Panesivic rejoignit les deux jeunes femmes par la

porte de la cuisine. Il adressa à Jackie un sourire radieux, mais ses yeux gardaient une expression inquiète.

— Elle vous casse les oreilles avec ses histoires ? dit-il en posant la main sur l'épaule mince de sa femme. Vous n'auriez jamais dû la laisser parler politique !

— Il est vrai qu'elle ne mâche pas ses mots, convint Jackie en souriant à son tour. Mais j'admire toujours les gens passionnés qui assument leurs convictions, quelles qu'elles soient. Ainsi que le dit si bien Mila, la plupart des gens de ce pays se montrent beaucoup trop apathiques.

Comme Mila lui jetait un regard à la fois étonné et reconnaissant, Jackie annonça qu'elle n'avait plus de questions à lui poser.

— Alors, c'est à moi ! s'exclama joyeusement Zan, tandis que sa femme quittait la véranda.

— Cela ne vous prendra pas beaucoup de temps... C'est curieux, vous ne ressemblez pas du tout à Stefan !

— Nous sommes aussi différents que deux frères peuvent l'être. Stefan tient plutôt de notre mère, alors que moi, je ressemble à papa.

— Et vous avez l'air beaucoup plus américain !

— Que voulez-vous, dit Zan en haussant les épaules. J'ai passé mon adolescence ici. J'allais à l'école à Spokane, je jouais au base-ball... Mes liens avec la Croatie sont assez ténus.

— Y êtes-vous retourné ?

— Pas une seule fois. Le voyage n'est pas donné, déclara-t-il avec un sourire espiègle. Depuis des années, Mila me rebat les oreilles de sa famille à Dubrovnik... Et j'ai fini par céder. Nous avons donc réservé nos billets. Nous partons dans une semaine, et nous y resterons un mois entier, pour présenter Deborah à tous ses oncles et tantes. Mila déborde littéralement d'excitation !

Jackie tenta en vain de se représenter Mila débordant d'excitation à propos d'un autre sujet que la politique... Mais peut-être cette femme en privé était-elle totalement différente de l'image qu'elle donnait à l'extérieur !

— Les autres membres de votre famille vous accompagnent-ils ? Vos parents, notamment ? demanda-t-elle.

— Non. Maman aurait adoré venir avec nous, mais elle refuse d'y aller sans papa. Et lui n'a aucun désir de revoir le pays. Il a été trop dégoûté par tout ce qui s'y est passé... Il ne supporte même plus les informations à la télé !

— Et Stefan ?

— Il pensait pouvoir faire le voyage, mais il est trop préoccupé par ce qui est arrivé à Michael. Il refuse de bouger tant qu'il ne saura pas son fils en sécurité.

— Si j'ai bien compris, vous partagez l'avis de vos proches ? Comme eux, vous pensez que l'ex-femme de Stefan et sa famille sont responsables de la disparition de Michael ?

— Je suis bien obligé de le penser, murmura Zan en la fixant de son regard calme et franc. Toute autre possibilité est proprement inimaginable !

— A propos, dit Jackie en consultant ses notes, quelle profession exercez-vous ?

— Je suis ingénieur paysagiste, employé par la municipalité.

— Je vois. Et que faisiez-vous vendredi soir entre 18 heures et 21 heures ?

— J'ai passé la soirée ici, à la ferme, avec tous les autres. Je suis arrivé vers 17 heures, après la sortie de mon travail. C'était d'ailleurs l'anniversaire de Mila. Maman avait préparé un énorme gâteau au chocolat... Mon Dieu, maman était si heureuse ce soir-là ! ajouta Zan d'un air mélancolique. Ce n'était pas simplement à cause de l'anniversaire de Mila. Elle avait appris l'arrêt de la Cour, et elle était tout à la joie de revoir Michael ; Stefan devait l'amener à la ferme le lendemain... Vous pensez, depuis le temps qu'elle ne l'avait pas vu, elle ne parlait que du petit, et de la perspective de passer la journée en sa compagnie !

A cet instant, Deborah apparut sous la véranda. Elle courut se jucher sur les genoux de son père et se serra contre lui tandis qu'il lui caressait tendrement les cheveux. Au moment de prendre congé, Jackie sortit la photo de Paul Arnussen et la montra à Zan. Après avoir considéré le cliché, ce dernier secoua négativement la tête, puis appela sa femme et sa mère. Aucune des deux femmes ne semblait avoir jamais aperçu le charpentier.

— Désolé, dit Zan. Que pouvons-nous faire d'autre pour vous être utiles ?

— Pour l'instant, rien, répondit Jackie en rangeant la photo. Merci de m'avoir consacré tout ce temps. Si vous apprenez quelque chose ou qu'un détail vous revient, faites-le-moi savoir sur-le-champ.

Elle adressa un dernier sourire bref à la famille et quitta la véranda pour se diriger vers sa voiture. Deux coqs au plumage brillant et coloré grattaient le sol de leurs pattes et donnaient des coups de bec sur une des roues arrière. Elle s'arrêta et contempla les volatiles pendant quelques instants, songeant à Paul Arnussen, à son étrange vision et aux traces de sang dans sa camionnette. Enfin, elle monta dans sa voiture et s'éloigna de la maison, tandis que Zan, sa fille dans ses bras, l'observait depuis le perron ombragé.

10.

Le lundi matin, on avait mis tellement de policiers sur l'affaire Michael Panesivic qu'il n'était plus possible de tenir des briefings dans le bureau de Lew Michelson. A part le commissaire et Brian Wardlow, l'équipe comportait un lieutenant et un capitaine du commissariat du centre-ville, deux autres inspecteurs, et un grand nombre d'agents de la patrouille régulière. Toutes ces personnes venaient d'investir le bureau de Jackie, s'installant sur les sièges et les tables, tandis qu'elle les observait, assise devant le dossier de l'affaire et une pile de documents contenant toutes les informations réunies à ce jour.

— Tout d'abord, dit-elle, je dois vous signaler que Leigh Mellon a passé sans problèmes le test au détecteur de mensonges hier après-midi.

Comme la plupart des visages exprimaient une surprise sans bornes, Jackie poursuivit :

— J'en ai été aussi étonnée que vous. J'étais sûre que sa version ne tenait pas, mais elle l'a débitée sans le moindre faux pas. Son histoire est passée comme une lettre à la poste ! Le sergent Kravitz prépare un autre test pour les jours qui viennent, mais elle pense que la femme dit la vérité.

— Alors, qu'est-ce que cela nous laisse comme possibilités ? demanda le commissaire Michelson.

— Si ce n'est pas la mère qui a l'enfant, c'est donc un autre membre de la famille... ou alors, c'est un inconnu.

— Vous avez vérifié les pédophiles, Wardlow? demanda Michelson.

— Certains, oui. La liste a été établie hier, mais il est difficile de joindre les gens pendant le week-end... Surtout, à la veille du Quatre juillet! ajouta-t-il amèrement.

— Et la fille du centre commercial? Avez-vous d'autres informations à son sujet?

— Malheureusement, rien du tout, dit en soupirant Wardlow. Quand j'y suis retourné, j'ai trouvé les deux témoins encore plus vagues qu'avant. Nous n'avons rien de concret.

— Avez-vous découvert d'autres pistes?

— Rien de précis. Des informations sans queue ni tête, des pistes qui ne mènent nulle part. Que de temps perdu!

Jackie jeta un regard soucieux sur son coéquipier. Wardlow avait l'air épuisé et mal à l'aise. Ses yeux, qui avaient perdu leur éclat joyeux, étaient marqués par des cernes violacés. Aucun doute, sa femme lui menait la vie dure! Comme s'il n'en avait pas assez des longues heures supplémentaires et de l'absence de jours de congé...

— Qu'en est-il de ce soi-disant médium? demanda Michelson, se tournant de nouveau vers Jackie.

— Le labo a confirmé que le sang sur la bâche est celui d'un animal. Je ne m'attendais pas à plus. Ce type est bien trop malin pour laisser traîner des preuves aussi évidentes!

— Ainsi, vous croyez cette histoire de chien tué sur l'autoroute?

— Brian a vu le cadavre, et il a parlé avec la propriétaire du chien, précisa Jackie. Mais j'ignore ce qu'il faut en déduire. Arnussen aurait pu renverser le chien exprès, afin de camoufler une preuve quelconque. Cela dit, nous n'en avons pas fini avec la bâche. Le labo va en examiner chaque millimètre carré à la recherche d'autres indices.

Cela pourra nous servir si l'on découvre qu'Arnussen est impliqué dans l'affaire.

— Mais il peut protester !

— Je me fiche de ses protestations, trancha-t-elle d'une voix dure. S'il tient tellement à récupérer cette maudite bâche, qu'il aille se plaindre au tribunal !

— Dites-moi tous les deux ce que vous pensez de ce type, demanda le commissaire, après avoir lancé un regard perçant à Jackie.

— En ce qui me concerne, j'ai un avis mitigé, commissaire, commença Wardlow. Ou bien ce gars est le kidnappeur, ou bien c'est un vrai médium... Et dans les deux cas, nous devrions chercher un coq !

— Pourquoi ? demanda un policier qui portait des galons de lieutenant.

— Parce qu'il a évoqué le canard en peluche du gosse. Or nous n'avons révélé ce détail à personne. La mère s'en est souvenue samedi matin et a appelé Jackie pendant que nous déjeunions ici au bureau.

— J'ai réfléchi moi aussi à cet indice. Arnussen aurait pu apercevoir le petit avec son jouet en peluche, avant qu'on ne l'enlève. La plupart du temps, il travaille à South Hill... Et la baby-sitter conduit souvent Michael chez ses grands-parents.

— Donc, il est également possible qu'il ne soit ni médium ni coupable, remarqua Michelson. Juste un type bizarre qui cherche à attirer l'attention sur lui... Avez-vous pu obtenir des informations précises à son sujet ? demanda-t-il à Wardlow.

— Pas de casier dans cet Etat. Pas de retrait de permis de conduire non plus. Apparemment, il n'a jamais été impliqué dans une embrouille quelconque... Il occupe depuis six ans le sous-sol d'une maison à Cannon Hill, et la propriétaire semble bien le connaître. C'est une veuve âgée de plus de soixante-dix ans, et elle trouve que c'est un type vraiment extra.

— Il arrive que les tueurs en série eux-mêmes sachent séduire leur entourage, rétorqua le commissaire d'un air sinistre. Ils peuvent charmer jusqu'aux petits oiseaux dans leurs nids, sans parler des vieilles dames. Même chose en ce qui concerne les kidnappeurs et autres psychopathes. Avez-vous pu examiner la maison ?

— Presque entièrement. La propriétaire s'est montrée très coopérative, et elle m'a fait visiter le premier étage et une partie du sous-sol. Mais elle m'a rappelé que je n'avais pas le droit de pénétrer dans l'appartement d'Arnussen sans mandat.

— Faut-il solliciter un mandat pour perquisitionner chez lui ? s'enquit Michelson.

— Je ne pense pas, répliqua Wardlow. Quand j'ai complimenté la vieille dame sur la propreté des lieux, elle m'a raconté qu'elle nettoyait chaque centimètre carré de la maison toutes les semaines. Le vendredi, elle s'occupe du premier étage, et le samedi, elle fait le ménage partout dans la maison, y compris dans l'appartement d'Arnussen. Cet arrangement figure dans le contrat de location.

— Elle a donc nettoyé son appartement le lendemain du kidnapping ! observa l'un des inspecteurs.

— C'est ce qu'elle m'a affirmé.

— Vous dites qu'elle l'aime beaucoup. Pourrait-elle mentir pour le couvrir ?

— Pas dans une histoire pareille, répondit fermement Wardlow. Pas lorsque la sécurité d'un enfant est en jeu ! Elle est grand-mère, et elle adore ses petits-enfants... Elle a passé près d'une heure à me montrer leurs photos !

— Bon, d'accord, acquiesça Michelson en se frottant l'estomac d'un air douloureux. Quoi d'autre au sujet de ce type ?

— Il a grandi dans un ranch dans le Montana, poursuivit Wardlow en parcourant ses notes. Sa mère est morte quand il avait cinq ans, et c'est son père qui l'a élevé. Le vieux n'était pas ce qu'on appelle un père modèle. Il a perdu le ranch au jeu, et il est mort au cours d'une rixe dans un bar. Arnussen avait dix-huit ans à l'époque.

— C'est alors que notre gars s'est lancé dans une carrière de charpentier ? demanda Shelly Williams, un des agents de la patrouille régulière affectés à l'affaire.

— Oh, il s'est lancé dans des voies multiples et variées. Ouvrier dans des arsenaux, employé de ranch, il a exercé un tas de petits métiers. Aujourd'hui, il a une affaire qui rapporte bien ; il s'occupe de la restauration d'anciennes demeures classées. Cela fait près de cinq ans qu'il travaille dans le même secteur, Summit Drive et South Hill.

— Et il n'a pas cherché à quitter son sous-sol exigu ?

— Apparemment, il essaie de faire des économies pour s'acheter un ranch. La propriétaire prétend que c'est l'unique but de sa vie.

— Vous êtes sûrs qu'il n'y a toujours pas eu de demande de rançon ? demanda un des policiers en échangeant un regard éloquent avec ses collègues. Les Mellon auraient largement de quoi payer un petit ranch sympa !

— Réfléchissez, objecta Jackie en secouant la tête. Michael a été enlevé vendredi soir. Et nous sommes lundi matin. Si le mobile avait été la rançon, la famille aurait déjà été contactée.

— Peut-être que la rançon a bel et bien été exigée, intervint le sergent Alvarez, un homme mince aux tempes grisonnantes, sanglé dans un uniforme impeccablement repassé. Peut-être qu'on a menacé de tuer le petit garçon si la famille avertissait la police. Cela s'est déjà vu ! Les gens peuvent rester muets comme des carpes quand la vie d'un enfant est en jeu.

— En ce qui concerne Leigh Mellon, déclara Jackie après un long silence méditatif, je doute qu'elle puisse garder un tel secret sans se trahir. En revanche, sa mère en est tout à fait capable !

— Moi, je me pose toujours des questions au sujet de

cette audience au tribunal, qui a rétabli le droit de visite du père, intervint Michelson d'un air soucieux. J'aimerais qu'on revienne un peu à la famille. Jackie, pensez-vous que les Mellon aient pu enlever l'enfant sans que la mère soit au courant ?

— Je ne sais pas. Il faut que j'interroge de nouveau Adrienne, la sœur de Leigh. Quelque chose m'intrigue... Adrienne a été kidnappée il y a une vingtaine d'années, quand elle était encore adolescente et faisait ses études dans une école privée en Californie. On a exigé de ses parents deux cents mille dollars de rançon. Mais, quelques jours plus tard, alors qu'ils étaient en train de réunir la somme, Adrienne a reparu à l'école comme si de rien n'était. Mme Mellon affirme qu'ils n'ont jamais su le fin mot de l'histoire. Adrienne refusait d'en parler, et ses parents étaient trop occupés à l'époque pour tenter d'en savoir plus. Apparemment, le père venait de se lancer dans une campagne officielle... Bref, le moment était mal choisi pour s'occuper d'un kidnapping, ajouta Jackie sans sourciller.

— Seigneur ! s'exclama l'un des inspecteurs. Vous croyez à cette histoire ?

— Cela me paraît vraisemblable, objecta le commissaire. Les gens fortunés sont souvent les victimes de ravisseurs... Mais cela ne signifie pas qu'il existe un lien entre cet événement ancien et la disparition de Michael.

— Je sais, répliqua Jackie. Il n'empêche que je tiens à évoquer cette histoire avec Adrienne. Je la vois cet après-midi.

— Ce n'est pas une mauvaise idée, approuva Michelson, tout en se tournant de nouveau vers Wardlow. Quoi d'autre au sujet d'Arnussen ? Amis, loisirs, hobbies ?

— Je n'ai pas découvert grand-chose. Le gars semble passer le plus clair de son temps à travailler. Pendant ses jours de congé, il aime faire des randonnées à la campagne.

— Et côté filles ?

— Apparemment, pas de petite amie... On dirait que c'est un célibataire endurci.

— Cela correspond également au profil du psychopathe classique. Nous avons déjà requis la collaboration du FBI. Wardlow, il faudra que vous leur demandiez de vérifier soigneusement les adresses où Arnussen a habité avant de venir s'installer à Spokane... et de voir s'il n'y a pas eu de disparition d'enfant dans les secteurs concernés.

Hochant la tête, Wardlow nota les instructions.

— A quoi ce charpentier emploie-t-il son temps libre, à part les randonnées à la campagne ? demanda le sergent Alvarez.

— Il s'amuse à bricoler, et à rafistoler tout ce qui ne va pas dans la maison de sa propriétaire. En échange, elle lui accorde des remises régulières sur le loyer... C'est tout ce que j'ai pu découvrir à propos de ce gars !

— Alors, revenons à la famille, décida Michelson. Comment ça se présente du côté du père ?

Jackie raconta brièvement ses impressions, évoquant tour à tour Stefan, puis ses parents et la famille de son frère rencontrés à la ferme.

— Les Panesivic semblent tous des gens honnêtes et très sympathiques, conclut-elle. La belle-sœur a l'air un peu dingue, mais cela n'a rien à voir avec la disparition de Michael. Elle est trop obsédée par la politique pour attacher de l'importance à quoi que ce soit d'autre. En revanche... Il y a une chose qui m'a paru bizarre depuis le début. La famille de la mère n'est pas... assez inquiète pour être crédible. Ils adorent tous le petit garçon, mais ils ne montrent aucun signe de panique. Je ne comprends pas cette réaction, commissaire. Autant dire, conclut-elle, les sourcils froncés, que je ne comprends pas ces gens !

⁂

Leigh se réveilla lundi matin après quelques heures de sommeil agité. Elle avait à peine dormi depuis la disparition de Michael, et les rares fois où elle avait pu sombrer dans l'inconscience, les cauchemars l'avaient encore plus terrifiée que l'angoisse ressentie à l'état de veille.

Aujourd'hui, cela promettait d'être différent. Après l'interminable week-end, elle allait enfin pouvoir téléphoner et recevoir des nouvelles rassurantes !

Sautant au bas de son lit, elle ôta sa chemise de nuit en coton et enfila un short, un T-shirt et une paire de sandales, après quoi elle descendit prendre son petit déjeuner dans la cuisine. A son immense déception, les toasts et les œufs pochés lui parurent totalement insipides. Ecœurée, elle repoussa la nourriture et demeura immobile, les yeux rivés sur la pendule. Si seulement elle avait pu accélérer le mouvement imperceptible des aiguilles, elle l'aurait fait de ses propres mains !

« 10 heures, songea-t-elle. Ils ont dit que je ne pouvais pas appeler avant 10 heures... »

Elle rangea la cuisine, puis se mit à errer dans la maison, arrosant les plantes, déplaçant livres et bibelots... Quand l'attente et le silence de la maison lui furent devenus insupportables, elle sortit dans la douce lumière matinale et se força à s'occuper du jardin : elle arracha les mauvaises herbes, retourna la terre avec une pioche autour des marguerites...

Enfin vint l'heure fatidique. Elle rentra, se lava les mains à la hâte, prit son sac à main et fonça vers sa voiture.

Ils lui avaient dit de ne pas appeler de la maison... Pas question de leur désobéir sur aucun point : l'enjeu était trop important. La cabine téléphonique la plus proche se trouvait dans le centre commercial, et elle y dirigea sa voiture, songeant avec soulagement que, le lundi matin, le parking serait complètement désert...

Sur le chemin, elle remarqua avec étonnement que les

rues aussi étaient vides et la plupart des boutiques fermées, puis elle se souvint que le lendemain, c'était le Quatre juillet. Evidemment, tous ceux qui n'étaient pas obligés de rester en ville à cause de leur travail devaient déjà se trouver à la campagne — à moins qu'ils ne fussent à la maison, au sein de leur famille, en train de savourer quelques jours de repos et de détente...

En arrivant au centre commercial, elle gara sa voiture près de l'entrée et courut à l'intérieur, en quête d'une cabine téléphonique.

Apprendre le numéro par cœur et ne rien noter, telles avaient été les instructions. Elle les avait suivies à la lettre. D'un geste mal assuré, elle composa le numéro de mémoire et attendit, en proie à une excitation mêlée d'angoisse.

— Allô ? dit une voix féminine avec impatience. Qui est à l'appareil ? Présentez-vous !

— Je suis... Leigh Mellon, murmura-t-elle, au comble de l'émotion, oubliant dans l'instant tout ce qu'on lui avait ordonné. Je voulais savoir si...

— Ne citez aucun nom ! aboya la voix. Utilisez le numéro d'identification qu'on vous a attribué !

S'efforçant de combattre son trouble, Leigh tordit le fil métallique de l'appareil. Heureusement, le numéro lui revint à l'esprit, et elle le cita d'une voix à peine audible, avant d'ajouter dans le même souffle :

— Je vous en prie ! Je veux juste savoir s'il va bien.

Un long silence s'ensuivit.

— Nous ne l'avons pas, finit par déclarer la femme.

— *Quoi ?*

— Ecoutez, j'ignore à quel jeu vous jouez, mais il n'est certainement pas drôle. Nous n'apprécions pas du tout d'être utilisés de la sorte.

— Mais je ne comprends pas..., articula Leigh, tandis que la panique envahissait tout son être. J'ai... j'ai fait ce que vous m'avez dit. Je l'ai laissé dans le...

— Pas de détail par téléphone ! cria la femme avec colère. Nous avons envoyé notre agent sur le lieu prévu. Elle était prête à s'emparer de l'objectif, mais il n'était pas là. Elle a attendu aussi longtemps qu'elle a pu sans éveiller des soupçons, puis elle est partie les mains vides.

— N'a pas pu s'emparer de... L'objectif n'était pas là ?... Qu'est ce que vous racontez ? murmura Leigh.

— Je vous le répète, nous n'apprécions pas un tel comportement. Notre groupe court un risque considérable sans en retirer aucun bénéfice, rien que pour assurer le bonheur d'autrui.

— Mais j'ai agi exactement comme vous me l'avez dit ! cria Leigh. Je l'ai habillé comme convenu, et...

— Nous ne l'avons pas, trancha la femme. Nous n'avons pas la moindre idée de l'endroit où il se trouve, et nous vous prions de ne plus nous contacter. Si vous le faites, nous nierons vous avoir jamais connue.

— Attendez ! hurla Leigh. Ne raccrochez pas ! Dites-moi seulement si...

Le déclic retentit à son oreille, suivi d'un silence assourdissant. Elle demeura immobile encore quelques instants, sa main tremblante crispée sur le combiné. Enfin, prise d'une terreur incontrôlable, elle raccrocha et chercha son chemin en aveugle jusqu'à sa voiture.

Elle ne songeait qu'à rentrer, à se blottir dans la sécurité de sa maison et à contacter l'inspecteur Kaminski. Pour une raison inconnue, elle se sentait incapable d'utiliser le téléphone public. Elle avait besoin de se retrouver chez elle, de retrouver la chambre de Michael avec tous ses jouets et tous ses vêtements.

Accrochée au volant de sa voiture, elle parcourut comme un zombie les rues désertes et silencieuses, le visage baigné de larmes. Elle ne parvenait plus à dominer les sanglots qui lui déchiraient la poitrine, et murmurait à voix haute :

— Michael, où es-tu, mon chéri ? Pour l'amour du ciel, *où es-tu ?*

11.

Le briefing au commissariat touchait à sa fin lorsque Alice passa la tête dans le bureau plein à craquer.

— Jackie ? Peux-tu prendre un appel ? demanda-t-elle. J'ai horreur de te déranger pendant les réunions, mais ça a l'air drôlement urgent.

Jackie acquiesça d'un hochement de tête et décrocha l'appareil le plus proche, tandis que le commissaire continuait de définir les missions quotidiennes de chacun.

— Inspecteur Kaminski...

Elle demeura un instant sans voix, son visage exprimant d'abord la surprise, puis une sombre inquiétude à mesure qu'elle écoutait parler son interlocutrice à l'autre bout du fil.

— Attendez, Leigh, dit-elle à la fin, je ne comprends pas ce qui s'est passé.

— Qu'y a-t-il à comprendre ? chuchota la jeune femme dans un long sanglot tourmenté. *Il a disparu* ! Je les ai appelés, et il n'est pas avec eux...

Elle s'interrompit et, pendant quelques instants, Jackie n'entendit plus que des pleurs désespérés. Enfin, Leigh parut recouvrer un peu de son souffle, et sa voix résonna comme une longue plainte.

— Michael... Il a disparu. Ils m'ont dit d'appeler lundi matin... Ils devaient m'apprendre où il était... et me rassurer sur son sort... Et maintenant, ils prétendent qu'ils ne l'ont pas !

— De qui s'agit-il, Leigh ? Qui avez-vous appelé ? demanda Jackie, fixant un regard inquiet sur ses collègues réunis dans la pièce.

— Les gens qui étaient censés l'avoir avec eux... Je vous en supplie, retrouvez-le ! Je ne sais pas s'ils sont en train de mentir, ou si quelque chose de terrible est arrivé... S'il vous plaît, Jackie, il faut que vous le trouviez ! Je ne sais pas quoi faire... Mon Dieu, que dois-je faire ?...

— Leigh, calmez-vous, l'interrompit Jackie. Inspirez profondément avant de parler... *Faites ce que je vous dis !* ordonna-t-elle, comme des sanglots désespérés retentissaient de plus belle à l'autre bout du fil.

Jackie attendit, pendant que ses collègues, intrigués, se rapprochaient d'elle pour suivre la conversation dans un silence tendu. Enfin, Leigh reprit la parole. Apparemment, elle était parvenue à se dominer : sa voix, bien que faible et vibrante d'émotion, avait perdu ses accents hystériques.

— Pouvez-vous venir à la maison ? demanda-t-elle. Je vous en prie ! Venez tout de suite.

— J'arrive, dit Jackie.

Elle raccrocha, prit son dossier, puis jeta un regard circulaire sur ses collègues.

— Je ne comprends pas un traître mot à cette histoire, déclara-t-elle d'un air sombre. Mais une chose est sûre : cette fois, la femme est *vraiment* affolée.

Elle gara sa voiture en face de la maison de Leigh et prit l'allée conduisant au perron. La jeune femme l'attendait en haut des marches, sa longue chevelure blonde emmêlée lui tombant sur les épaules, son pâle visage baigné de larmes. Elle tremblait de tous ses membres, appuyée contre le montant de la porte.

Jackie la saisit par le bras et la conduisit à l'intérieur, jusqu'à la cuisine. Comme un automate, Leigh se laissa tomber sur un siège en fixant la fenêtre d'un regard vitreux.

— Une tasse de thé vous fera du bien, déclara Jackie.

Elle remplit la bouilloire, mit l'eau à chauffer, et sortit un sachet de thé d'une boîte de cuivre ouvragée. Puis, trouvant la théière en céramique sur une des étagères, elle la posa sur la table et leva enfin les yeux vers Leigh.

— Maintenant, expliquez-moi ce qui s'est passé. On vous a appelée pour vous demander une rançon ?

Leigh se tordit les mains.

— C'est moi, dit-elle après une profonde inspiration, qui ai arrangé le kidnapping de Michael.

Comme Jackie la fixait, les yeux écarquillés de stupeur, elle poursuivit d'une voix qui se brisait par instants :

— Ces gens... Il y a quelques mois, j'ai vu une sorte de tract épinglé sur le tableau d'affichage de l'église... On y parlait des enfants en péril, on proposait un numéro d'appel. C'est ainsi que j'ai pu contacter ce groupe... Ces gens ont pour objectif d'aider les mères dont l'enfant risque d'être enlevé par la famille du père. Ils font passer les enfants au Canada.

— Et vous les avez chargés de kidnapper votre propre enfant ? De parfaits inconnus ?

— Ils sont très bien organisés, murmura Leigh. Je les ai rencontrés plusieurs fois.

— Où cela ?

— Ils sont venus à la maison. Un homme et une femme... Ils m'ont expliqué comment je devais m'arranger pour laisser Michael dans un lieu public, où ils pourraient l'enlever facilement. Après, tout ce que j'avais à faire, c'était de signaler sa disparition à la police et de raconter la vérité à partir de là... Je ne courais pas de risque, même en passant au détecteur de mensonges...

— Avez-vous rencontré ces gens ailleurs qu'ici ?

— Pas l'homme et la femme dont je vous ai parlé. Mais j'ai conduit Michael plusieurs fois au parc naturel dans la vallée... Une jeune femme nous y attendait. Chaque fois, elle jouait longuement avec Michael, et elle lui a même apporté quelques cadeaux...

— Pourquoi cela ?

— Pour que Michael la reconnaisse et qu'il ne prenne pas peur au moment où elle l'enlèverait.

Etouffant d'indignation, Jackie se détourna de Leigh et fit un violent effort pour ne pas exploser. Elle se sentait outragée, bafouée. Quand elle retrouva enfin des gestes mesurés, elle éteignit le feu sous la bouilloire, versa de l'eau chaude dans la théière, puis demanda d'une voix posée :

— Pourquoi vous êtes-vous donné toute cette peine ?

— Pour empêcher Stefan d'emmener Michael en Croatie. Lorsque le juge lui a restitué le droit de visite le samedi, j'ai compris que le risque était trop important.

— Mais vous auriez pu partir vous-même avec Michael, l'emmener en voyage, je ne sais pas... Pourquoi avoir cherché toutes ces complications ?

— Je ne voulais pas que Stefan soit au courant de mes intentions. Il aurait remué ciel et terre pour nous retrouver ! Le but, c'était justement de lui faire croire que Michael avait disparu... Ou même qu'il était... mort, ajouta-t-elle dans un murmure effrayé. Comme ça, il serait parti et il nous aurait laissés tranquilles.

— Et vous avez pu arranger ce rapt en un seul jour ? Juste après l'audience ? s'enquit Jackie en disposant les tasses avec un calme étudié.

Leigh secoua la tête.

— Non. Tout était préparé d'avance. Nous étions convenus que, si je n'avais pas gain de cause au tribunal, je contacterais ces gens pour qu'ils enlèvent Michael avant samedi... C'est-à-dire, avant la visite de Stefan.

— Ainsi, vous les avez appelés jeudi. Et que s'est-il passé ensuite ?

— En réalité, je n'ai jamais appris les détails, avoua Leigh en fixant d'un air égaré la surface polie de la table. J'ignore jusqu'à leurs noms, car ils utilisent des numéros d'identification pour chaque affaire. Je les ai appelés, et ils m'ont demandé de laisser Michael seul dans ce magasin de jouets à 19 h 15. J'ai obéi à la lettre. Je me suis absentée pendant cinq minutes... Et quand je suis revenue, Michael n'était plus là.

Jackie, qui était parvenue à recouvrer la maîtrise d'elle-même, commençait enfin à saisir la dimension à la fois absurde et monstrueuse de cette histoire. Elle en était malade d'écœurement.

— Et c'est alors que vous avez signalé à la police la disparition de votre enfant !

— Oui. Ensuite, d'après ce que m'avaient dit ces gens, je pouvais appeler lundi pour m'assurer qu'il se trouvait au Canada. Sain et sauf.

— Et comment pensiez-vous le récupérer ?

— Je devais laisser passer deux ou trois semaines, le temps qu'on abandonne les recherches et que Stefan n'ait plus de soupçons à mon égard ou à l'égard de ma famille. Alors seulement, je devais aller en Colombie Britannique et appeler de nouveau ce numéro. Ils m'auraient communiqué l'adresse où je pourrais récupérer Michael. Nous serions restés quelques semaines au Canada, en attendant que je décide de la suite des événements...

— Votre famille était-elle au courant ? s'enquit Jackie d'une voix neutre, s'efforçant de masquer le sentiment d'horreur mêlée de dégoût qui débordait en elle.

— Bien sûr que non, répondit Leigh. Je n'avais pas le droit d'en parler à qui que ce soit. Pas même à ma mère. Tout le monde devait penser que Michael avait été kidnappé.

— Et que s'est-il passé ? Pourquoi ne l'ont-ils pas ?

— La femme a affirmé qu'elle avait envoyé quelqu'un sur place, mais que Michael n'était pas là... On ne l'a pas trouvé dans le magasin de jouets !

Comme Leigh éclatait de nouveau en sanglots, Jackie lui versa une tasse de thé et la força à en boire une gorgée. La jeune femme obéit, puis elle se moucha et dit d'une voix blanche :

— Cinq minutes seulement... Quelqu'un a dû l'enlever dès que j'ai eu le dos tourné... Mon Dieu, *qu'est-il arrivé à Michael ?*

— Ces gens avec lesquels vous avez arrangé le kidnapping..., commença Jackie en fronçant les sourcils dans un effort de réflexion. Leur avez-vous donné de l'argent ?

— Non. Ils ne le font pas pour de l'argent. Ils se sentent réellement concernés par le sort des enfants. Selon le plan qu'ils avaient élaboré, je devais simplement leur rembourser tous leurs frais, une fois qu'ils m'auraient rendu Michael.

— Ils l'ont peut-être gardé un peu plus longtemps, espérant un remboursement autrement plus intéressant. Comment doivent-ils vous contacter dorénavant ?

— Ils ne l'ont pas, je vous le répète ! cria Leigh.

Sa voix se brisa. S'agrippant à sa tasse dans un geste désespéré, elle reprit, haletante :

— Elle m'a ordonné de ne plus les déranger... Elle pensait que je m'étais moquée d'eux. Elle semblait vraiment en colère contre moi !

— Elle n'est pas la seule, permettez-moi de vous le dire, remarqua Jackie amèrement.

Comme Leigh continuait à la dévisager sans comprendre, elle poursuivit :

— Vous avez menti à la police. C'est un délit très grave. Je pourrais vous coller sur le dos environ une douzaine d'accusations en bonne et due forme !

— Mais vous ne comprenez donc pas ? hurla Leigh. Je me fiche de ce que vous pourriez me faire ! Accusez-moi de ce que vous voulez, mais... *retrouvez vite mon enfant !*

⁂

Hors d'elle, Jackie arpentait le bureau de Lew Michelson, pendant que le commissaire et Wardlow l'observaient en silence.

— Seigneur, j'étais tellement furieuse que je ne pouvais même plus la regarder, marmonna-t-elle. J'ai juste griffonné quelques notes, et j'ai filé aussi vite que j'ai pu.

— Je ne t'ai jamais vue t'investir affectivement dans une affaire, remarqua Wardlow. Quel est ton problème, Kaminski ?

— *Mon* problème ? répéta-t-elle, incrédule. Brian, cette femme a manigancé l'affaire depuis le début ! Elle tenait tellement à gagner sa petite guerre contre son mari qu'elle est allée jusqu'à employer une bande de voyous pour enlever son propre enfant ! Et elle se fichait pas mal de ceux qui pouvaient se retrouver impliqués dans son micmac ! Elle a froidement manipulé la police, sa propre famille, les sentiments de toute la ville...

— Et après ? dit le commissaire. Brian a raison, vous devez vous ressaisir. Ces nouvelles informations ne changent pas le fond du problème.

— Comment cela ? s'exclama-t-elle, toujours furieuse. Cela change tout dans cette maudite enquête !

— Cela ne change absolument rien, insista fermement Michelson. Depuis le début, nous sommes à la recherche d'un enfant porté disparu... Et c'est toujours le cas, sauf que nous pouvons probablement exclure la mère du nombre des suspects.

— Comment en être certain ? demanda Jackie d'une voix sourde, tout en prenant place sur un siège en vinyle. Qui sait si elle ne nous raconte pas encore des mensonges ? Qui a bu boira. A moins qu'elle n'ait réellement l'esprit dérangé... Auquel cas, l'affaire est encore plus embrouillée et tordue que nous le croyions !

— Wardlow est sûr qu'elle ne ment pas, observa le commissaire.

Jackie l'interrogea du regard.

— En effet, acquiesça Wardlow. Deux témoins au centre commercial confirment sa version des faits. Tu t'en souviens ? Le propriétaire du magasin d'informatique et la vendeuse de jouets ont aperçu une jeune femme qui traînait dans le coin au moment de la disparition de l'enfant. La vendeuse a même remarqué que la fille semblait chercher quelqu'un, mais elle est certaine de l'avoir vue partir seule.

— Et tu en conclus que cette fille mystérieuse était la personne envoyée par les bons samaritains pour sauver Michael ?

— Je le crois. Elle est arrivée un peu en retard, c'est tout. Leigh Mellon avait laissé son enfant comme convenu, mais quelqu'un d'autre l'a enlevé sous le nez de la fille.

Jackie baissa les yeux sur le dossier posé sur ses genoux, luttant contre le sentiment d'injustice et d'amertume qui l'étouffait. Elle se sentait trahie, outragée, comme si on l'avait traînée dans la boue, piétiné ses sentiments les plus purs. Et en même temps, elle savait que ses collègues n'avaient pas tort...

— C'est le comportement des gens comme les Mellon qui me met hors de moi ! finit-elle par reconnaître. Pendant que Leigh mijotait sa petite combine, elle n'avait aucun scrupule à manipuler la police... Et maintenant que son gosse a vraiment disparu, elle veut qu'on s'agite et qu'on le lui amène en deux temps trois mouvements ! C'est si... désinvolte. Elle se moque du monde.

— Peut-être pas, observa calmement le commissaire. Peut-être s'agit-il d'une réaction normale de la part d'une mère. Rien n'est plus fort que l'instinct maternel. Si Leigh Mellon est persuadée que son enfant est en danger, elle fera n'importe quoi pour le protéger.

— Cela ne tient pas debout ! objecta Jackie. J'ai rencontré les Panesivic. Sincèrement, je ne crois pas qu'ils puissent menacer qui que ce soit. Et Leigh ne peut l'ignorer. Elle ne veut pas partager son gosse avec son ex-mari, voilà tout !

— Ecoutez, Jackie, dit Michelson sur un ton conciliant. Vous êtes trop bon flic pour réagir de la sorte. Je veux que vous recouvriez votre sang-froid et votre objectivité. Si cela vous semble trop difficile, dites-le-moi tout de suite. Je passerai le dossier à une autre équipe, et on n'en parlera plus.

Jackie prit une profonde inspiration.

— Désolée, commissaire, déclara-t-elle après un moment de silence. Vous avez entièrement raison. Cette affaire m'a touchée plus que je ne l'imaginais... J'ai eu tort. Je désire garder ce dossier, et je vous promets de ne plus me laisser emporter par mes sentiments personnels.

— Bien, dit Michelson en lui lançant un regard amusé par-dessus ses lunettes. Quel est votre programme ?

— Tout d'abord, répondit Jackie, il faut se renseigner sur ces prétendus sauveurs d'enfants. Apparemment, il s'agit d'un groupe très bien organisé... Et qui ne sera pas facile à localiser. Ils ont juste livré un numéro d'identification à Leigh pour qu'elle puisse se mettre en contact avec eux.

— J'ai déjà eu affaire à ce genre de zigotos, remarqua le commissaire d'un air soucieux. Tous des fanatiques, dévoués corps et âme à leur cause. Ils iront en prison plutôt que de livrer le moindre renseignement à la police.

— C'est aussi l'opinion de Leigh. Elle est persuadée qu'ils se donnent pour mission de sauver des enfants qui courent le risque d'un kidnapping.

— Ouais, et comment les sauvent-ils ? s'écria Wardlow avec mépris. En les kidnappant eux-mêmes ! Seigneur, dans quel monde tordu vivons-nous... On manipule des gosses innocents comme des pions sur un échiquier !

— Leigh vous a-t-elle transmis le numéro de téléphone qu'elle a appelé ? s'enquit Michelson.

Jackie lui tendit une feuille de papier. Le commissaire y jeta un bref coup d'œil, puis le passa à Wardlow.

— Essayez de réunir un maximum de renseignements sur ces gens, Brian. Avant d'entreprendre quoi que ce soit, nous devons savoir à quel point ils sont impliqués dans l'affaire Michael Panesivic.

— Je crois que vous avez raison de commencer par là, intervint Jackie. Maintenant, il me semble que Leigh Mellon ignore réellement où se trouve son fils. Et je doute qu'il soit entre les mains de ces sauveurs d'enfants.

— Tout à fait d'accord, approuva le commissaire. Il ne s'agit que d'une vérification formelle, mais nous devons quand même identifier ces gens. Chaque fois qu'ils interviennent, ils commettent un délit, quelle que soit la pureté de leurs intentions.

— Entendu, fit Wardlow. Je vais mener mon enquête et je transmettrai tous les renseignements à la brigade des mineurs. Et toi, Kaminski ? Quel est ton programme ?

— Je dois rencontrer des tas de gens pour un deuxième interrogatoire. Je commencerai par Stefan Panesivic. Le père devient le suspect numéro un, puisque la mère semble hors de cause...

— Pensez-vous le mettre au courant du projet de kidnapping combiné par Leigh ?

— Je ne sais pas. J'agirai au feeling. S'il apprend ce qu'elle a manigancé, il sortira certainement de ses gonds... et je pourrai sans doute obtenir plus d'informations !

— D'un autre côté, avança Michelson, s'il est impliqué dans la disparition du petit, il sera ravi de faire porter le chapeau à Leigh !

— C'est possible. Raison de plus pour ne rien décider par avance et d'agir selon mon intuition du moment. Et à propos d'intuition, j'ai hâte d'interroger de nouveau notre ami Paul Arnussen. Brian, s'est-il vraiment rendu à Kalispell hier ?

— Il est parti au volant de sa camionnette à 7 heures du matin, répondit Wardlow en feuilletant ses notes. Il a pris l'autoroute de l'Est et est sorti de l'Etat. Dans le Montana, la patrouille de l'autoroute l'a repéré près de Kalispell. Ils ont continué à le surveiller discrètement jusqu'à ce qu'il quitte le Montana. Il est rentré vers minuit.

— Qu'est-il allé chercher dans le Montana ? s'enquit Michelson, surpris.

— Un chiot qu'il voudrait offrir à la dame dont il a tué le chien, expliqua Jackie avec froideur. Ce type est vraiment la crème des hommes, un charpentier au grand cœur, doué en plus d'étonnants pouvoirs de voyance... Un véritable phénomène !

— Un phénomène à tenir à l'œil, bougonna le commissaire. Est-ce qu'il travaille aujourd'hui ?

— Il est retourné sur son chantier à South Hill, confirma Wardlow. Selon les agents de la patrouille, il en a terminé avec le plancher de la véranda, et il s'est attaqué à la colonnade.

— Je lui rendrai une petite visite cet après-midi, déclara Jackie. J'ai aussi l'intention d'interroger Adrienne Calder, la sœur de Leigh... Elle a été vraiment désagréable et grossière quand je l'ai rencontrée le lendemain de l'enlèvement. Etant donné les circonstances, son comportement semblait réellement déplacé. Sur le coup, je l'ai attribué à un sale caractère, rien de plus. Mais maintenant, je me demande s'il n'y a pas anguille sous roche.

— Qu'en est-il de son alibi ? demanda Michelson.

— En béton, répondit Jackie d'un ton lugubre. Comme celui de chacun, d'ailleurs. Mais il y a un détail à propos de cette femme... Je le tiens de sa mère. Il paraît qu'Adrienne et son mari ont essayé pendant des années d'avoir un enfant, sans succès. Adrienne serait au désespoir à ce sujet...

— Allons, Kaminski ! l'interrompit le commissaire en riant. Elle n'a tout de même pas enlevé le fils de sa propre *sœur* pour satisfaire son instinct maternel...

— Tout est possible dans cette famille. Les Mellon ne sont pas simplement pourris par l'argent ; c'est une véritable bande de tordus. Et puis, il y a autre chose. Cette ancienne histoire de kidnapping dont Adrienne aurait été victime... C'était il y a vingt ans, d'accord, mais je veux évoquer cet incident avec elle et en avoir le cœur net.

— Oui, approuva le commissaire. Cela vaut la peine d'être tiré au clair. Rien d'autre ?

Jackie secoua la tête, avant de jeter un regard hésitant sur chacun des deux hommes.

— Je ne suis pas sûre, mais j'ai l'impression..., commença-t-elle, embarrassée.

— Qu'y a-t-il ?

— Eh bien... J'ai l'impression que quelqu'un a mentionné un point extrêmement important au cours des deux derniers jours. Un point essentiel. Mais je n'arrive pas à mettre le doigt dessus !

— Avez-vous relu toutes vos notes ?

— J'ai tout relu et tout vérifié. Je continue à parcourir le dossier, au point que j'en ai la migraine... En pure perte ! Et pourtant, je suis sûre que l'une de ces personnes a évoqué un détail capital, la clé de cette affaire.

Les deux hommes attendirent qu'elle eût fini de réfléchir. Elle le savait, le détail infime était là, à portée de main. Mais elle ne parvenait pas à l'isoler de la masse confuse des souvenirs et des impressions qui habitaient son esprit. Finalement, elle secoua la tête avec résignation, se leva et sortit du bureau. Wardlow la suivit de sa démarche nonchalante.

12.

L'après-midi était loin d'être achevé quand Jackie arriva au campus de l'université Gonzaga, situé au milieu des arbres. Elle n'avait pas réussi à joindre Stefan par téléphone depuis la stupéfiante révélation de Leigh, mais elle espérait que le professeur était seulement sorti pour une petite course ou pour déjeuner. Elle avait donc décidé de venir à sa rencontre, après lui avoir laissé deux messages l'avertissant de son passage.

Le parking de l'immeuble où habitait Stefan était baigné de soleil. Le silence y était si profond qu'on pouvait entendre les oiseaux gazouiller dans les arbres. On aurait dit que le campus avait été abandonné pour toute la durée du week-end prolongé. De fait, en se garant, Jackie ne remarqua que trois voitures. L'une d'elles appartenait-elle à Stefan ? Aucun moyen de le savoir, puisqu'elle ne connaissait pas son véhicule et n'en avait pas la description...

Un véritable enfer que le travail de flic ! songea-t-elle en ravalant son dépit. Tout le monde s'attendait à ce que les policiers fassent des miracles jour après jour, risquant leur vie pour protéger la population, attrapant les truands et élucidant les mystères. La réalité était tout autre, évidemment : le budget annuel de la police fondait comme neige au soleil, et les effectifs faisaient cruellement défaut partout dans le pays.

Sans compter qu'ils avaient pour adversaires des criminels disposant d'armes bien plus sophistiquées que les leurs. Et que dire des nouvelles lois et clauses constitutionnelles qui visaient à protéger les délinquants ? Elle se souvint des propos du sergent Alvarez, dont la mission était de former chaque année les jeunes recrues de l'académie de police : « Le travail de flic ressemble à un jeu. Les bons doivent combattre les méchants. Nous sommes les bons. Mais il y a un petit problème, les gars : la liste des règles est longue dans ce jeu, et vous devez les respecter à la lettre. Tandis que les méchants se fichent de ces règles comme d'une guigne ! C'est ainsi que les rôles sont distribués, on ne peut rien y changer. »

Oui, songeait encore Jackie, même au cours d'une enquête comme celle-ci, avec un petit garçon en danger mortel, elle pouvait compter uniquement sur les informations que les gens lui confiaient de leur propre gré. Et si elle voulait en savoir plus sur leur domicile ou leur vie privée, elle était obligée de se munir d'un mandat.

Or le mandat, elle ne pouvait le demander sans avoir défini la « raison probable », sans avoir au préalable lancé une procédure compliquée avec l'inévitable risque de voir l'affaire piétiner à cause des innombrables interprétations et formalités imposées par le tribunal...

Non, la meilleure solution était encore de mobiliser une solide équipe qui saurait cerner le secteur géographique de l'affaire, passer au peigne fin tous les indices, maintenir une surveillance rapprochée de tous les suspects, et dénicher à leur sujet toutes les informations possibles par des moyens légaux.

Pas de doute, ils avaient choisi la meilleure façon d'élucider l'affaire Michael Panesivic. Cependant, se dit-elle avec un soupir, à la différence des équipes efficaces qu'on voyait dans les films policiers, aucun département de police dans le pays ne disposait d'un budget ni d'effectifs suffisants pour mener à terme une enquête d'une telle importance. A chaque heure qui passait, de nouveaux crimes étaient commis, nécessitant toujours plus d'inspecteurs ou de simples agents. Il en allait de même pour leur petite équipe, assistée par les quelques agents auxiliaires que Michelson avait pu obtenir des autres départements. Résultat : elle était là, à se demander rageusement comment la description du véhicule de Stefan Panesivic ne figurait pas dans le dossier !

Et soudain, elle aperçut le professeur en personne. Il venait de pénétrer dans le parking par le côté opposé, à travers une haie de lilas. Vêtu d'un short et d'un T-shirt blancs, une serviette rouge autour du cou, il portait un sac de sport de forme allongée, d'où pointaient deux raquettes de tennis. Son visage, son cou et ses bras luisaient doucement sous l'effet de la transpiration. Dans la lumière éclatante du soleil, Jackie le trouva encore plus beau que la première fois, avec sa chevelure sombre et bouclée aux reflets de bronze, sa peau dorée, ses bras d'athlète et ses jambes minces et musclées.

Comme il s'approchait, il surprit le regard de Jackie, et elle se rendit compte qu'il était conscient de la franche admiration qu'elle ressentait pour lui en cet instant.

— Pour un vieux débris, je ne me défends pas mal — c'est ce que vous étiez en train de vous dire, inspecteur ? déclara Stefan avec un petit sourire ironique.

— En fait, je me demandais laquelle de ces voitures était la vôtre, répondit Jackie, impassible.

— Je ne laisse presque jamais ma voiture ici. J'ai une place dans le parking couvert, près de l'entrée du campus. C'est une Mercedes grise SL. Voulez-vous voir les papiers ?

— En fin de compte, l'enseignement ne paie pas mal, observa Jackie. Vous avez une voiture de luxe !

— J'ai aussi des intérêts commerciaux en Europe,

expliqua Stefan. Mes sociétés ont fait des bénéfices importants ces dernières années... Au fait, ajouta-t-il d'un ton amusé, ne vous arrive-t-il donc jamais de songer à votre tenue, inspecteur? Avec votre teint, et votre visage merveilleusement ciselé, tout ce qu'il vous faudrait, c'est une petite robe noire moulante et des escarpins à hauts talons. Vous auriez l'air d'un top model!

— Merci du conseil. Malheureusement, les vêtements sont le cadet de mes soucis. Pourriez-vous m'accorder quelques minutes?

— Est-ce au sujet de Michael?

— J'en ai bien peur.

— Vous avez du nouveau? demanda-t-il d'une voix soudain mal assurée, tandis que son visage pâlissait sous son hâle.

Il lui ouvrit la porte de l'immeuble et appela l'ascenseur. Tout l'humour et l'ironie qui, un instant plus tôt, étincelaient dans ses yeux, s'étaient évanouis. Tandis qu'ils montaient en silence, Jackie put sentir l'odeur de ses vêtements chauffés par le soleil, mêlée au parfum sensuel et entêtant qui émanait de sa peau moite.

Une fois entré dans l'appartement, Stefan s'arrêta net, l'air douloureux.

— Vous avez une nouvelle terrible à m'annoncer, inspecteur?

Jackie songea que cet homme devait vivre un véritable enfer, ne sachant où son enfant se trouvait, ni même s'il était en vie.

— Non, dit-elle doucement. Les nouvelles que j'apporte ne sont pas mauvaises, mais un peu... déconcertantes.

— Dans ce cas, déclara Stefan avec un soupir de soulagement, vous permettez que je prenne une douche rapide avant que nous discutions? J'ai eu une matinée très chargée...

Comme Jackie hochait la tête, il la prit par le coude et

l'introduisit dans le living. Il y régnait le même désordre chaleureux et sympathique que lors de sa dernière visite.

— Je peux regarder vos livres en attendant ? demanda-t-elle.

— Bien sûr. Et si vous trouvez votre bonheur, n'hésitez pas à l'emprunter !

Elle se mit alors à examiner les titres des livres empilés sur les étagères, la table et le sol. Certains faisaient partie du programme universitaire et traitaient de sujets dont Jackie n'avait jamais entendu parler ; d'autres étaient des classiques de la littérature contemporaine. Il y avait aussi de nombreux recueils de poésie.

Sur un des rayonnages du bas, elle découvrit quelques livres pour enfants. Elle songea à Michael, blotti dans les bras puissants de son père, tout à l'écoute d'une histoire que celui-ci lui lisait à haute voix... Et soudain, un frisson la parcourut : le livre qu'elle tenait à la main était une édition illustrée de *Peter le Lapin*. Paul Arnussen avait affirmé que Michael était retenu dans un puits, une sorte de souterrain évoquant la maison de Peter le Lapin. Une vague de nausée lui monta à la gorge, et elle dut lutter pour dominer son angoisse, se campant fermement sur ses pieds et s'efforçant de réfléchir. Quel était donc ce détail crucial qu'elle avait récemment entendu évoquer ? Ce souvenir flou la hantait, sans qu'elle arrive à lui donner forme. En rentrant chez elle et en s'allongeant dans le noir, peut-être réussirait-elle à se vider la tête et à se concentrer suffisamment pour faire resurgir ce souvenir du fond de sa mémoire...

— Désolé de vous avoir fait attendre, dit Stefan, qui venait d'apparaître dans l'encadrement de la porte. Je vois que vous avez repéré le rayon des livres de Michael.

— Oui. Avez-vous déjà vu cet homme ? demanda-t-elle en sortant de son calepin la photo de Paul Arnussen.

— En effet, répondit-il, les sourcils froncés. Mais où ? Et quand ? Mon Dieu, c'était une de ces... Ah, c'est trop bête ! Je n'arrive pas à m'en souvenir. Je sais que je l'ai rencontré — il n'y a pas très longtemps, d'ailleurs. Mais impossible de mettre le doigt dessus ! C'est rageant, ces trous de mémoire, n'est-ce pas ?

— Oui, c'est rageant, acquiesça sèchement Jackie, reprenant la photo et s'installant sur un des sièges. Mais venons-en au but de ma visite. J'ai reçu des nouvelles désagréables ce matin. Un coup de fil de Leigh...

Jackie entreprit de raconter ce qui était arrivé depuis deux jours, le test au détecteur de mensonges passé par Leigh, puis son appel hystérique du matin et le récit insensé de ses projets d'enlèvement.

Stefan l'écouta sans l'interrompre, un masque glacial sur son beau visage. Quand elle eut terminé, il se tut un instant, puis demanda du bout des lèvres :

— Pourquoi ? Pourquoi s'est-elle donné toute cette peine ?

— Elle voulait que son histoire paraisse crédible, et que le test au détecteur de mensonges se passe sans problème... Mais c'est surtout à votre intention qu'elle a monté tout cela. Elle voulait que vous renonciez à tout espoir de revoir Michael, que vous le croyiez même mort, ou du moins définitivement introuvable, sans pour autant la soupçonner.

— La garce ! s'exclama-t-il avec un rictus de rage mêlé de dégoût. La sale petite garce ! Je devrais la...

Jackie posa un regard de sympathie sur les poings serrés de l'homme. Sa propre réaction n'avait pas été bien différente de celle de Stefan. Cependant, elle garda un visage impassible, et finit par murmurer d'une voix parfaitement contrôlée :

— Calmez-vous. Ce genre de réflexe ne nous avance guère, vous savez !

— Quel réflexe ?

— Cela, répondit-elle en désignant ses poings crispés. J'espère que vous n'avez pas l'intention d'aller vous battre... Ce n'est pas ça qui aiderait Michael !

Le regard que lui lança Stefan était chargé d'une telle fureur qu'elle en frissonna. Elle avait l'impression de sentir toute la violence dont cet homme, poussé à bout, était capable. La peur s'empara d'elle. Elle se souvint que Leigh Mellon avait traité son ex-mari de monstre... Leigh avait-elle jamais ressenti la terrifiante puissance et cette rage presque animale qui déformaient en ce moment le visage de Stefan Panesivic ?

Pourtant, il s'agissait bien du même homme qui consacrait volontiers son temps libre aux étudiants, et qu'elle imaginait si bien lisant paisiblement à Michael l'histoire de *Peter le Lapin*...

— Désolé, marmonna-t-il en détendant ses mains et en les fixant avec humeur. Je sais que je dois garder mon sang-froid. Mais cette maudite femme me rend fou. En fait, je suis tellement inquiet pour Michael que j'en ai perdu le sommeil !

Il la regarda à la dérobée, et elle vit des larmes briller dans ses yeux noirs. D'un geste embarrassé, il s'essuya les yeux d'un revers de main, tandis que Jackie se détournait pudiquement. Si elle n'avait pas été surprise par sa crise de colère, le voir pleurer la surprenait grandement. Elle songea qu'il fallait un coup terrible pour émouvoir un homme de la trempe de Stefan Panesivic...

— Alors, que fait-on maintenant ? demanda-t-il d'une voix sourde qui tremblait encore d'émotion.

— Nous poursuivons notre enquête, répondit-elle, se rappelant les propos du commissaire Michelson. Nous recherchions un enfant victime d'un kidnapping, et c'est toujours le cas. Mais nous sommes à peu près sûrs que Leigh ignore où il se trouve.

— Sa famille pourrait le savoir.

— Expliquez-vous !

— Je suppose que vous avez rencontré Sa Seigneurie Lady Barbara ? s'écria-t-il avec impatience. Pensez-vous que ce genre de femme hésiterait à enfreindre la loi pour arriver à ses fins ?

— Aucune idée, répondit Jackie avec franchise. J'essaie de ne pas me laisser influencer par mes premières impressions. Croyez-vous vraiment que Barbara Mellon serait capable de faire enlever Michael sans en parler à Leigh ?

— Et comment ! La famille Mellon a toujours considéré Leigh comme le maillon le plus faible de la chaîne qu'ils forment. Barbara et Adrienne sont des créatures farouchement déterminées, tandis que Leigh est immature et velléitaire. Si un plan a été formé pour m'enlever Michael, je crois que Leigh en sera la dernière informée.

— Pour sa part, elle prétend avoir monté toute seule le projet de faire passer Michael au Canada. Sa mère elle-même ne serait pas au courant.

— Et vous l'avez crue ? Après ce tissu de mensonges qu'elle a raconté depuis le début, je pensais que vous vous méfieriez...

— Vous avez raison, on ne sait plus que croire. Mais elle est folle de panique, et je suis sûre qu'elle ne fait pas semblant !

Il y eut un moment de silence.

— Qu'en est-il de ces mystérieux individus que Leigh a engagés ? demanda enfin Stefan. Est-il possible qu'ils aient quand même enlevé Michael, en dépit de ce que Leigh a raconté ?

— Nous nous occupons d'eux, répondit Jackie en se levant. Dès que les vérifications seront terminées, je vous le ferai savoir. De votre côté, prévenez-moi si un détail vous revient. Notamment, à propos de cet homme sur la photo.

— Est-ce si important ?

— Cela pourrait l'être.

— Je vais y penser, promit Stefan d'un air grave. Où allez-vous maintenant ?

— Chez Adrienne Calder...

Tout en répondant, Jackie observa le visage de

l'homme. Etait-ce un jeu d'ombres, ou les muscles de sa mâchoire s'étaient imperceptiblement contractés ?

— Mme Mellon m'a conseillé de discuter de tout cela avec Adrienne, poursuivit-elle d'un ton insouciant. Du reste, d'après Barbara, vous avez été plus lié avec Adrienne qu'avec le reste de la famille.

Stefan continua de la fixer en silence, ses prunelles légèrement dilatées.

— A votre avis, qu'entendait Barbara par là ?

— Exactement ce qu'elle a dit, répliqua-t-il en haussant les épaules. Nous étions bons amis autrefois, Adrienne et moi. Elle est plus intelligente que les autres Mellon... Encore que ce ne soit pas vraiment un atout ! Mais qu'importe. J'aimais bien discuter avec elle.

— Vous ne le faites plus ?

— Vous n'avez jamais été mariée, inspecteur ?

Comme Jackie secouait la tête, il reprit avec un sourire sans joie :

— Alors, vous avez encore tous ces plaisirs devant vous ! Un jour, vous découvrirez que le divorce ressemble à une guerre civile. Dès l'ouverture des hostilités, vous n'avez plus d'amis dans l'autre camp.

Il devait y avoir du vrai dans les propos amers de l'homme, songea Jackie en se rappelant le visage poignant d'Ivana Panesivic et son chagrin d'avoir perdu sa belle-fille...

Elle prit congé de son hôte et regagna à la hâte le parking, où deux petites filles jouaient à la marelle près de sa voiture. Des enfants de professeurs, songea-t-elle. L'une était chinoise, avec une courte chevelure noire et brillante, tandis que le visage rose et potelé de l'autre était encadré par deux couettes blondes comme les blés. Appuyée sur sa voiture, Jackie ne put s'empêcher de les observer pendant quelques instants, admirant les reflets du soleil dans leurs cheveux, la grâce et la souplesse de leurs mouvements, le son cristallin de leur rire enjoué.

— Tu veux te joindre à nous ? demanda la petite Chinoise d'une voix grave et polie.

— Je n'ai pas assez d'entraînement, répondit Jackie en souriant. Dommage, car cela a l'air bien amusant !

Elle aurait tant aimé être en vacances, comme tous les autres, et passer le reste de son après-midi dans cet endroit paisible et charmant, à regarder jouer des enfants heureux... Avec un soupir, elle se mit au volant, quitta le campus et, traversant la rivière, se dirigea vers le sud de la ville.

13.

La maison d'Adrienne contrastait étrangement avec la gracieuse demeure de ses parents. Ultramoderne, tout en angles, en grandes fenêtres et en surfaces brillantes comme des miroirs, la résidence des Calder exposait sa façade gris argenté sur le flanc de la colline, le nouveau quartier chic de la partie sud-est de la ville.

Le jardin ressemblait à un fragment de paysage montagneux, avec son sol nu et rocailleux, égayé seulement par quelques cactus et deux ou trois genévriers. Une allée de pierre conduisait à la porte d'entrée, une double porte en chêne massif entourée de magnifiques vitraux — probablement faits à la main, remarqua Jackie avec admiration.

Elle sonna plusieurs fois, mais personne ne vint lui ouvrir. L'irritation commençait à monter en elle.

Elle avait pris rendez-vous avec Adrienne à peine trois heures plus tôt. Cette femme était décidément du genre à poser un lapin à une personne occupée qui s'était donné la peine de traverser toute la ville, songea-t-elle, excédée.

A cet instant, elle aperçut un garçon d'une quinzaine d'années qui débouchait d'un angle de la bâtisse. Vêtu d'un vieux short et d'une chemise à carreaux, il serrait dans sa main un sécateur.

— Salut, dit-il à Jackie. C'est vous, le poulet ?

— C'est moi, répondit-elle d'un ton cassant, se forçant à garder son calme. La maîtresse de maison est-elle là ?

Il désigna de la pointe du sécateur le portillon de bois qui donnait sur un sentier contournant la maison.

— Elle est là-bas. Dans la piscine, ajouta-t-il avec un sourire lascif, en se remettant à tailler les genévriers qui longeaient la palissade.

Jackie fit le tour de la maison, et comprit aussitôt ce que voulait dire le sourire de l'adolescent. Debout de l'autre côté de la piscine, Adrienne s'étirait au soleil, tandis que l'eau ruisselait le long des courbes sveltes et élancées de son corps à la peau dorée. Elle portait un maillot beige en tissu si fin et si transparent qu'elle semblait entièrement nue.

Se rendant compte que Jackie l'observait, elle passa ses mains sur son corps et ses jambes d'un geste à la fois rapide et caressant, puis se glissa de nouveau dans l'eau. Elle traversa la piscine en quelques puissants mouvements de crawl et, émergeant aux pieds de Jackie, vint s'appuyer sur le rebord en carrelage rouge.

— Bonjour, flic, dit-elle avec bonne humeur, son visage et sa chevelure mouillés luisant au soleil. Je vous propose de vous débarrasser de vos vieilles frusques et de me rejoindre... L'eau est excellente !

— Non, merci. Pourriez-vous me consacrer un peu de votre temps, madame Calder ?

— Le temps que vous voulez, inspecteur ! En fait, je n'ai que cela au monde : du temps... Mais, je vous en prie, laissez tomber cette manière ampoulée de m'appeler « madame Calder ». Mon nom est Adrienne.

D'un bond, elle sortit de l'eau et prit une serviette sur une des chaises longues vertes, tandis que Jackie s'installait à l'ombre d'un grand parasol fixé au centre d'une table de verre.

— Alors, qu'est-ce qui se passe ? demanda Adrienne, tout en essuyant son ventre plat et ses longues jambes galbées. Vous avez l'air particulièrement morose aujourd'hui...

Comme Jackie sortait en silence son stylo et son calepin, Adrienne reprit :

— Vous ne vous séparez jamais de votre blouson de cuir ? Il fait au moins trente degrés au soleil... Vous devez rôtir !

Jackie écarta un pan de son vêtement, découvrant le holster de cuir noir et une paire de menottes attachés à sa ceinture.

— Je préfère ne pas les montrer. Ces choses-là attirent l'attention, voyez-vous ?

— C'est en cela que nous sommes si différentes, observa Adrienne, tandis qu'elle s'enduisait les bras et les jambes d'une huile bronzante, avant de s'allonger sur un transat, les yeux fermés. Moi, j'adore attirer l'attention ! Par tous les moyens.

Jackie examina la jeune femme avec curiosité. Pas de doute, le profil gracieux et le corps souple d'Adrienne rappelaient ceux de Leigh. Pourtant, malgré cet air de famille, les deux sœurs avaient des personnalités aussi différentes que le jour et la nuit. Ou, plutôt, elles étaient comme les deux faces de la lune. Adrienne représentant la face sombre...

— Pourquoi ne pas porter tout ce bazar dans votre sac ? demanda Adrienne en s'étirant langoureusement sur son transat.

— Certaines femmes de la police le font, mais je trouve personnellement que c'est assez risqué... Vous pouvez vous faire arracher votre sac à main, et, en une seconde, avoir de gros ennuis.

— Ça n'a pas l'air de rigoler dans votre boulot, remarqua Adrienne en observant Jackie avec intérêt. Vous risquez de vous prendre une balle dans la tête à la moindre erreur !

— Exact.

Adrienne détourna la tête et ferma les yeux.

— A vrai dire, j'aurais adoré être flic, avoua-t-elle. Il y a fort longtemps, quand j'étais encore une jeune fille qui avait la vie devant elle, je m'étais même renseignée afin de poser ma candidature...

— Vraiment ? fit Jackie, qui faillit s'étrangler de stupeur. Et pourquoi avez-vous changé d'avis ?

— Je n'ai pas changé d'avis, trancha Adrienne avec un petit rire qui ressemblait à un sanglot. C'est ma mère qui l'a fait à ma place. Pouvez-vous imaginer une Mellon travaillant comme un vulgaire flic ? Mère a manqué avoir une attaque quand je lui ai annoncé mon projet.

— Vous ne m'avez pas l'air d'être sous la coupe de votre mère, Adrienne !

— D'habitude, non. Mais c'est ma chère mère qui tient les cordons de la bourse... depuis toujours ! Et à l'époque, je n'étais pas prête à sacrifier ma part de la fortune familiale. Mon Dieu, l'argent est un sacré piège, soupira-t-elle en pliant la jambe dans un mouvement plein de grâce. On s'y habitue comme à une drogue, et ensuite, on devient accro pour la vie. Ils peuvent vous imposer leur quatre volontés simplement en contrôlant les livraisons... Vous savez comment ça marche !

— Pas vraiment, dit Jackie sèchement. On ne m'a jamais livré de cette drogue-là.

— Vous en avez de la chance ! rétorqua Adrienne avec son rire bref. Vous avez pu construire votre vie comme vous l'avez souhaité, pas vrai ? Commencer à zéro, et faire tout ce chemin jusqu'à devenir un vrai flic, avec le droit de porter un revolver à la ceinture.

— Oui, acquiesça Jackie, tout en s'étonnant que cette conversation ne lui portât pas sur les nerfs.

C'était sûrement à cause de la sincérité de la femme, décida-t-elle. Adrienne avait les mêmes manières brusques et le même franc-parler que lors de leur première rencontre, mais Jackie sentait que son intérêt pour le métier de flic n'était pas feint.

— Aujourd'hui, personne ne vous tient plus sous sa coupe, Adrienne, dit enfin Jackie, désignant d'un geste circulaire la luxueuse demeure et la piscine entourée de chaises longues et de parasols. Tout cela vous appartient, n'est-ce pas ?

— Pensez-vous ! Cela appartient à Harlan. Si je devais le quitter, j'aurais ma part du patrimoine familial, mais c'est quand même lui qui travaille et gagne de l'argent, assurant toute cette prospérité. Quant à moi, je fais partie de la décoration intérieure, inspecteur. Je ne travaille pas à la sueur de mon front... Je ne fous rien !

— Stefan Panesivic prétend que vous êtes la plus intelligente de toute la famille.

— Il a... vraiment dit cela ? demanda Adrienne, les mains soudain crispées sur les accoudoirs de son transat.

Comme Jackie acquiesçait, elle ajouta d'un ton léger :

— Eh bien, Alléluia ! Que Dieu lui pardonne tous ses péchés.

— Votre mère affirme que Stefan et vous étiez très liés...

En silence, Adrienne tira de son sac de plage une paire de larges lunettes noires. Dès qu'elle les eut mises, son visage parut disparaître derrière un masque froid et distant.

— Ma mère me connaît beaucoup moins qu'elle ne le croit, répliqua-t-elle enfin.

Jackie n'insista pas, mais sortit de son calepin le cliché de Paul Arnussen et le montra à Adrienne.

— Dieu qu'il est beau ! s'exclama celle-ci après avoir examiné la photo. C'est votre petit ami ?

— A peine, rétorqua froidement Jackie.

— Pourtant, c'est tout à fait votre genre ! objecta Adrienne en remettant ses lunettes.

— Comment cela ?

— Il a exactement le même air que vous, expliqua-t-elle avec un geste vague de la main. Un type très entier, honnête, scrupuleux dans son travail et un peu ironique au sujet des gens comme moi. C'est une sorte de snobisme que vous partagez tous les deux, vous qui travaillez dur !

— Vous essayez vraiment de me faire sortir de mes gonds, n'est-ce pas ? remarqua tranquillement Jackie.

— Vous avez raison.

Adrienne sourit, et ses dents brillèrent d'un éclat blanc sur son visage bronzé.

— Je n'y suis pour rien. Vous êtes vraiment une proie facile !

— Maintenant, ça suffit, dit Jackie en souriant en retour. Sinon, je vous arrête pour entrave à la justice. Regardez encore une fois. Avez-vous déjà rencontré cet homme ?

— Jamais. Si c'était le cas, je l'aurais probablement amené à la maison, et je l'aurais gardé pour de bon. Pas vous ?

Jackie ne put s'empêcher de se demander quel genre d'homme était Harlan Calder. Elle savait que c'était un brillant avocat, et qu'Adrienne et lui étaient mariés depuis douze ans. Maigres informations, somme toute. Elle se promit de rencontrer Harlan après le week-end.

— Avez-vous parlé avec Leigh aujourd'hui ? demanda-t-elle à Adrienne.

— Non, répliqua la jeune femme en se tournant vers elle. J'espère qu'elle va bien...

— Pas vraiment. Elle a reçu de mauvaises nouvelles.

Remontant ses lunettes sur son nez, Adrienne fixa Jackie, pâle comme un linge sous son hâle.

— Seigneur, c'est au sujet de Michael ? Pourquoi ne me l'avez-vous pas dit tout de suite ?

— Ce n'est rien de précis, l'assura Jackie.

Elle raconta toute l'histoire une nouvelle fois, pendant qu'Adrienne l'écoutait, le souffle court, la main crispée sur ses lunettes.

— Je n'aurais jamais imaginé que Leigh aurait assez de culot pour faire une chose pareille, avoua-t-elle.

— Tout le monde semble avoir sous-estimé Leigh.

— Vous avez raison. C'est probablement parce que Stefan a failli l'écraser... Maintenant qu'elle en a terminé avec cette parodie de mariage, elle va peut-être se forger une vraie personnalité.

— Vous ne manifestez guère d'inquiétude au sujet de Michael, remarqua Jackie. Son sort vous laisse-t-il indifférente ?

— Bien sûr que non ! Simplement, je ne crois pas qu'il coure un grave danger. Il doit être à la ferme avec Papi et Mamie Panesivic, en train de donner à manger aux animaux.

— Je suis allée à la ferme. Il n'y est pas.

— Ils se serrent les coudes dans cette famille !

Adrienne eut un sourire forcé.

— Ce n'est pas que je sois bien placée pour reconnaître une famille vraiment soudée..., ajouta-t-elle. Mais je crois que, s'ils le décidaient, ils feraient le nécessaire pour cacher efficacement le gosse.

— Votre mère a évoqué un kidnapping dont vous avez vous-même été victime autrefois, quand vous alliez au collège, déclara Jackie en consultant son calepin. Pouvez-vous m'en parler ?

— Venez, s'écria Adrienne en se levant d'un bond. Il fait trop chaud ! Allons à l'intérieur, je meurs de soif.

Jackie regarda la jeune femme avec curiosité, étonnée d'avoir réussi à toucher en elle un point sensible. Elle suivit Adrienne dans l'entrée et l'observa pendant qu'elle nouait une courte jupe autour de sa taille fine et qu'elle enfilait une paire de sandales. Puis, comme elles avançaient dans la maison, Jackie fut surprise d'en découvrir l'intérieur. Elle s'était attendue à un décor froid et élégant, un mélange de chrome, de verre et de couleurs crues, et Adrienne semblait préférer de loin le côté à la fois chaleureux et raffiné des objets anciens. La demeure ressemblait à un magasin d'antiquités, mélange à la fois luxueux et négligé de meubles et de bibelots. Il y avait également une telle profusion de plantes que Jackie ne put se retenir de s'exclamer, admirative :

— Vous avez vraiment la main verte !

— J'adore les plantes. Je peux leur faire ce que je veux, sans jamais entendre un mot de protestation !

Au premier étage où elle avait suivi son hôtesse, Jackie aperçut par une porte ouverte une pièce qui ressemblait à une retraite de vieux garçon. Les murs lambrissés, les meubles de bois et quelques plaids en laine posés çà et là soulignaient l'impression de chaleur qui se dégageait de cet intérieur. Mais ce qui donnait à la pièce son véritable cachet, c'étaient les dizaines de modèles d'avions qui se balançaient doucement dans l'air, suspendus au plafond par des fils de fer.

— Venez plutôt voir cela ! s'écria Adrienne en l'attirant vers un grand buffet qui trônait dans le salon à côté.

Le meuble en chêne était orné de fines dorures et de vignettes délicates ; deux miroirs ovales et une multitude de tiroirs ouvragés lui donnaient l'air d'une véritable pièce de musée.

— Il est vraiment magnifique, reconnut Jackie en caressant la surface polie qui scintillait dans la lumière du soleil.

— Je l'ai acheté l'été dernier lors d'une vente publique, dans un village de l'Idaho, expliqua Adrienne. Il était dans un état déplorable, une véritable ruine, à l'abandon depuis des années — on l'avait trouvé dans un grenier... Et je l'ai entièrement restauré, de mes propres mains. Ne prenez pas cet air éberlué, inspecteur ! ajouta-t-elle en riant. Vous savez, je ne suis pas tout à fait une bonne à rien. Seulement paresseuse. Allez, venez dans la cuisine !

La cuisine, comme le reste de la maison, était chaleureuse et confortable, avec un mobilier de bois clair, des étagères vitrées et un carrelage crème. Comme Leigh, Adrienne avait suspendu un grand prisme de cristal devant la fenêtre. Quant au réfrigérateur, sa surface était égayée par des petits coqs en céramique aimantés. Pendant que Jackie s'installait devant la table, elle regarda longuement les minuscules effigies avec leur bec jaune et leur long plumage chatoyant. Elle était sûre d'en avoir déjà vu quelque part.

— C'est ma mère qui les a fabriqués, expliqua Adrienne, qui avait suivi son regard. Elle a pris comme modèles les deux coqs du tableau de son salon... Qu'est-ce que je vous sers ? demanda-t-elle en ouvrant le réfrigérateur plein à craquer. J'ai un cruchon de daïquiri, mais j'ai promis à Harlan de ne pas commencer à boire avant 4 heures. Pourriez-vous me dire l'heure ?

— 4 heures moins le quart.

— Parfait ! s'exclama-t-elle avant de sortir la carafe. Que dites-vous d'un daïquiri glacé allongé au jus de banane, inspecteur ? C'est un véritable délice !

— Merci, répondit Jackie en secouant la tête. Comme on dit, jamais pendant le service !

— Seigneur, vous êtes vraiment difficile ! Une limonade, alors ?

Jackie acquiesça et continua à observer la femme pendant qu'elle préparait les boissons.

— Vous vous occupez de la maison toute seule ?

— J'ai une femme de ménage qui vient trois fois par semaine. Quant au jardin, Jason l'entretient après l'école et pendant le week-end — je parle du garçon que vous avez aperçu en arrivant. Mais c'est moi qui fais la cuisine... enfin, le peu qu'il y a à faire, ajouta-t-elle avec un petit sourire triste. Harlan prend la plupart de ses repas en ville, je suis donc le seul objet de mes soucis... Et un sandwich au beurre de cacahuète est vite préparé !

Au ton de sa voix et à l'expression mélancolique de

son visage, Jackie ressentit toute la solitude dans laquelle vivait cette femme. Elle songea également à Barbara Mellon évoquant les efforts désespérés du couple pour avoir un enfant, et le chagrin d'Adrienne à ce sujet...

— Adrienne, je vous ai posé une question concernant le kidnapping dont vous avez été victime, rappela doucement Jackie.

— J'ai du mal à croire que ma mère se souvienne encore de cette histoire ancienne, marmonna la jeune femme en fixant le motif coloré sur son verre.

— Elle affirme que vous avez refusé de raconter ce qui s'était passé.

— Et comment ! Si je l'avais fait, elle m'aurait tuée.

Comme Jackie la regardait avec étonnement, Adrienne se leva et fit le tour de la pièce d'un air embarrassé, s'arrêtant pour ôter deux feuilles mortes du géranium qui ornait le rebord de la fenêtre.

— C'était de l'arnaque, reprit-elle d'une voix sourde. J'avais un petit ami plein d'idées de ce genre... des idées qui ont dû, depuis, le conduire en prison. C'est lui qui a tout monté : il s'agissait de me faire porter disparue, puis d'obliger mes parents à payer un joli magot comme rançon. Cela semblait une idée de génie ! Nous devions nous sauver au Mexique et vivre avec cet argent.

— Ainsi, vous n'avez jamais été kidnappée ?

— Vous parlez d'un kidnapping ! Nous avons passé tout ce temps dans un motel minable, à baiser comme des bêtes.

— Et vous aviez... quel âge à l'époque ?

— Quatorze ans, répondit Adrienne en toisant froidement Jackie. J'étais une enfant révoltée, cela vous gêne ? D'ailleurs, je n'ai pas évité quelques rencontres mouvementées avec ces charmants messieurs de la police... qui m'ont d'ailleurs dégoûtée de l'uniforme bleu marine.

— Je l'imagine aisément, dit Jackie, se souvenant des manières agressives d'Adrienne lors de leur première rencontre. Ce que je comprends moins, c'est pourquoi vous avez rêvé de devenir policier.

— Allez savoir! Peut-être, par esprit de revanche. Etes-vous choquée, inspecteur?

— Pas le moins du monde. J'étais moi-même une enfant révoltée... Mais alors, pourquoi avoir renoncé à cette superbe idée d'arnaque?

— Mes parents ont mis si longtemps à réunir la somme que mon ami et moi avons fini par craquer... Pour tout vous dire, je doutais qu'ils tiennent vraiment à ce que je revienne chez eux à ce prix. Mais parlons de vous, ajouta Adrienne avec curiosité, tandis que Jackie finissait de prendre des notes. Vous avez fait allusion à votre propre révolte... Quel genre d'enfance avez-vous eu?

— Je suis née dans un taudis de Los Angeles. Mon père a disparu avant ma naissance. Dès que j'ai vu le jour, ma mère m'a fourguée à ma grand-mère, qui m'a élevée avec mes vauriens de cousins... Quand j'avais quatre ans, ma mère est morte d'une overdose. Et, à quatorze, je faisais déjà partie d'un gang de la rue.

— Sans blagues! souffla Adrienne, les yeux écarquillés de stupeur. Comment était-il, ce gang?

— Un gang de gosses, quoi! répondit Jackie en haussant les épaules. Nous faisions des commissions pour des dealers, cachions des couteaux dans nos ceintures, donnions du mauvais temps aux flics et pensions que nous étions vraiment des as. Quand j'ai eu seize ans, j'ai été arrêtée pour complicité dans une attaque à main armée, et j'ai passé deux ans dans une prison pour mineurs.

— C'est absolument incroyable! Vous étiez donc une vilaine fille, tout comme moi.

— Je doute que nous ayons grand-chose en commun, rétorqua Jackie en jetant un regard songeur sur tout le luxe environnant. Pourtant, quand votre mère m'a parlé de ce kidnapping, j'ai effectivement pensé que vous et moi, nous avions toutes deux été livrées à nous-mêmes durant notre enfance.

— Tu parles, fit Adrienne d'un ton lugubre. Et alors, si vous étiez un gangster en herbe, comment vous êtes-vous métamorphosée en flic ?

— Quand j'ai été remise en liberté, j'étais convaincue qu'il fallait faire quelque chose de sérieux — car j'étais déjà sur la mauvaise pente. De plus, après avoir connu cette sordide prison pour mineurs, je voulais empêcher d'autres enfants de s'y retrouver...

Comme Adrienne la dévisageait avec étonnement, Jackie s'agita sur sa chaise d'un air embarrassé, se demandant comment elle avait laissé la conversation prendre un tour aussi inattendu. S'éclaircissant la voix, elle baissa les yeux sur son calepin et dit d'un ton impassible :

— Si je puis me permettre encore quelques questions au sujet de votre famille...

— Le flic est de retour ! soupira Adrienne en levant les yeux au plafond.

Cependant, tandis qu'elle se renversait sur son siège, prête à répondre aux questions de Jackie, son sourire rayonnait de chaleur et de bienveillance.

14.

De retour au commissariat, Jackie ouvrit son dossier et s'installa devant son ordinateur. Elle y entra quelques nouvelles informations notées sur son calepin puis s'immobilisa, indécise, se frottant les tempes d'un geste fatigué.

Quelques instants plus tard, elle fouillait dans son sac et en sortait son agenda et sa carte téléphonique. Son interlocutrice décrocha dès la première sonnerie.

— Salut, Lorna, dit Jackie. Je t'appelle de Spokane... Si je comprends bien, les assistantes sociales ne sont pas plus souvent en vacances que les flics ?

— Vacances ? Connais pas ! fit la riche voix mélodieuse à l'autre bout du fil.

Jackie sourit, imaginant Lorna McPhee assise à son bureau. C'était une grande femme à la peau couleur chocolat et aux beaux yeux rieurs, douée d'une personnalité si chaleureuse et si attachante que les gens sous-estimaient souvent son époustouflante efficacité professionnelle.

— Quel temps fait-il à Los Angeles ?

— Chaud et humide, comme d'habitude... Qu'est-ce qui ne va pas, Jackie ?

— Grand-ma' a appelé vendredi. Elle était de nouveau ivre, et imaginait encore ces énormes araignées aux dents pointues et aux yeux rouges.

— Son délire habituel, dit en soupirant Lorna. Et les garçons, que font-ils ?

— J'ai pu joindre Joey. Il paraît que Carmelo est en prison. Apparemment, il s'agirait d'un simple excès de vitesse, mais...

— Je passerai voir de quoi il retourne, assura Lorna en riant. En cas de vrai problème, je te rappellerai. Si tu n'as aucune nouvelle, c'est que tout va bien.

Soulagée, Jackie remercia Lorna et raccrocha. Wardlow venait de pénétrer dans le bureau et avait entendu la fin de la conversation.

— J'ignore quoi faire au sujet de ma grand-mère, lui confia-t-elle. Jusqu'où va ma responsabilité ? Peut-être devrais-je retourner à Los Angeles et m'occuper d'elle...

— Tu es folle à lier, Kaminski ! répliqua Wardlow. Elle ne t'aime pas, elle t'utilise ! Pourquoi ne pas renoncer à ta carrière, pendant que tu y es, et redevenir simple agent, pour qu'elle puisse t'engueuler le soir quand elle est ivre ?

— Tu es un peu dur, reprocha Jackie avec un soupir.

— Tout ce charabia à propos du bonheur familial, c'est du bidon ! poursuivit Wardlow en ouvrant brutalement sa serviette. Les gens donnent dans le panneau et continuent à chercher je ne sais quel idéal inaccessible, et ça finit par leur briser le cœur.

— Arrête, Brian. Tu crois vraiment qu'une famille heureuse et aimante est une invention ?

— Tu en as déjà vu une ?

— Allons, il ne faut pas en juger à travers notre seule expérience ! commenta Jackie d'un air encourageant. Il existe sûrement des gens qui s'aiment et qui ne souffrent pas de solitude.

Mais Wardlow n'était décidément pas à prendre avec des pincettes ce soir ! Il jeta rageusement quelques classeurs sur son bureau et alluma son ordinateur, mettant ainsi un terme à l'entretien.

— As-tu découvert quelque chose d'intéressant ? hasarda Jackie après un long silence.

— Un de nos détraqués sexuels se trouvait dans le centre commercial vendredi soir, répondit Wardlow en parcourant son dossier. Waldemar Koziak, cinquante-sept ans, sept condamnations pour exhibitionnisme, comportement impudique, attouchements et autres pratiques sans violence sur mineurs en bas âge. Il est au chômage et couche dans un asile de nuit au centre-ville. Pas d'alibi pour vendredi soir, mais on l'a aperçu dans la cafétéria vers 6 heures... Je lui ai rendu visite tout à l'heure. Quel vieux dégueulasse !

— Qu'est-ce qu'il t'a raconté ?

— Il a commencé à bafouiller dès qu'il a vu ma plaque, puis il a tout nié et s'est tu, refusant de parler autrement qu'en présence d'un avocat... Franchement, je ne crois pas qu'il ait quoi que ce soit à voir avec notre affaire. Ses délits précédents n'impliquaient aucune sorte de violence ou de kidnapping. Apparemment, il s'agit d'un demeuré qui, de toute façon, n'a jamais eu et n'aura jamais assez d'intelligence pour tromper la police.

— Alors, que décides-tu à son sujet ? demanda Jackie.

— Le surveiller à son insu, puis le soumettre à un interrogatoire serré, pour en avoir le cœur net. Tu veux être présente ?

— Bien sûr. Autre chose ?

— En ton absence, on a appelé du commissariat du centre-ville. Les médias leur réclament des nouvelles fraîches, et les gars nous ont demandé de préparer une sorte de communiqué de presse. Michelson veut savoir ce que tu penses leur annoncer...

— Juste que l'enquête suit son cours, qu'on interroge les suspects et qu'on encourage le public à donner toute information utile. Il faudra aussi leur dire que nous continuerons à diffuser le portrait de Michael et le numéro d'appel que les gens peuvent utiliser.

— Bien... Qu'en est-il d'Arnussen ?

— Je crois que c'est notre piste la plus sérieuse, déclara Jackie. Quel est ton avis là-dessus ?

— Je suis d'accord. A propos, le rapport du FBI mentionne deux cas de décès d'enfants dans les secteurs où il a habité... Les dates n'ont pas été établies de façon précise, mais cela correspond plus ou moins.

— Parle-moi de ces affaires, dit Jackie, s'efforçant de dominer la tension nerveuse qui l'avait saisie.

— Premièrement, une petite fille portée disparue dans un camping près de Billings et retrouvée six mois plus tard dans une vieille grange à quelques kilomètres de là.

— Assassinée ?

— L'état de décomposition du cadavre les a empêchés d'établir la cause du décès.

— Et l'autre cas ?

— Arnussen vivait à Boise quand un petit garçon de quatre ans a disparu. Le gosse a été retrouvé dans une décharge publique deux jours plus tard. Il avait été violé et étranglé avec un de ses lacets. L'affaire n'a jamais été élucidée — pas plus que la première.

— Et Arnussen habitait dans le coin au moment de la disparition des deux enfants..., répéta Jackie, songeuse.

— Oui, mais n'oublie pas qu'il s'agit de villes importantes. On ne peut pas conclure aussi simplement à sa culpabilité. Par ailleurs, la petite fille est peut-être morte accidentellement — c'est ce qu'ils ont pensé à défaut de preuves. Elle aurait pu faire une fugue, se perdre et mourir de faim. La grange abandonnée se trouvait dans un endroit très isolé !

— Arnussen a-t-il essayé de prendre contact avec la police à propos d'une des deux affaires ?

— Si oui, il l'a fait uniquement par téléphone, et sous un faux nom.

— J'irai le voir ce soir, déclara Jackie, qui sursauta comme elle consultait sa montre : zut ! Ce sera certainement après dîner !

— Dans quel but ?

— Je veux juste le faire parler et étudier ses réactions. C'est vraiment un type bizarre, ajouta-t-elle avec humeur. Je n'arrive pas à le cerner !

— Je crois que nous devrions lui laisser un peu de mou.

— Autrement dit, faire semblant d'avaler ses bobards de médium ? s'étonna Jackie.

— Ça ne mange pas de pain... Pourquoi ne pas le traiter en vrai médium ? Conduis-le près du domicile des personnes impliquées dans l'affaire, et demande-lui s'il n'a pas une de ses visions au sujet de ce qui est arrivé à Michael.

— Je n'ai jamais enquêté sur une affaire en utilisant un médium. Et toi ?

— Une fois, il y a quelques années, répondit-il en se renversant sur son siège. Une jeune fille de dix-neuf ans portée disparue. C'était par une froide nuit d'hiver. La fille avait quitté le bar où elle travaillait, avec l'intention de rentrer chez elle. Elle habitait juste à quelques pâtés de maisons de là. Mais elle n'est jamais arrivée... Volatilisée ! Pas de traces, pas de suspects. Un mois plus tard, le chef de notre équipe a déniché un médium dans l'Illinois, une femme qui travaille avec la police partout dans le pays.

— Comment était-elle ?

— Mme Tout-le-Monde. Petite, boulotte, d'âge moyen... Elle portait un jean et semblait la personne la plus inoffensive et la plus ordinaire qu'on puisse rencontrer. Nous l'avons conduite au bar et lui avons demandé de suivre le chemin que prenait habituellement la fille pour rentrer. Pendant qu'elle marchait, elle nous racontait ses impressions.

— Comment cela, ses impressions ?

— Des fragments de visions qui s'imposaient à elle... A un moment, elle a vu le cadavre de la fille, dépecé. Elle a précisé que le corps se trouvait dans une sorte de bac métallique, au milieu d'un amas de pierres. Tout était gris, a-t-elle ajouté.

— Tu parles d'un indice ! s'exclama Jackie ironiquement. Tout est gris en hiver. Et ensuite ?

— Deux semaines après le retour de cette femme dans l'Illinois, nous avons trouvé le corps. La fille avait été découpée en petits morceaux à l'aide d'une scie électrique et le cadavre était caché à l'intérieur d'une vieille bétonnière abandonnée dans une carrière. Deux jours plus tard, nous avons arrêté le coupable — c'était le propriétaire de la carrière... Cette affaire m'a fait penser à une histoire de revenants qu'on finit par rencontrer en chair et en os ! conclut Wardlow, tandis que Jackie l'écoutait dans un silence attentif. Pour tout te dire, je suis presque devenu croyant...

— Alors, tu penses qu'Arnussen dit la vérité ?

— J'en doute, répliqua Wardlow après un instant de réflexion. Pas ce type... J'ignore à quel jeu il joue. Et pourtant, je pense que la meilleure façon d'apprendre ce qu'il cache est de faire semblant de le croire !

— Tu as probablement raison. Nous allons essayer cette tactique.

— Ecoute, Kaminski, si tu le conduis quelque part, laisse-moi venir avec toi. Ne reste pas seule avec Arnussen dans la voiture !

— Entendu. Ce sera donc pour demain — si nous sommes d'accord, bien sûr...

Tout en parlant, elle jeta un regard prudent sur son coéquipier, mais celui-ci devança sa question.

— Ça ira, grogna-t-il, fixant son clavier d'un air furieux. Je n'ai pas prévu de passer le Quatre juillet à la campagne ! Tu as du nouveau, toi ? Qu'en est-il des autres membres de la famille ?

— Seigneur, c'est un sacré sac de nœuds, Brian ! Chacun est persuadé que l'enfant est, pour ainsi dire, dans le camp adverse. En dépit de cela, il existe comme des liens invisibles et mystérieux entre les deux familles... Il y a aussi de ce côté des indices qui mènent à Arnussen. Parmi les personnes que j'ai interrogées, deux au moins l'ont reconnu : le père de Michael et la baby-sitter, Helen Philps. J'ai vraiment l'impression de m'enfoncer chaque jour un peu plus dans des sables mouvants...

— Tu as parlé à la sœur de Leigh aujourd'hui, n'est-ce pas ? demanda Wardlow. Cela a donné quelque chose ? Je me souviens que tu l'as décrite comme une vraie dure à cuire !

— Je commence à croire qu'Adrienne est moins coriace qu'elle ne le laisse paraître. Elle se sent peut-être seulement très seule. D'ailleurs, cela me fait penser à un détail à vérifier. Demande à un de nos gars d'aller renifler de près les affaires de Harlan Calder, l'avocat. Je veux savoir s'il n'a pas eu des problèmes d'argent récemment, et s'il n'a pas besoin d'être renfloué.

Haussant les sourcils, Wardlow nota les instructions puis déclara :

— A propos de nos gars, ils ont pu localiser le numéro de téléphone que Leigh t'a donné. Ils vont rencontrer un de ces anges de la miséricorde mercredi, après le pont. Mais Michelson avait raison, ils n'ont pas l'air d'en savoir plus long que nous.

— Tu es sûr qu'ils n'ont pas Michael ?

— Pratiquement certain. Ils œuvrent dans l'illégalité la plus complète, mais ils se préoccupent sincèrement du sort des gosses. Par ailleurs, s'ils avaient un autre mobile, ce serait l'argent, et selon Leigh, ce n'est pas le cas.

— Ouais, si seulement nous pouvions la croire, remarqua Jackie d'un air sombre.

— Je pensais que tu n'avais plus de doutes...

— Non, pas vraiment. Depuis que sa petite magouille

a fini en eau de boudin, elle semble réellement paniquée. Je crois que, maintenant, elle me dit la vérité.

Pendant quelques longs instants, Jackie et son collègue se concentrèrent sur leurs dossiers, chacun entrant de nouvelles données dans son ordinateur. Soudain, Jackie entendit un sourd gémissement. Wardlow, affaissé sur son siège, serrait sa tête entre ses mains d'un geste plein de désespoir.

— Brian ? Ça ne va pas ? demanda Jackie, inquiète.

L'homme ne répondit pas, mais ses épaules se mirent à trembler. Jackie rapprocha son siège du sien pour poser une main sur son bras. Il finit par lever la tête et la fixa d'un air hagard, le visage si pâle que ses taches de rousseur semblaient se détacher sur ses joues et son front.

— Ce n'est rien, Kaminski. Laisse-moi tranquille et retourne à ton travail, marmonna-t-il en saisissant un dossier de ses mains tremblantes et en lui tournant le dos.

— Brian, pour l'amour du ciel ! Je te raconte tout, moi ! Tu es au courant pour ma grand-mère et mes cousins, et même pour les problèmes de loyer que j'ai eus l'année dernière. La moindre des choses, c'est de me confier en retour ce qui te tracasse !

Pour toute réponse, Wardlow émit un son inintelligible, le visage toujours caché. Enfin, comme Jackie insistait doucement, il se tourna vers elle et dit :

— Je crois que Sarah me trompe... J'ai fouillé son sac à main, ajouta-t-il avec une grimace de dégoût. J'ai trouvé une lettre...

— Brian, écoute, dit Jackie en enlaçant maladroitement les épaules de son camarade. Ce n'est peut-être pas ce que tu imagines...

— Ça n'allait pas entre nous depuis des mois. Mais j'espérais arranger tout cela en prenant une quinzaine de jours pour partir à deux et m'expliquer avec elle. Je voulais la convaincre qu'il était temps d'avoir un enfant... Et maintenant, je pense qu'il est trop tard.

— Tu as raison d'évoquer les vacances. Si tu veux, j'en parlerai à Michelson...

— En pleine affaire de kidnapping ? Tu rêves ! répliqua Wardlow, avant d'ajouter d'une voix rauque, le regard fixé sur l'écran de son ordinateur : je vais la suivre. Je finirai bien par les attraper tous les deux !

— Et que vas-tu faire ?

— Je ne sais pas, répondit-il en serrant les poings. Je n'en sais fichtre rien !

Involontairement, Jackie baissa les yeux vers le holster noir suspendu à l'épaule de son coéquipier. Il suivit son regard et partit d'un éclat de rire nerveux.

— Tu ne veux tout de même pas me priver de mon arme dans mon propre intérêt ?

— Bien sûr que non, répondit-elle avec un calme apparent, mais le cœur battant la chamade. Tu es trop intelligent pour faire ce genre de bêtises... N'est-ce pas ? insista-t-elle, comme Wardlow continuait de fixer l'écran.

— Tu as raison, finit-il par répondre sur un ton amer. Je suis bien trop intelligent pour choisir une telle solution !

Et, se redressant sur son siège, il se remit à taper ses notes, une expression de détermination farouche sur son visage.

Deux heures plus tard, les bras chargés de deux gros sacs provenant de l'épicerie du coin, Jackie s'arrêta devant la porte de son appartement. Comme elle posait les sacs par terre pour chercher ses clés, la porte d'en face s'ouvrit et une petite fille aux cheveux noirs ornés d'un nœud rose apparut timidement sur le seuil.

— Salut, Tiffany, lui cria joyeusement Jackie.

Elle savait que la petite n'avait pas le droit de quitter l'appartement toute seule ; d'où cette habitude que l'enfant avait prise, quand elle se tenait sur le seuil, de garder toujours une main posée sur le montant de la porte.

— Tony vient dîner ce soir, annonça Tiffany.

— Il te plaît, chérie ? demanda Jackie, qui avait enfin réussi à retrouver ses clés.

— Il est chouette, déclara la petite en hochant vigoureusement la tête. Tu sais comment il rit ?

Et, posant une main sur son petit ventre, elle fit mine d'être secouée tout entière par un fou rire.

— J'aime ça, moi aussi ! dit Jackie en souriant. C'est irrésistible !

— Tout à l'heure, il va encore m'apporter des sucreries de sa boulangerie. Hé, regarde-moi, Jackie ! Je suis déjà habillée pour la soirée...

Lâchant la porte, Tiffany étendit les bras en croix et pivota sur elle-même, pour faire admirer son chemisier blanc imprimé de grandes fraises et son pantalon de velours côtelé fuchsia.

— Toi aussi, tu ressembles à une sucrerie, s'écria Jackie en riant. J'ai d'ailleurs envie de goûter cette fraise appétissante sur ton épaule...

La petite fille pouffa, pendant que Jackie s'approchait en prenant un air gourmand.

— Maman a dit que tu peux venir dîner avec nous, Jackie. Tu viendras ?

— Pas ce soir, chérie, répondit Jackie, soulevant la petite fille et pressant le nez contre sa joue veloutée comme une pêche. J'ai du travail... Dis à maman que je la verrai plus tard dans la semaine.

— Demain ? C'est le Quatre juillet, tu sais ! Tony va nous conduire à la rivière pour un pique-nique, et le soir, nous allons regarder les feux d'artifice. Maman et Tony ont dit que tu devrais venir avec nous.

— C'est gentil à eux, répondit Jackie. J'adore le Quatre juillet, et tout spécialement, les pique-niques et les feux d'artifice. Mais j'ai encore du travail pour demain.

— Pourquoi tu dois travailler tout le temps? fit Tiffany avec une grimace. C'est pas marrant!

— Non, ça ne l'est pas... Maintenant, rentre, Tiffany, avant que maman ne commence à s'inquiéter.

Elle reposa la petite fille par terre et la suivit des yeux pendant qu'elle disparaissait de l'autre côté de la porte, telle une petite boule de couleurs, un éclatant mélange de blanc et de rose. « Avant que maman ne commence à s'inquiéter... », répéta-t-elle mentalement, et, soudain, l'image de Michael Panesivic, vêtu de son joli costume de fête orné d'un nœud papillon, son canard jaune dans les bras, vint s'imposer à l'esprit de Jackie, éteignant son sourire et assombrissant son regard.

Elle pénétra dans son appartement à la hâte, déposa ses achats dans la cuisine, puis alla dans la chambre pour se débarrasser de ses vêtements de travail. Un long soupir de soulagement lui échappa une fois qu'elle eut enfilé son vieux jogging gris. Comme elle rangeait son blouson, elle songea au commentaire ironique d'Adrienne Calder sur sa tenue, puis à son étonnement mêlé de respect à la vue du revolver. Curieux comme la plupart des gens dans cette affaire semblaient impressionnés par son arme. Même la vieille mère d'Helen Philps l'avait questionnée à ce sujet...

De retour dans la cuisine, elle se prépara une omelette aux champignons et une salade. Pendant que ses mains accomplissaient ces gestes familiers, son esprit travaillait sans relâche, passant au peigne fin les détails des interrogatoires et les visages des personnes rencontrées durant les derniers jours. Et soudain, elle eut de nouveau l'impression d'avoir négligé un indice essentiel. Etait-ce un mot, un geste, une allusion? Le souvenir demeurait trop flou, se dérobant obstinément à l'emprise de la mémoire, comme un rêve qui s'estompe dans la brume et finit par s'évanouir à l'approche du matin.

Renonçant à chercher plus avant, elle recouvrit la table

d'une toile cirée, mit une assiette, une serviette, et entama son repas. Le silence et le calme qui régnaient dans son appartement accentuèrent son sentiment d'isolement, au point qu'elle se prit à regretter l'invitation à dîner de Tiffany... Mais non, c'eût été un manque de tact que de s'imposer à Carmen et Tony ! Ils vivaient encore la première étape de leur relation amoureuse, celle où l'on a besoin de passer du temps à deux — ou plutôt à trois, puisque l'enfant étant déjà là, ils avaient déjà posé les bases d'une vraie famille !

La famille...

La mélancolie qui lui étreignait le cœur devint plus profonde, tandis qu'elle songeait à l'appel inquiétant de sa grand-mère, à la poignante solitude d'Adrienne Calder dans sa cage dorée, à la manière dont ses jeunes cousins détruisaient leur vie, à l'expression de souffrance aiguë sur le visage de son coéquipier... Seigneur, pourquoi tous ces gens-là se rendaient-ils eux-mêmes malheureux ? Elle se souvint alors des propos amers que tenait Wardlow sur le bonheur conjugal, prétendant que toute relation intime était vouée à l'échec...

Et elle, Jackie, avait-elle jamais vécu une expérience amoureuse suffisamment solide et profonde pour durer toute une vie ? Elle songea à Kirk Alverson, qui avait été son coéquipier durant ses premières années au département de police de Los Angeles. Peu à peu, ils étaient devenus amis, puis amants. Peut-être Jackie l'aurait-elle épousé... mais Kirk avait été tué lors d'une flambée de violence, par une chaude nuit d'été qui enveloppait la ville...

C'était il y a sept ans. Aujourd'hui, Jackie constatait avec surprise qu'elle était incapable de se rappeler clairement les traits de Kirk. Il est vrai que leur relation, en dépit de la fugace sensation de bonheur qui l'avait accompagnée, était essentiellement fondée sur un mode de vie commun et sur l'attirance sexuelle. S'ils s'étaient mariés, ils vivraient probablement aujourd'hui à couteaux tirés — et seraient peut-être même divorcés, se disputant au sujet d'un ou deux enfants malheureux.

Cette pensée la ramena au conflit opposant les deux parents de Michael Panesivic. Leigh et Stefan étaient tous deux intelligents, cultivés et de bonne éducation. Mais cela ne leur servait à rien dès lors qu'il s'agissait de partager les responsabilités sans se déclarer la guerre ! Et, comme toujours, c'était l'enfant qui en pâtissait.

« Où es-tu, Michael ? se demanda-t-elle. Est-ce que tu vas bien ? Es-tu seulement en vie ? »

Jackie songea aux bras puissants de Paul Arnussen, à la lourde barre qu'il tenait à la main, à ses muscles saillants tandis qu'il détachait les lattes du plancher de la véranda... Fronçant les sourcils, elle se mit à tracer des lignes droites avec sa fourchette sur la toile cirée.

En d'autres circonstances, elle se serait probablement sentie attirée par le charpentier. Le mélange ethnique que reflétait son visage lui plaisait, la faisant songer à son propre physique. C'était comme si des hommes et des femmes venus de tous les coins du monde avaient réuni leurs efforts pour contribuer à la création d'un individu particulier, le rendant ainsi unique ! Cet homme mystérieux l'intriguait, elle aurait aimé déchiffrer le secret de sa personnalité... Hélas, le dur métier qu'exerçait Jackie lui avait appris à quel point on pouvait se tromper dans ses jugements — surtout lorsqu'une femme cherchait à évaluer un homme.

Un autre point la déroutait : les dons extralucides d'Arnussen. Par son métier et son expérience personnelle, Jackie s'insurgeait contre une telle hypothèse. Elle avait passé sa vie à vérifier méticuleusement les déclarations des gens, et il lui était tout simplement impossible d'accepter qu'Arnussen soit un vrai médium. A l'extrême limite, elle pouvait admettre qu'il s'agît d'un voyeur prenant plaisir à se mêler de l'enquête policière en cours...

Mais il y avait aussi toutes les chances qu'il se révèle un criminel coupable de crimes abominables sur des enfants...

Jackie songea au petit corps de Tiffany dans ses bras, au doux parfum qui émanait d'elle, au son cristallin de son rire, à sa touchante timidité... Si seulement un homme essayait...

— Mon Dieu, non ! gémit-elle, parcourue d'un frisson glacé.

Parvenant à se dominer, elle porta son assiette à l'évier, fit la vaisselle, puis consulta sa montre. Il était à peine 6 heures ; elle avait encore le temps de traverser la ville et de se rendre chez Arnussen. Il aurait eu tout le loisir de se changer et de dîner après sa journée de travail.

Elle se dirigea vers le balcon, ouvrit la baie, puis s'installa sur l'ottomane en face de la porte, de sorte à voir l'espace vert situé derrière l'immeuble. Pendant quelques instants, elle observa un groupe d'adolescents vêtus de shorts et de T-shirts qui chahutaient en courant autour d'un ballon de football. Enfin, elle ouvrit un étui de cuir posé au pied de l'ottomane et en sortit sa flûte. Ayant assemblé l'instrument, elle se mit à jouer la mélodie de *Greensleeves*, qu'elle essayait de restituer de mémoire. Mais elle avait quelques lacunes ; sortant la partition du fond de l'étui, elle la mit sur ses genoux.

Son jeu était inégal et hésitant, et seules quelques notes vraiment pures qu'elle parvenait à tirer de son instrument la satisfaisaient pleinement. Normal. Elle n'avait jamais eu le temps de pratiquer. Un an plus tôt, la mort dans l'âme, elle avait même dû renoncer à ses cours, car elle en manquait la moitié, et son professeur avait fini par perdre patience. Depuis, elle essayait de trouver un peu de temps deux ou trois fois par semaine pour apprendre des airs et les exécuter. Et ce, au prix d'une discipline de fer. Mais cela en valait la peine : la musique lui apportait un plaisir sans nom. Jouer de la flûte était pour elle une sorte de catharsis, comme si le charme de la mélodie exorcisait sa solitude et son angoisse, les emportant dans le lointain bleu au-delà de la fenêtre, la laissant rassurée et tranquille, l'âme enfin en paix.

« Mais pour qui te prends-tu ? »

Sa grand-mère avait l'habitude de lui répéter cette phrase, et Jackie crut entendre sa voix rauque dans le silence du soir, tandis qu'elle empoignait de nouveau son instrument.

« Tu t'imagines que tu es une fille de la haute qui peut se payer le luxe de jouer de la flûte ? Tu crois que, si tu l'apprenais, tu deviendrais comme toutes ces femmes pourries gâtées que tu as rencontrées, telles Leigh Mellon, sa mère ou sa sœur ? Erreur ! Rien au monde ne peut te rendre différente de ce que tu es. Tu es lamentable, Jackie ! Vraiment, tu fais pitié ! »

Comme la voix semblait résonner à ses oreilles, Jackie posa la flûte sur ses genoux et fixa le ciel bleu au-dessus du balcon.

« Je suis maîtresse de ma destinée, répondit-elle en pensée à la vieille femme. Tu m'as tourmentée pendant des années en me tournant en ridicule, grand-ma', mais tu ne peux plus le faire désormais ! »

D'un air décidé, elle reprit la flûte et se remit à jouer. La mélodie était toujours faible et incertaine, mais Jackie ne renonçait pas. Au bout d'un long moment d'exercice patient et obstiné, le souvenir de sa grand-mère et de son rictus méprisant s'évanouirent enfin de son esprit. Alors seulement, la mélodie commença à résonner d'une manière assez harmonieuse à son goût...

A 7 heures tapantes, elle enfila un jean, un chemisier à carreaux rouge et une vieille veste Denim délavée. Puis, ayant accroché son revolver et une paire de menottes à sa ceinture, elle s'assura que sa veste les dissimulait complètement, et quitta son appartement.

15.

La femme qui ouvrit à Jackie était petite, potelée, avec un visage ridé comme une pomme sèche et des yeux bleus qui pétillaient sous une extravagante tignasse jaune. Elle portait un jogging marine et des sandales ornées d'énormes fleurs en plastique.

— Madame Lederer ? dit Jackie en présentant sa plaque. Je suis l'inspecteur Kaminski, de la police de Spokane. Je voudrais parler à M. Arnussen.

— Pourquoi ne le laissez-vous pas tranquille, rétorqua la vieille femme avec un regard haineux. Il n'a rien fait de mal !

— M. Arnussen nous aide dans notre enquête, répondit Jackie, qui préférait se limiter à cette explication préparée à l'avance.

La femme hésita un instant, se dandinant d'un pied sur l'autre. Enfin, elle s'écarta avec une réticence manifeste.

— Il est en bas, dans son appartement. Cela ne fait pas très longtemps qu'il est rentré.

Jackie pénétra dans l'entrée qui embaumait l'encaustique et le fumet d'un plat mijoté. Une porte ouverte donnait sur l'escalier conduisant à l'étage, tandis qu'une autre volée de marches plongeait vers le sous-sol.

— C'est là, dit la propriétaire en désignant les marches inférieures d'un geste vague de la main. La première porte à droite.

— Et les deux autres ? demanda Jackie. Avez-vous plusieurs locataires ?

— Il n'y a que Paul, répondit-elle en secouant la tête. Les autres portes sont celles de la salle de bains et de la laverie.

Un sourire mécanique aux lèvres, Jackie remercia la propriétaire et s'engagea dans l'étroit escalier, pendant que la vieille dame l'observait depuis le haut des marches. Le sous-sol était chichement éclairé. Prenant son courage à deux mains, Jackie frappa et attendit. L'instant d'après, la porte s'ouvrait à la volée, et Paul Arnussen apparaissait sur le seuil.

Pieds nus, il était vêtu d'un jean et d'un maillot de corps qui laissait voir la toison blonde de son torse et ses larges épaules aux muscles saillants. Apparemment, il venait de prendre une douche, car sa chevelure dorée était encore mouillée et portait des traces de peigne.

Il contempla Jackie avec stupeur avant de déclarer :

— Bonjour, inspecteur. Vous étiez dans le coin, et vous n'avez pas résisté à la tentation de passer me voir, c'est cela ?

— Plus ou moins. Puis-je entrer ?

— Ai-je le choix ?

— Vous le savez bien, répondit-elle d'un ton impassible. Vous n'allez pas recommencer ce jeu... J'ai simplement un service à vous demander.

Il s'effaça pour la laisser entrer, puis referma la porte derrière elle. Elle ressentit aussitôt une bouffée de panique à l'idée du dangereux face-à-face qui l'attendait avec cet homme immense, doué d'une puissance de bête fauve. Elle revit Wardlow la sommer de ne pas rester seule avec Paul Arnussen. Trop tard. Mais, après tout, la situation ne présentait pas de véritable danger, songeat-elle, s'efforçant de dominer son effroi. Ils n'étaient pas enfermés dans une voiture, mais dans une grande maison avec un témoin éventuel à portée de main !

— Vous avez peur ? demanda-t-il, l'observant avec une attention soutenue.

— Bien sûr que non.

Elle s'installa dans un fauteuil et jeta un regard alentour. La cuisine de Paul Arnussen était aussi propre et aussi rangée que la sienne. Une casserole bouillonnait sur le feu, et la table était mise pour une personne, avec une assiette vide, une serviette pliée, des couverts, un verre à eau et une coupelle assortie pour le pain.

— Vous êtes très méticuleux, remarqua-t-elle, tandis qu'elle contemplait toute cette panoplie avec étonnement.

— Quand on vit seul, on le devient forcément. Sinon, vous finissez par vivre comme un animal. Excusez-moi une minute...

Il sortit de la cuisine, et Jackie l'entendit marcher dans l'autre pièce, puis ouvrir et refermer des tiroirs.

Elle profita de son absence pour examiner plus attentivement la cuisine. Les meubles et les placards étaient peints en blanc et le sol, recouvert d'un linoléum couleur paille, semblait usé. L'ensemble donnait une impression d'austérité, encore soulignée par la nudité des murs. Le seul ornement de la pièce consistait en un calendrier épinglé au-dessus de la table : on y voyait des chevaux sauvages, crinière et queue au vent, lancés au galop sur fond de soleil couchant.

— Superbe photo, dit Jackie, comme Arnussen réapparaissait sur le seuil, chaussé et vêtu d'une chemise blanche.

Elle refusa de partager son dîner mais accepta une tasse de café, observant son hôte pendant qu'il mettait la cafetière sur le feu et se servait un appétissant ragoût.

— J'aime beaucoup les chevaux, dit Arnussen en s'installant devant elle. Et vous ?

— Je n'y connais rien. Je me demande si j'en ai même

jamais vu de près, excepté le jour où l'on a fait venir la patrouille à cheval pendant une échauffourée à Los Angeles.

Arnussen lui lança un regard perçant, et Jackie fut de nouveau frappée par le pouvoir magnétique de ses yeux sombres. Cela n'avait certainement rien à voir avec ses dons extralucides dont elle continuait à douter, et pourtant, elle éprouvait l'inquiétante sensation de ne pouvoir lui cacher ses pensées les plus intimes... En fait, au cours de ses enquêtes, elle avait rencontré chez certains tueurs une manière analogue de dévisager l'interlocuteur. Grâce à leur remarquable intelligence alliée à un manque total de scrupules, ces hommes étaient capables d'évaluer les autres avec cette même acuité et cette même froideur...

Jackie frôla des doigts son revolver sous la table, puis posa les mains sur ses genoux, s'efforçant de garder son sang-froid.

— Comment avance l'enquête ? lui demanda-t-il en attaquant son repas.

— Pas très bien. Toutes nos pistes semblent finir en queue de poisson.

Tout en répondant, elle remarqua que, malgré ses allures d'ouvrier, Paul Arnussen avait des manières très raffinées. Une véritable énigme que cet homme, songea-t-elle, tandis qu'il lui versait du café brûlant et approchait d'elle le sucrier et le pot de crème. Les deux objets étaient en porcelaine de Chine, d'une finesse exquise et ornée d'un délicat motif bleu pâle. Apparemment, il s'agissait de pièces anciennes ; le sucrier semblait du reste avoir été brisé, mais il avait été habilement recollé, car la fissure se voyait à peine.

— Merci, je prends mon café noir. Vous avez là une bien belle porcelaine, ajouta-t-elle, admirative.

— C'est tout ce qui reste du service de ma mère.

— Elle est morte quand vous étiez encore enfant, n'est-ce pas ?

— Vous en savez long sur moi, inspecteur ! remarqua-t-il, le visage fermé.

— Exact. Cela vous gêne ?

— Oui, rétorqua-t-il d'un ton brusque en se levant pour sortir une salade de tomates du réfrigérateur. Cela me gêne, parce que je n'aime pas que des inconnus viennent fouiller dans ma vie privée. Je suppose que je ne suis pas le seul à réagir ainsi, il n'y a pas de quoi s'étonner !

Ils demeurèrent silencieux quelques instants. Jackie regardait Arnussen disposer des rondelles de tomates dans son assiette.

— La vérité, c'est que je m'intéresse à vos dons de médium, dit-elle enfin en s'efforçant de paraître naturelle. J'aimerais savoir comment ça marche.

— Ecoutez, ce n'est pas la peine d'en parler. Je regrette d'avoir évoqué ce don devant vous ! Oubliez tout cela, d'accord ?

Les épaules rentrées, la mâchoire serrée, il semblait profondément contrarié. Jackie remarqua soudain que son pansement sur le menton avait disparu, laissant apparaître une vilaine entaille mal cicatrisée, d'au moins trois centimètres.

— Mon Dieu, c'est une sacrée coupure que vous vous êtes faite en vous rasant ! murmura-t-elle.

— En effet. J'ai eu du mal à arrêter le sang.

Arnussen se leva pour se resservir du ragoût. Consciente de la tension qui s'était installée entre eux, Jackie remarqua :

— Ça a l'air délicieux ! C'est vous qui l'avez préparé ?

— Non. Cora... Je veux dire, Mme Lederer, en a préparé toute une marmite le week-end dernier. Elle en a congelé quelques portions pour moi. Ma propriétaire est un véritable cordon-bleu.

— Cela entre-t-il dans votre contrat de location ? Vous êtes logé et nourri ?

— Il s'agit d'un simple arrangement entre nous. Je lui rends des petits services dans la maison, et elle me fait parfois la cuisine.

— Vous semblez très liés avec Mme Lederer.

— Nous sommes amis, trancha Arnussen.

— En ce qui concerne vos dons d'extralucide, reprit Jackie en s'éclaircissant la voix, essayez de me comprendre. Ce serait de la négligence professionnelle de ma part si je n'insistais pas. Nous devons tenir compte du moindre indice permettant de retrouver Michael.

— Comment va sa mère ? demanda Arnussen.

— Que voulez-vous dire ?

— Est-ce qu'elle tient le coup ? Est-elle vraiment bouleversée ?

Jackie se sentit submergée par une vague de colère. Si cet homme se révélait être le ravisseur de Michael, elle ne voulait pour rien au monde lui procurer le plaisir de savourer l'inquiétude et la peur de Leigh Mellon. En même temps, elle n'avait pas le droit de donner libre cours à ses émotions : il fallait d'abord agir dans l'intérêt de Michael.

— Oui, confirma-t-elle. Elle est réellement bouleversée. Depuis la disparition de Michael, elle a à peine dormi et elle pleure tout le temps. Elle paraît anéantie.

Jackie guetta la réaction de l'homme, mais son visage demeura impénétrable.

— Je ne sais pas comment ça marche, déclara-t-il à brûle-pourpoint. Je parle de mes visions. Ça m'arrive de temps en temps, c'est tout.

— Vous avez l'impression de recevoir de brèves images... des « flashes », c'est ainsi que vous les appelez ?

— Exact, acquiesça-t-il à contrecœur.

— Voyez-vous aussi des gens que vous ne connaissez pas ?

— Parfois. Ecoutez, j'essaie de ne pas trop y penser.

J'ai parlé à vos collègues du petit garçon simplement parce que j'étais... parce que j'avais de la peine pour lui. Il semblait si effrayé.

— Je me demandais si vous pouviez m'aider à faire une vérification, dit Jackie en effleurant de son index la fissure sur le sucrier. Demain, je dois me rendre dans une ferme au Sud de la ville — c'est là qu'habitent les grands-parents du petit garçon. Ils m'ont autorisée à effectuer des recherches chez eux — au cas où je trouverais un indice quelconque... Seriez-vous d'accord pour m'y accompagner ?

— Moi ? Pour quoi faire ? demanda-t-il, surpris.

— Vous pourriez peut-être avoir... une de ces visions que nous saurions utiliser, répondit-elle en soutenant son regard.

— Inspecteur, seriez-vous en train de vous payer ma tête ? demanda-t-il, tandis que son visage prenait de nouveau une expression dure et menaçante. Si c'est le cas, sachez que je n'apprécie pas ce genre de plaisanteries !

Jackie regarda tour à tour les larges paumes calleuses d'Arnussen, la cicatrice rouge vif sur son menton, les muscles d'acier qui gonflaient les manches de sa chemise...

— Plusieurs départements de police ont aujourd'hui recours aux médiums pour faire avancer les enquêtes, dit-elle avec un calme étudié. Ce type de collaboration est devenu de la routine. Je pensais que vous pourriez nous aider parce que...

Elle s'interrompit, tandis qu'il l'observait avec une intensité accrue, la main crispée sur le couteau à pain.

— D'abord, reprit-elle avec l'impression de paraître de plus en plus stupide, parce que vous avez mentionné... une espèce de coq en parlant de l'endroit où se trouve Michael. Et, de fait, il y a des coqs et des poules dans cette ferme...

— Vous voulez m'emmener à la campagne pour me montrer des coqs et des poules ?

— Ecoutez, dit Jackie en se jetant à l'eau. Je dois élucider cette affaire si je veux réussir ma carrière. Depuis que je suis devenue inspecteur, c'est la première enquête vraiment importante que j'ai à mener. Jusqu'à présent, je me suis surtout occupée d'adolescents fugueurs et de voitures volées. Si vous pouvez m'aider d'une façon ou d'une autre, je vous en serai très reconnaissante...

Tout en parlant, elle se félicita d'avoir choisi la bonne tactique. Cet homme devait éprouver un malin plaisir à voir son importance reconnue ; il devait jubiler à l'idée de disposer à sa guise du destin de plusieurs personnes. En tout cas, ce trait correspondait au profil du maniaque sexuel classique. Arnussen hocha la tête en signe de consentement et se remit à manger.

— D'accord, dit-il, la bouche pleine. A quelle heure ?

— Si cela vous convient, nous passerons vous prendre demain matin à 9 heures.

— Nous ?

— Mon coéquipier, l'inspecteur Wardlow, viendra avec moi.

— Je vois, fit Arnussen, le visage indéchiffrable. L'inspecteur Wardlow et vous-même ne prenez jamais de vacances ? Demain, nous sommes le Quatre juillet !

— Un kidnapping d'enfant est une affaire très grave, je vous le rappelle. Le moment est mal choisi pour profiter des jours fériés.

Jackie se leva en repoussant son siège. Arnussen l'imita immédiatement, attendant qu'elle prît congé avec la même courtoisie un peu désuète qu'elle avait déjà remarquée chez lui.

— Bon, je vais y aller, dit-elle. J'ai encore beaucoup à faire.

— Quoi exactement ? demanda-t-il. Que peut faire une dame flic à 8 heures du soir par une nuit d'été ?

— Elle doit retourner à son bureau, taper ses notes, remplir des formulaires et mettre à jour son dossier.

Il fixa sur elle ses yeux sombres, fendus en amande au-dessus de ses pommettes saillantes, et elle eut de nouveau l'impression qu'il la scrutait jusqu'au fond de l'âme... Mal à l'aise, elle dut réprimer le désir puéril de fuir pour se mettre à l'abri de ce regard trop pénétrant.

— En fait, vous êtes aussi seule que moi, inspecteur, n'est-ce pas ? murmura-t-il, le visage adouci. Vous n'avez personne de très proche dans ce monde ?

— Ce n'est pas vrai, répliqua Jackie calmement. J'ai des amis proches aussi bien dans ma vie privée qu'au travail. Et ma famille...

Sa voix s'éteignit à la vue de l'expression amusée qui s'était peinte sur le visage d'Arnussen. Elle prit son sac et, marmonnant une phrase vague au sujet de leur rendez-vous du lendemain, referma la porte de l'appartement sur elle. Après avoir gravi les marches à la hâte, elle sortit enfin dans la douce lumière du crépuscule.

Excédée, elle claqua violemment la portière de sa voiture et démarra sur les chapeaux de roues. Décidément, supporter un homme comme Paul Arnussen, avec sa froide perspicacité déconcertante, était au-delà de ses forces. Mais le pire, elle devait bien le reconnaître, n'avait été ni son ironie ni son air menaçant. Ce qu'elle avait trouvé parfaitement insoutenable, c'était l'étonnement et la sympathie qu'il avait exprimés sans un mot en comprenant à quel point sa vie était vide.

A cause du manque d'effectifs, les appels parvenant à l'antenne de police du quartier Nord-Ouest après la fermeture étaient pris en charge par le commissariat du centre-ville. Par conséquent, à cette heure tardive, Jackie avait tous les locaux pour elle, et de plus ne risquait pas d'être dérangée dans son travail par les conversations, ni par les réflexions déplacées et un peu macho de ses collègues.

Elle se prépara du café, prit une vieille boîte de biscuits dans un des placards de la cafétéria, s'installa à son bureau et entreprit de saisir les entretiens de la journée sur son ordinateur.

Il lui semblait incroyable que Michael Panesivic n'eût disparu que depuis trois jours... Et plus étonnant encore que l'appel hystérique de Leigh Mellon concernant l'enlèvement avorté de son fils ne datât que de ce matin ! Elle avait l'impression que chaque journée était aussi remplie d'événements qu'une semaine entière. Et il fallait enregistrer chaque nouveau détail — de sorte que, si l'inspecteur chargé de l'affaire tombait malade ou avait un accident, la police pût poursuivre l'enquête sans interruption.

Tout en tapant sur son clavier, elle s'efforça une fois de plus de cerner cet indice clé qui, elle en était certaine, contenait la solution de toute l'énigme. Hélas, il demeurait plus insaisissable que jamais.

Finalement, quand le ciel de l'autre côté de la fenêtre fut noir et la cafetière vide, Jackie rangea son bureau, s'étira pour détendre ses muscles, prit son sac et quitta le commissariat, refermant soigneusement derrière elle toutes les portes de sécurité.

Laissant la voiture de patrouille au parking, elle monta dans sa Ford. Mais, malgré sa fatigue, elle n'était pas prête à rentrer tout de suite. Elle se dirigea donc au Nord de la ville, vers le centre commercial où l'on avait aperçu pour la dernière fois Michael avec son canard en peluche jaune, puis poussa jusqu'à la sortie de la ville, où Paul Arnussen prétendait avoir renversé un chien.

Faisant demi-tour, elle parcourut ensuite le campus silencieux et désert de l'université Gonzaga, traversa la rivière et roula jusqu'à South Hill et le vaste terrain occupé par la résidence Mellon, dont les lumières brillaient discrètement derrière les luxueuses persiennes.

Enfin, elle se dirigea vers East Sprague, suivant l'itinéraire qu'elle et Wardlow allaient emprunter le lendemain pour conduire Paul Arnussen à la ferme des Panesivic. Elle se sentait d'ailleurs un peu inquiète à ce sujet. Bien sûr, elle ne serait pas seule avec Arnussen, puisque son coéquipier l'accompagnerait ; pourtant, elle dut réprimer un frisson d'appréhension à l'idée de savoir le charpentier installé sur le siège arrière de leur voiture, comme s'il s'agissait pour elle de rester enfermée avec un dangereux prédateur. Par ailleurs, elle se demandait comment Miroslav Panesivic allait réagir à la présence d'Arnussen — surtout s'il soupçonnait que l'homme était impliqué dans la disparition de son petit-fils.

Mais, quels que fussent les risques qu'ils prenaient, ils se devaient d'agir. L'enquête piétinait, et tout le monde était d'accord : la meilleure façon de la faire avancer consistait à donner un grand coup de pied dans la fourmilière...

Finalement, Jackie se dirigea vers le cœur de la ville. Agrippée au volant, elle manœuvrait dans le flot de voitures, tout en prenant mentalement note de la marche à suivre.

Pour commencer, il fallait interroger de nouveau Barbara Mellon. Jackie se sentait intriguée par cette femme, surtout par ses relations avec sa gouvernante, et elle voulait en avoir le cœur net. Sans doute devrait-elle s'entretenir également avec Monica, dans l'espoir que la femme serait plus loquace en l'absence de sa maîtresse.

Peut-être même Alden Mellon, cette pauvre loque humaine, aurait-il quelque chose d'important à révéler — à condition qu'elle puisse persuader Barbara de la laisser interroger son mari en tête à tête.

Elle avait aussi l'intention de revoir Leigh et Stefan, afin d'écouter une nouvelle fois leurs versions de l'histoire en essayant d'y découvrir une faille quelconque.

D'autre part, elle devait se rendre mercredi, avec Wardlow, chez ces drôles d'oiseaux qui s'occupaient de sauvetage d'enfants — même si elle était persuadée que cette expédition n'allait pas faire avancer l'enquête.

Enfin, il ne fallait pas oublier Adrienne Calder avec son passé mouvementé et son mari fortuné, jusque-là invisible... Oui, il fallait absolument interroger au plus vite Harlan Calder !

Et puis, il y avait Zan, le frère de Stefan, avec sa femme passionnée de politique qui détestait tant Leigh Mellon...

S'arrêtant au feu rouge, Jackie regarda à travers la vitre, soudain alertée. Elle se trouvait dans le quartier chaud de la ville, truffé de peep-shows, de boîtes de strip-tease et de bars louches. Sur fond d'obscurité nocturne, le trottoir au pavé craquelé se détachait avec netteté, inondé par la lumière crue des enseignes au néon. Au coin de la rue, près d'un réverbère, Jackie eut juste le temps d'apercevoir une femme. L'instant d'après, celle-ci plongeait sous l'auvent dans l'ombre de l'entrée d'une échoppe abandonnée.

Intriguée, Jackie se gara devant le pâté de maisons voisin et fit semblant d'arranger son maquillage, tandis qu'elle observait la rue dans le rétroviseur. Elle vit la femme s'aventurer de nouveau dans la lumière et s'immobiliser près du réverbère. En l'étudiant attentivement, Jackie eut la certitude qu'il s'agissait de la même jeune femme qu'elle avait repérée à la station-service deux jours plus tôt.

En fait, en dépit de sa minijupe moulante de cuir noir et de ses hauts talons, on pouvait à peine parler là d'une femme : c'était une toute jeune fille, d'à peine plus de quinze ou seize ans. Ses cheveux blond foncé, coiffés haut, formaient une incroyable tignasse à frange gonflante, et son bustier mettait en valeur une paire de jeunes seins fermes à moitié découverts. Cette tenue sensuelle donnait à la fille un air provocant à souhait, qui contrastait fortement avec sa moue enfantine et ses gestes nerveux et embarrassés.

Du fond de sa voiture, Jackie vit la jeune prostituée attendre quelques instants sous le réverbère, puis regagner de nouveau à la hâte son refuge dès qu'une voiture eut ralenti au coin de la rue. « Elle a peur, pensa Jackie, en proie à une pitié mêlée de sympathie. Elle essaie de racoler, mais chaque fois qu'une voiture s'arrête, elle se sauve et se cache ! »

Jackie fit plusieurs fois le tour du pâté de maisons, regardant la jeune fille répéter la même manœuvre : oser quelques pas vers le réverbère, puis refluer à toute vitesse vers son abri. Enfin, elle se gara de nouveau, descendit de sa voiture et s'approcha de la niche plongée dans l'obscurité.

— Comment t'appelles-tu ? demanda-t-elle, ne distinguant que la masse de cheveux et une paire d'yeux effrayés.

— Casse-toi !

— Ce n'est pas très gentil de parler comme ça, dit Jackie doucement. Monte avec moi un instant !

— Et quoi encore ? marmonna la fille. Vous êtes gouine, c'est ça ?

— Je suis flic, répliqua Jackie en montrant sa plaque. Maintenant, monte !

— Oh, merde, dit la fille d'une voix lasse, comme elle sortait de son coin en se balançant sur ses talons ridiculement hauts.

Elle fit un pas, tituba et faillit tomber. Jackie la rattrapa de justesse par le bras.

— Tu es défoncée ? demanda-t-elle.

— Non. Et je n'ai rien fait de mal ! rétorqua la jeune prostituée, qui essayait de remonter son corsage et tirait nerveusement sur sa jupe.

— Je n'ai pas l'intention de t'arrêter. Je veux simplement te parler une minute.

Elle ouvrit la portière côté passager, et la fille monta, jetant un regard morose à travers la vitre. Jackie contourna la voiture, s'installa au volant, puis alluma la lumière et scruta sa voisine.

— Seigneur, murmura-t-elle. Quel âge as-tu ?

— Dix-neuf ans.

Une vague de rage froide submergea Jackie, rage contre les hommes, la société et le monde entier qui mettaient les enfants sur le trottoir, les obligeant à vendre leur corps. Elle pressa le bras nu et mince de l'adolescente avec une telle force que celle-ci poussa un petit cri de douleur.

— J'ai dit, reprit Jackie sans desserrer les dents, *quel âge as-tu ?*

La fille libéra son bras, se couvrit le visage des deux mains et éclata en sanglots, laissant couler les pleurs inconsolables d'une enfant blessée.

Jackie éteignit la lumière et attendit quelques instants que l'adolescente eût donné libre cours à ses larmes. Enfin, elle dit d'une voix adoucie :

— On va essayer encore une fois, d'accord ? Allez, petite, quel âge as-tu ?

— Quatorze ans, murmura la fille.

16.

— Comment t'appelles-tu ? demanda Jackie.

De nouveau, elle obtint un silence obstiné pour toute réponse. La jeune fille continuait à fixer la rue à travers la vitre, son profil délicat balayé par des vagues successives de néon rouge et vert.

— Ecoute, soupira Jackie. Tu n'es pas obligée de me donner ton vrai nom, d'accord ? Dis ce que tu voudras, pour que je puisse m'adresser à toi.

— Sandy, marmonna la fille sans tourner la tête.

— Tu vois que ce n'est pas si difficile ! Moi, je m'appelle Jackie. Qu'est-ce que tu faisais dans cette rue ?

— Rien de spécial.

— Tant mieux pour toi ! Tu ne peux pas travailler ici. Ce quartier est réservé aux professionnelles. As-tu un mac ?

La fille se retourna, et Jackie saisit un éclair de surprise mêlée de frayeur dans ses grands yeux bleus fardés à outrance.

— Bon, je pense que tu n'en as pas. Ecoute, Sandy, j'essaie de t'expliquer que tu ne peux pas faire du free-lance dans le coin. Sinon, tu risques de te prendre des coups.

— Du free-lance ?

— Pour tapiner, tu es obligée d'avoir un mac, petite,

expliqua patiemment Jackie. Un grand gars bien costaud qui te retirera tout ce que tu gagnes et te versera de l'argent de temps en temps. Si tu t'y lances toute seule, les autres filles te tabasseront. Et si par hasard elles ne te frappent pas assez fort, leurs macs achèveront le boulot.

Sandy détourna la tête et se laissa aller contre la portière, tandis qu'un frisson parcourait ses épaules nues. Otant sa veste Denim, Jackie la tendit à la fille.

— Couvre-toi ! Tu es gelée.

Sandy hésita, puis prit la veste et la pressa contre sa poitrine, soupirant d'aise au contact du tissu chaud.

— Je ne suis pas une... prostituée, marmonna-t-elle enfin avec une grimace de dégoût. Je l'ai fait juste... trois fois. J'ai commencé la semaine dernière.

— Pourquoi ?

— J'avais faim. Je ne savais pas quoi faire d'autre.

Jackie mit le contact et démarra.

— Où allons-nous ? demanda Sandy avec inquiétude.

— Chez moi.

— Pour quoi faire ?

— On verra bien. Tu t'es sauvée de chez toi ?

La fille ne répondit pas, mais Jackie put voir son visage s'assombrir et ses mains se crisper sur la veste remontée sous son menton.

— N'aie pas peur. Nous n'en parlerons que si tu en as envie.

— Qu'allez-vous faire de moi ? Vous ne pouvez pas m'obliger à retourner à la maison. Je préfère mourir plutôt que...

— Tu vas effectivement mourir si tu continues comme ça.

— Ça m'est égal, murmura la fille.

— Bien sûr que non ! Tu veux vivre, Sandy. En ce moment même, tu as tellement faim que tu es prête à te laisser tripoter par un salopard quelconque !

Sandy fondit en larmes. Son Rimmel se mit à couler, laissant des traces noires sur ses joues et son menton.

Les sourcils froncés, Jackie prit un paquet de Kleenex sur le côté de la portière et le lui tendit.

— Débarbouille-toi. Et tâche de ne pas salir ma veste avec cette saloperie !

Sandy inspira profondément, toussa et, extirpant un mouchoir du paquet, entreprit de s'essuyer le visage.

— C'était horrible, marmonna-t-elle enfin. Ces hommes... Ils étaient vraiment horribles !

— Forcément, dit Jackie. Quel genre d'homme va payer pour coucher avec une enfant ? C'étaient des porcs, oui ! Pourtant, ajouta-t-elle, tandis que la fille se mouchait bruyamment et continuait de se frotter les joues, tous les hommes ne sont pas comme ça, Sandy. Le monde est plein d'hommes gentils et courageux, prêts à te défendre, au lieu de te faire du mal. Simplement, tu n'étais pas au bon endroit pour les rencontrer.

Comme Jackie obliquait vers le nord, en direction de son quartier, elle jeta un regard inquiet sur sa passagère affalée contre la portière. La bouche entrouverte, Sandy respirait avec peine, et Jackie se rendit soudain compte que la jeune fille était littéralement morte de fatigue et avait du mal à garder les yeux ouverts.

— Où as-tu dormi ces jours-ci ?

— Où j'ai pu... La nuit dernière, dans une petite rue ; j'ai trouvé des cartons pour me couvrir, mais j'avais trop peur pour dormir. Il me restait encore un peu d'argent de... de la dernière fois que j'ai...

— J'ai compris. Et qu'est-il arrivé à cet argent ?

— Il y avait un type avec un couteau... Il a dit qu'il me tuerait si je ne le lui donnais pas, alors j'ai dû...

La voix de la jeune fille se brisa, sa bouche se remit à trembler.

— Arrête de pleurer, c'est fini. Plus de larmes ! déclara Jackie comme elle entrait dans le parking de son immeuble. Nous sommes chez moi. Je vais te préparer un repas chaud et un bain. Ensuite, tu iras dormir. Nous déciderons plus tard ce qu'on fera de toi.

Manifestement, Sandy était trop épuisée pour discuter. Otant ses chaussures à hauts talons, la veste Denim sur les épaules, elle marcha derrière Jackie à travers le hall d'entrée jusqu'à l'ascenseur.

— Pendant que je te prépare à manger, dit Jackie une fois dans l'appartement, tu vas prendre un bain, et je te donnerai de quoi t'habiller. Ce sera un peu grand, mais ça ira quand même.

Tout en bavardant pour mettre la jeune fille à l'aise, elle se dirigea vers la salle de bains et fit couler l'eau chaude, à laquelle elle ajouta une bonne dose de crème moussante parfumée à la fraise. Puis, ayant sorti une serviette et un drap de bain, elle alla chercher dans sa chambre un slip en coton, une paire de chaussettes et un jogging, qu'elle laissa dans le panier à linge. Pendant tout ce temps, Sandy était restée près de la baignoire, l'air un peu groggy et mal assurée sur ses jambes ; elle ne quittait pas des yeux les bulles roses qui flottaient sur l'eau tourbillonnante.

— Ça sent tellement bon, murmura-t-elle.

La lumière au-dessus de sa tête éclairait avec une netteté impitoyable ses cheveux sales et emmêlés, son jeune visage outrageusement fardé et sa tenue tristement provocante. Comme cette enfant avait dû souffrir, songea Jackie. Et pourtant, elle avait réussi à se garder tout contact avec les souteneurs et les dealers, conservant suffisamment de courage et de volonté pour continuer à résister.

Le souvenir douloureux de sa propre adolescence tourmentée s'imposa à l'esprit de Jackie, et elle en fut si émue qu'elle dut lutter contre le désir de prendre la jeune fille dans ses bras et de la serrer contre elle.

— Enlève le reste de ton maquillage, tu as encore l'air d'un raton laveur, dit-elle d'un ton brusque. Et n'en mets pas sur les serviettes !

Elle sortit le shampooing et le séchoir, puis alla dans la cuisine et entreprit de réchauffer du chili con carne et des macaronis. Elle venait de servir le repas, quand Sandy entra timidement dans la cuisine.

La jeune fille semblait métamorphosée. Ses cheveux, lavés, peignés, séparés par une raie sur le côté, tombaient librement en un flot doré sur ses épaules. Le visage nettoyé, elle portait un jogging bleu marine dont les jambes et les manches, trop longues, formaient des plis en accordéon autour de ses chevilles et de ses poignets. Elle avait l'air d'une collégienne qui aurait enfilé les vêtements de son frère aîné.

Jackie ressentit une nouvelle vague de colère contre le monde en général.

— Assieds-toi et mange, dit-elle d'un ton neutre. Je vais installer ton lit sur le canapé.

Elle sortit à la hâte pour que la jeune fille puisse se restaurer sans se sentir observée. Après avoir déplié le canapé et disposé draps, oreillers et couvertures, elle retourna dans la cuisine, où elle se mit à faire la vaisselle. Sandy avait déjà terminé son repas, laissant les assiettes aussi propres que si elle les eût léchées, et elle était en train de finir son verre de lait.

— Merci beaucoup, dit-elle sur un ton de petite fille sage, en reposant son verre. C'était très bon.

— Je suppose que tout paraît bon quand on a si faim !

La jeune fille baissa la tête, et sa chevelure épaisse lui recouvrit le visage tel un voile doré.

— Vous êtes vraiment flic ? demanda-t-elle. Pourquoi ne portez-vous pas l'uniforme ?

— Je suis inspecteur, et je travaille en civil. Au fait, ajouta Jackie avec une feinte insouciance, je commence tôt demain matin. Tu dormiras sans doute encore quand je partirai, et je ne sais pas à quelle heure je serai rentrée. Je vais donc te laisser un double des clés sur la table. Comme ça, tu pourras sortir te promener dans la journée si tu le souhaites.

Malgré sa fatigue, Sandy écarquilla les yeux en fixant Jackie.

— Vous allez partir et me laisser seule ici ? N'avez-vous pas peur ?

— Peur de quoi ?

— Eh bien... que je vole quelque chose, ou que je fasse venir des voyous qui abîmeront votre appartement...

— Je suis sûre que tu ne feras rien de tel, dit Jackie. Allez, maintenant, au lit ! Tu es morte de fatigue.

Sandy la suivit dans le salon. Comme elle apercevait le canapé transformé en lit, avec des draps propres et des oreillers confortables, ses yeux s'embuèrent de larmes.

— Je ne sais pas quoi dire, murmura-t-elle en lançant à Jackie un regard suppliant. C'est... tellement gentil à vous...

— Tu n'as pas besoin de parler. Installe-toi et dors bien. Tu trouveras la télécommande sur le guéridon, et autant de nourriture que tu voudras dans le frigo. J'ai aussi des livres là-bas, dans la bibliothèque, qui pourront t'intéresser. Je te laisserai d'autres vêtements avant de partir, et j'essaierai de rentrer pour le dîner.

— Et si je me sauve, vous allez me chercher ? demanda la jeune fille du fond de son lit, son visage pâle d'épuisement auréolé de ses cheveux blonds.

— Non, petite. Si tu te sauves, tu devras te débrouiller toute seule.

— Si je reste ici, qu'allez-vous faire de moi ?

— Je ne sais pas. Il faudra en discuter et te trouver un endroit pour vivre si tu ne veux pas rentrer chez toi.

— Je ne peux pas rentrer ! murmura Sandy, le visage déformé par la panique. Plus jamais ! Mon beau-père...

— D'accord, dit doucement Jackie en écartant une mèche du front de la jeune fille. N'en parlons plus. Et je te promets de ne pas prendre de décision sans qu'on en discute ensemble. Ça te va ?

Sandy hocha la tête, et ses yeux se fermèrent instantanément. Elle avait les paupières fines, presque transparentes, veinées de bleu, comme celles d'un enfant. Jackie continua de caresser l'épaisse chevelure dorée.

— Fais de beaux rêves, petite fille ! murmura-t-elle.

Elle attendit encore quelques instants, puis se leva, éteignit la lumière et sortit de la pièce sur la pointe des pieds.

— Alors, la gamine dormait encore quand tu es partie ce matin ? demanda Wardlow, incrédule.

Au volant de la voiture, Jackie acquiesça de la tête, tout en gardant un œil attentif sur la route. Elle emprunta bientôt le tunnel qui menait vers le quartier où habitait Paul Arnussen.

— Comme un loir. Je pense qu'elle n'a pas bougé de son lit depuis qu'elle s'est couchée, il y a huit heures.

— Tu es dingue, Kaminski, déclara Wardlow calmement. Bonne pour la camisole !

— Pourquoi ?

— Parce que tu l'as laissée seule dans ton appartement, et que tu ne sais rien de rien sur cette gosse. Pas même son nom !

— Je ne sais que ce qu'elle m'a dit. Mais j'ai vérifié ce matin, en arrivant, le fichier des enfants portés disparus. Pas de mention d'elle, sous aucun nom.

— Tu vois ? Puisque personne n'a signalé sa fugue, il s'agit très certainement d'une voleuse professionnelle.

— Je ne suis pas très inquiète, répondit Jackie gaiement. Il n'y a rien chez moi qui vaille la peine d'être volé.

Wardlow s'agita sur son siège, puis se mit à tambouriner nerveusement sur l'accoudoir. Jackie lui lança un rapide regard scrutateur avant de se concentrer de nouveau sur la route. Ils roulaient dans la claire lumière du matin, suivis par une voiture de patrouille dans laquelle se trouvaient deux policiers en uniforme, qui étaient censés participer aux recherches à la ferme des Panesivic. En réalité, les effectifs supplémentaires avaient été mobilisés afin de distraire de Paul Arnussen l'attention des habitants de la ferme.

— Il a promis d'être à l'heure, dit Jackie en se garant devant la maison de Cora Lederer.

Le visage toujours maussade, son coéquipier parvint à se ressaisir au prix d'un effort visible.

— Je vais le chercher, déclara-t-il.

A cet instant, la porte s'ouvrit, et Paul Arnussen apparut sur le seuil. Il portait un jean, une chemise à carreaux, une paire de bottes et une casquette de base-ball enfoncée jusqu'aux sourcils.

— Bonjour, dit Jackie, tandis qu'il montait et prenait place sur la banquette arrière. Je vous présente l'inspecteur Wardlow.

Le visage fermé, Arnussen les salua d'un hochement de tête puis se retourna vers la voiture de patrouille qui les suivait.

Jackie démarra et prit la direction de l'autoroute. Wardlow restait muré dans un silence sépulcral, contemplant d'un air morose le paysage qui défilait. Comme Jackie risquait un coup d'œil dans le rétroviseur, elle croisa les yeux noirs d'Arnussen, plus insondables et mystérieux que jamais. Elle soutint ce regard un long moment, puis se détourna, troublée et un peu effrayée.

A la ferme, rien ne semblait avoir changé depuis sa dernière visite. En ce matin de fête, toute la famille était dans le potager, les hommes occupés à biner et à sarcler, les femmes à ramasser les légumes qu'elles déposaient dans leurs paniers.

Même Stefan était là, travaillant à côté de son père et de son frère. Vêtu d'un jean et d'un T-shirt, le professeur Panesivic n'avait pas de couvre-chef, et ses boucles noires luisaient dans la lumière du soleil. La petite Deborah était également dans le jardin, près de sa mère et de sa grand-mère, occupée à faire avancer une poussette de poupée le long du sentier.

— Bonjour, dit Jackie en s'approchant de la petite fille. Comment vas-tu ?

— Regarde mon chaton ! répondit Deborah, qui s'écarta pour que Jackie puisse voir l'occupant de la poussette.

Le chaton noir, un bonnet de dentelle sur le crâne, était posé sur une couverture pliée. Il lança un regard de détresse à Jackie de sous la dentelle et tenta de se dégager. Mais Deborah le retint fermement avec sa petite main.

— Etoile fait une promenade, déclara-t-elle en souriant au chaton furieux. Il adore ça !

Jackie éclata de rire, avant de lever les yeux sur Stefan qui marchait vers elles entre les rangées de pommes de terre.

— Que se passe-t-il, inspecteur ? Mon père m'a averti de votre visite.

— Nous voulons effectuer des recherches à la ferme, répondit Jackie.

— Pourquoi ?

— Nous espérons trouver quelque chose qui puisse nous aider à avancer dans notre enquête.

— Quoi, par exemple ? Pensez-vous que mon fils soit caché dans une de ces granges ?

— Si nous le pensions, répliqua Jackie tranquillement, nous les aurions déjà fouillées. Nous sommes à la recherche d'indices supplémentaires. Votre père nous y a d'ailleurs autorisés.

— Je le sais. Mais je ne comprends pas vos raisons. Vous devriez vous acharner contre les Mellon, au lieu de harceler mes parents.

— D'après ce que vous m'avez dit, ce serait inutile. Puisque vous croyez que les Mellon ont déjà fait quitter la région à Michael, il ne servirait à rien de chercher chez eux !

— Je ne vous ai pas proposé de fouiller leur maison...

Encore que ce serait plus intelligent que de perdre votre temps ici ! remarqua Stefan, la mâchoire en avant. Qui est cet homme ?

Appuyé contre la palissade, Arnussen se tenait à l'écart des policiers. Deux poneys à long poil s'étaient approchés de lui en trottinant, et il leur caressait la tête et les oreilles en leur parlant tout bas.

— C'est un médium, expliqua Jackie.

— Vous plaisantez ! s'exclama Stefan, les yeux ronds, la main crispée sur sa bêche.

— Je puis vous assurer, monsieur Panesivic, que nous ne nous permettons aucune sorte de plaisanterie dans le cadre de cette enquête.

— Quelle farce ridicule ! rétorqua-t-il d'un ton furieux. Mon fils a disparu depuis quatre jours, et tout ce que trouve à faire la police, c'est de servir d'escorte à un cow-boy qui prétend être médium !

Jackie se tourna vers Miroslav qui s'était approché. Ce dernier ôta son chapeau de paille d'un geste galant et se pencha sur la main de la jeune femme.

— Bonjour, inspecteur, dit-il. Comment allez-vous ?

— Ça va, je vous remercie, répondit en souriant Jackie, de nouveau sous le charme de la personnalité chaleureuse du vieil homme. Peut-on commencer, monsieur Panesivic ?

— Bien sûr. Vous souhaitez inspecter les sous-sols et les caves, c'est cela ?

— Oui. Tous les locaux souterrains.

Jackie ignora le regard sarcastique de Stefan et son soupir exaspéré. Sans mot dire, le professeur retourna dans le potager, reprenant sa place auprès de son frère et s'attaquant rageusement aux mauvaises herbes entre les rangées de pommes de terre.

Guidés par le vieil homme, Jackie, Wardlow, Arnussen et les deux autres policiers firent le tour des sous-sols de la maison et des dépendances. Ils descendirent également dans les caves extérieures, pour découvrir en bas des marches des caisses remplies de légumes et des guirlandes d'oignons suspendues aux poutres du plafond. Tandis qu'ils se déplaçaient d'une cave à l'autre, Arnussen se tenait toujours à l'écart, gardant un silence lugubre. Enfin, quand ils furent sortis dans la lumière du soleil, il prit Jackie par le coude, l'obligeant à faire quelques pas avec lui.

— Nous perdons notre temps, il n'y a rien ici, déclara-t-il.

— Vous êtes sûr ?

— Certain. Ce n'est pas ce que j'ai vu. Le gosse est toujours sous terre, mais pas ici.

— Toujours sous terre ? répéta Jackie, subitement tendue.

— Oui, fit Arnussen, suivant des yeux les chevaux qui, au loin, galopaient à travers le pré.

— Est-il en vie ? demanda Jackie, le cœur battant à tout rompre.

— Je pense que oui. Si ce n'était pas le cas, je ne recevrais plus rien de lui.

— Et vous... recevez toujours quelque chose ?

— C'est très faible, mais le contact existe. En tout cas, il n'est pas ici.

— Bien. Allons chercher ailleurs.

Elle appela Wardlow d'un geste. Après un bref conciliabule avec son coéquipier, elle échangea quelques mots avec les deux policiers en tenue. Ces derniers regagnèrent leur voiture et quittèrent la ferme.

— Pourquoi notre escorte nous laisse-t-elle tomber ? s'étonna Arnussen.

— Parce que je ne suis pas autorisée à fouiller ailleurs qu'ici. Si nous décidons d'étendre nos recherches à d'autres résidences, il faudra que j'arrange cela par téléphone ce soir. En attendant, nous pouvons passer à côté de certains endroits et voir si vous avez des perceptions, d'accord ?

Jackie remercia Miroslav pour sa collaboration et remonta dans sa voiture. Toute la famille Panesivic, y compris la petite Deborah, agrippée à sa poussette de poupée, s'était réunie à la sortie du jardin pour observer leur départ.

Sur le chemin du retour, Arnussen et Wardlow ne desserrèrent pas les dents, se contentant de regarder défiler le paysage et les animaux. Silencieuse elle aussi, Jackie conduisait, songeant à Arnussen. L'homme demeurait une véritable énigme pour elle. Impossible de dire s'il gardait Michael Panesivic dans une cachette quelconque, ou s'il prenait simplement plaisir à se trouver au centre de l'attention générale et à dérouter la police...

Pourtant, il fallait bien le reconnaître, il ne devait pas éprouver beaucoup de plaisir en ce moment même. Installé sur le siège arrière, bras croisés, sourcils froncés, il regardait par la vitre d'un air aussi morose et malheureux que Wardlow — lequel avait sacrifié en pure perte une journée de congé et en semblait de plus en plus affecté.

Pendant tout le reste de la matinée, ils roulèrent à travers la ville, passant devant la maison d'Adrienne Calder, la résidence des Mellon, le jardin coquet de la baby-sitter et l'immeuble du campus où habitait Stefan.

Jackie observa attentivement Arnussen dans le rétroviseur au moment où ils s'approchaient de ces deux derniers endroits, car Helen Philps et Stefan avaient tous deux affirmé reconnaître l'homme de la photo. Mais Arnussen ne broncha pas. Sa seule et unique réaction pendant le voyage fut l'intérêt qu'il manifesta lorsqu'ils passèrent lentement devant la maison de Leigh Mellon, qui semblait triste et abandonnée en cette matinée de fête.

— C'est la mère qui habite ici, expliqua Jackie. Vous voyez, la maison blanche aux bordures vertes...

— Je sais. J'ai reconnu l'adresse. Qu'est-ce qu'elle fait aujourd'hui ? demanda-t-il, se redressant sur son siège pour avoir un meilleur point de vue.

— Elle est allée passer quelques jours chez sa sœur, répondit Jackie d'un ton brusque. Elle est dans un piteux état, et la famille ne veut pas qu'elle reste seule.

Il hocha la tête, se renversant de nouveau sur le dossier de la banquette.

— L'un des endroits où nous sommes passés vous a-t-il évoqué quelque chose ? demanda Jackie.

Arnussen secoua négativement la tête.

— Dans ce cas, on vous ramène.

Elle fit demi-tour et se dirigea vers Cannon Hill, où se trouvait la maison de Cora Lederer.

Wardlow se remit à tambouriner sur son accoudoir d'un air impatient et furieux. Jackie lui jeta un coup d'œil pour le rappeler à l'ordre, et il obéit, s'absorbant de nouveau dans la contemplation du paysage. Ils roulèrent de nouveau en silence, tandis que, devant eux, le soleil de midi inondait la route de flots d'or liquide.

17.

Après avoir raccompagné Arnussen chez lui, ils achetèrent des sandwichs et de la salade dans une épicerie ouverte et retournèrent au commissariat, qui, en dépit du jour férié, bourdonnait d'activité.

Sombre comme un ciel d'orage, Wardlow s'installa à son bureau.

— Nous sommes dans la merde ! marmonna-t-il. Dans une merde noire. Nous n'avons pas avancé d'un pouce, Kaminski. Nous tournons en rond, un point c'est tout !

— Tu veux qu'on en discute ? proposa Jackie en sortant du sac en papier un sandwich au fromage et une barquette de salade de chou rouge, pour les passer à Wardlow.

— Qu'on discute de quoi ?

— De ce qui te ronge. Tu te sentiras peut-être mieux en parlant.

— Super, s'écria-t-il sur un ton sarcastique. Une séance de relaxation avec un psy amateur ! Et si nous parlions de *tes* problèmes, Kaminski ? De tes amours qui vont tambour battant, et de ta grand-mère qui te parle uniquement quand elle est soûle, histoire de pouvoir te balancer impunément toutes les méchancetés qui lui viennent à l'esprit !

Si malveillante que fût cette pique, Jackie s'efforça de

ravaler la réplique qui lui montait aux lèvres. Son coéquipier cherchait sans doute à la provoquer. Il avait lui-même si mal qu'il avait besoin de susciter la bagarre, au risque d'éloigner de lui la seule personne capable de comprendre sa peine.

— Tu as raison, dit-elle enfin. Je ne suis certainement pas habilitée à te conseiller en quoi que ce soit. Je n'ai jamais vécu une relation suivie avec quelqu'un. C'est vrai, je ne sais même pas ce qu'on ressent dans ces cas-là... Mais je suis prête à t'écouter si tu le souhaites.

— Je sais, fit Wardlow en s'affaissant sur son bureau, la tête entre ses mains. Désolé, Kaminski. Je suis le roi des cons. Il m'est tellement difficile de...

Sa fourchette en plastique suspendue au-dessus de sa salade, Jackie s'apprêtait à écouter, mais, apparemment, Wardlow avait décidé d'en rester là de ses effusions.

— Ce pauvre gosse, murmura-t-il. Ça me rend fou ! Est-il seulement en vie ? Il pourrait aussi être caché quelque part, affamé, battu, torturé... tandis qu'on est là, à se tourner les pouces.

— Pour l'amour du ciel, Brian ! s'exclama Jackie, incrédule, en dévisageant son coéquipier. Comment peux-tu dire qu'on est là à se tourner les pouces ?

— Oh pardon, j'oubliais, rétorqua-t-il amèrement. Nous avons sacrifié notre jour de congé pour faire une balade à la campagne et montrer à un charpentier-médium quelques coqs et une guirlande d'oignons séchés.

— Arrête, Brian. Nous faisons tout ce qui est humainement possible. Nous y avons déjà passé des heures. Ecoute-moi, insista-t-elle en entreprenant d'énumérer les points en dépliant successivement les doigts. Dix-sept policiers ont travaillé tout le week-end, ne négligeant aucun indice. Des milliers de portraits de Michael ont été affichés partout dans l'Etat et dans le pays. Nous gardons le contact avec des centaines de commissariats grâce au FBI. Leigh Mellon a passé un test au détecteur de mensonges, un autre est prévu, et Stefan Panesivic s'est porté volontaire pour en passer un également.

— Lui aussi ? Tu ne m'en as pas parlé.

— J'avais l'intention de l'annoncer au briefing de demain matin. Il a appelé hier et l'a proposé de lui-même. On le lui fera passer la semaine prochaine, dès que le sergent Kravitz sera revenu de vacances.

Jackie s'arrêta pour parcourir ses notes, tandis que Wardlow approuvait de la tête, les yeux fixés sur l'écran de son ordinateur.

— Des agents de police ont également visité les résidences secondaires des Mellon, une à Palm Beach, l'autre à Cabo San Lucas, sans oublier d'interroger les voisins. Quant à toi et tes hommes, vous avez montré les photos de tous les suspects dans cette affaire à chaque individu qui avait pu se trouver dans le centre commercial vendredi soir.

— Tout cela en pure perte, grogna Wardlow.

— Mais nous ne sommes pas restés les bras croisés. Et demain, toi et moi allons tous deux rendre visite aux « sauveurs » d'enfants et secouer le cocotier... Et puis, il y a d'autres rendez-vous prévus pour la semaine et le week-end prochain ! Personnellement, j'ai passé au moins cinquante heures sur cette affaire, à interroger les suspects et à m'occuper de la paperasserie, et tu en as fait autant.

— Ouais, je sais, répliqua Wardlow d'un air pensif, son sandwich à la main. Et pourtant, j'ai l'impression qu'on a à peine entamé la véritable enquête. Nous ne faisons rien de vraiment important.

— Qu'entends-tu par là ?

— Pour commencer, il faudrait fouiller la résidence Mellon. Tout le monde semble convaincu que le gosse est chez eux.

— Mais c'est impossible ! Barbara Mellon a dit clairement qu'elle s'y opposerait, et je ne pourrai jamais obtenir un mandat.

— Pourquoi pas, puisque les gens pensent que le gosse y est ?

— Quels gens ? soupira Jackie. Stefan Panesivic, qui déteste sa belle-mère ? D'ailleurs, elle le lui rend bien. Même si Michael se trouve quelque part dans la maison des Mellon, nous ne pourrons jamais prouver qu'il court un danger imminent. Leigh objecterait qu'elle avait confié son fils à ses parents pour le protéger... On pourrait leur imputer un délit mineur, les accuser par exemple d'entrave à la justice, mais en aucun cas justifier un mandat de perquisition contre leur gré — d'autant que leur fille a légalement le droit de garde. Quel juge nous donnera un mandat dans de telles conditions ?

— A ton avis, c'est impossible ?

— Un mandat pour fouiller la maison de l'ancien procureur général à la recherche de son petit-fils ? Tu n'y penses pas. Ecoute, Brian, reprit Jackie, tu te fiches de moi ou tu crois réellement que le gosse est chez les Mellon ?

— Je suis d'accord, reconnut Wardlow en posant son sandwich. Ce n'est pas très crédible. S'ils l'ont enlevé, pourquoi n'auraient-ils pas mis la mère au courant ? La pauvre femme souffre l'enfer, cela se voit. Je ne pense pas que Leigh Mellon imagine son petit garçon en sécurité avec Mamie et Papi. Si elle le croyait, elle ne serait pas aussi désespérée.

— Oh, il faut que je consulte mes notes ; quelqu'un m'a dit récemment que Leigh est le plus faible maillon de leur chaîne, et que si les Mellon combinaient quelque chose de louche, Leigh serait la dernière à être mise au courant.

— Seigneur, quelle famille ! Elle semble aussi tordue que la tienne, Kaminski.

— J'en ai bien peur, confirma Jackie, qui se réjouissait que son coéquipier fût de nouveau capable de plaisanter — même si c'était à ses dépens. Mais n'oublie pas que les Mellon ne tiennent qu'aux apparences, et que l'argent est leur arme principale. Dans ma famille à moi, on ramasse tout simplement ce qui tombe sous la main, sans y regarder à deux fois.

Elle pressa la touche haut-parleur du téléphone, composa son propre numéro et écouta les longues sonneries à l'autre bout du fil, puis sa voix sur le répondeur proposant de laisser un message.

— Sandy ? dit-elle d'une voix retenue, pour essayer de cacher l'inquiétude qui s'était soudain emparée d'elle. Tu es là ? C'est Jackie. Réponds si tu es là !

Un long silence s'ensuivit. Ignorant le regard sarcastique de Wardlow qui écoutait depuis son bureau, elle reprit dans le combiné :

— Bon, tu dois encore dormir, ou peut-être es-tu sortie... Je te rappellerai plus tard. Je voulais juste te dire que je serai absente de mon bureau cet après-midi, mais que je rentrerai vers 6 heures. A bientôt.

Elle raccrocha et leva les yeux pour affronter le regard de Wardlow.

— Ainsi, elle ne répond pas ! déclara-t-il d'un air triomphant.

— Et pourquoi cela te réjouit-il à ce point ?

— J'aime bien te voir dans tous tes états ! Cela prouve que tu es humaine, après tout.

— Ce n'est pas très charitable de ta part, remarqua froidement Jackie. Rien que pour ça, je refuse de partager avec toi les restes de cette salade.

— Tu ferais mieux de passer chez toi, suggéra Wardlow. Et de vérifier l'état de ta vaisselle.

— Tu veux dire, la porcelaine de famille avec les armoiries en or, mon argenterie avec les battes de baseball croisées, les effigies des cafards et l'initiale K pardessus ?

— C'est exactement ce à quoi je pensais, dit-il dans un accès de rire spontané et sincère qu'elle ne lui avait pas entendu depuis longtemps.

— J'ai toujours détesté ce service de table. De plus, j'ai tellement reçu ces derniers temps, que les fourchettes à huîtres et les petites cuillers sont complètement usées. La gamine peut les emporter sans problème.

Malgré le ton badin qu'elle tentait d'adopter, Jackie sentait l'anxiété s'emparer d'elle. Sur le coup, elle n'avait pas hésité à accorder toute sa confiance à la jeune fille, mais, maintenant que le doute s'était insinué dans son esprit, la seule idée de rentrer et de trouver son foyer abandonné par celle qu'elle avait accueillie la faisait frémir.

— Je ne plaisante pas, Kaminski, dit Wardlow d'une voix adoucie. Tu devrais aller chez toi, voir ce qui se passe.

— Je n'ai pas le temps, trancha Jackie en prenant son dossier et son calepin.

— Où vas-tu cet après-midi ?

— Je retourne à la ferme. Miroslav m'a dit que Zan et Mila y passaient toute la journée. J'ai envie de les interroger tous les deux, puis de visiter leur appartement.

— Où habitent-ils ?

— Dans la vallée, un immeuble en copropriété. Les deux collègues qui y sont allés hier disent que c'est un appartement minuscule, avec des murs fins comme du papier, mais que la décoration intérieure est superbe. Apparemment, Mila maîtrise son job.

— Mila, c'est la jolie petite brune, la mère de la gosse au chaton ?

— Oui, le chaton coiffé d'un bonnet, confirma Jackie en riant. Il est mignon avec toute cette dentelle, mais je doute qu'il soit commode.

— En revanche, reprit Wardlow avec sérieux, Mila Panesivic n'a pas tout à fait l'air du dragon que tu as décrit. Elle m'a bien plu. Nous avons eu le temps de bavarder un peu dans le jardin.

Jackie repensa à la séduisante belle-sœur de Stephan.

— C'est vrai. Elle semblait beaucoup plus douce et de meilleure humeur aujourd'hui. Il faut dire que personne ne parlait politique. Et puis, même s'il est vrai qu'au début, elle n'était pas mécontente d'imaginer Leigh folle d'inquiétude, aujourd'hui elle se fait réellement du souci à propos de Michael.

Wardlow alluma son ordinateur et se mit à taper ses notes.

— Quel est ton programme dans l'immédiat ? s'enquit Jackie.

— Je reste ici. Après le déjeuner, des collègues du commissariat du centre-ville vont apporter de nouvelles données. Il faudra les vérifier toutes — depuis les numéros d'immatriculation jusqu'aux moindres affirmations, et passer quelques coups de fil aux témoins éventuels. Michelson pense que les gens seront plus faciles à joindre cet après-midi. Le moindre détail peut se révéler capital. Et pourtant...

Wardlow s'interrompit, et Jackie attendit en vain la phrase qui ne venait pas. Elle vérifia son holster et mit son calepin dans son sac. Après un long silence, son coéquipier se décida à poursuivre :

— Je pense que c'est Arnussen le coupable. Il a enlevé le gosse et l'a caché quelque part. Maintenant, il est déchiré entre le désir de sauver sa peau et la tentation de continuer à jouir impunément de son crime.

— Qu'est-ce qui te fait croire cela ?

— Je ne sais pas au juste, avoua Wardlow en fronçant les sourcils. D'une certaine manière, ce type... me fait peur. As-tu remarqué ses yeux, Kaminski ?

Jackie acquiesça. S'il y avait une chose qu'elle ne parvenait pas à oublier, c'était bien ces yeux obliques, brillant d'un éclat mystérieux au-dessus des hautes pommettes carrées, comme sculptées dans le bronze.

— Il ne te fait pas peur, à toi ? poursuivit Wardlow. Dis la vérité !

— Si, répondit-elle après un moment d'hésitation. Très peur, même. Mais je ne suis pas sûre qu'il soit coupable. Et, de toute façon, nous n'avons pas assez de preuves pour l'épingler !

— En tout cas, ne le perdons pas de vue. Pas un instant.

— Il est sous surveillance permanente, assura Jackie. Chaque policier dans la région connaît la description d'Arnussen et de son véhicule sur le bout des doigts. Où qu'il aille, il peut être sûr qu'on le suivra.

Comme Jackie se dirigeait à présent vers la porte, Wardlow l'arrêta d'un geste.

— J'ai quinze minutes avant que les gars n'arrivent, Kaminski. Tu ne veux pas que je fasse un saut à ton appartement ?

— Merci, Brian, dit Jackie en secouant la tête. Je ne suis pas inquiète. Je suis sûre qu'il n'y a aucun problème !

Il était presque 18 heures lorsque Jackie acheva les derniers entretiens à la ferme des Panesivic et la visite du petit appartement habité par Zan et Mila. Non seulement elle n'y avait découvert aucun indice concernant l'endroit où Michael était caché, mais elle avait acquis la certitude que, pour toute la famille Panesivic, l'enfant se trouvait entre les mains des Mellon. Elle passa voir Wardlow au commissariat pour l'informer de son enquête, puis rentra chez elle, se demandant bien ce qui l'y attendait.

De l'extérieur, tout paraissait inchangé. Seuls les stores de la baie du salon avaient été ouverts.

Elle prit l'ascenseur, puisa ses clés au fond de son sac et ouvrit la porte silencieusement. Depuis le seuil, elle n'apercevait qu'un coin de cuisine. Sur la table mise pour deux personnes, les couverts et les verres à eau avaient été disposés avec un soin méticuleux, et le panier recouvert d'une serviette de lin rouge contenait du pain découpé en tranches.

Jackie poussa un soupir de soulagement et s'apprêtait à appeler sa protégée, lorsqu'une douce mélodie provenant de la pièce voisine la fit taire. Elle reconnut l'air enjoué de Vivaldi, un concerto pour flûte qu'elle affectionnait particulièrement. En proie à un plaisir mêlé d'étonnement, elle s'immobilisa, se demandant par quel miracle la jeune fille avait précisément choisi ce morceau. Avait-elle deviné que c'était l'air favori de son hôtesse ?

Comme Jackie refermait la porte, accrochant sa veste près de l'entrée, la musique s'arrêta brusquement. Elle se précipita dans le salon, pour découvrir sa chaîne stéréo éteinte et Sandy, assise jambes croisées sur l'ottomane, les mains posées sagement sur les genoux, le visage rougi et un peu coupable. Jackie remarqua tout de suite qu'on avait touché à son étui à flûte : apparemment, on venait de le refermer et de le pousser sous l'ottomane.

— Ah, bonjour, s'exclama la fille avec un sourire forcé. La journée s'est bien passée ?

— Ça a été, répondit Jackie, perplexe, se demandant si elle n'avait pas rêvé l'air enchanteur de Vivaldi. Et toi ?

— Super, répliqua Sandy, avant de se lever d'un bond et de se diriger vers la cuisine. J'ai préparé de la salade, et puis des carottes au micro-ondes... Et j'ai décongelé les steaks que j'ai trouvés dans le frigo. J'ai bien fait ?

— Très bien. As-tu reçu mon message ?

— Oui, mais je devais être dehors quand vous avez appelé. Je suis allée me promener. C'est tellement merveilleux de savoir qu'il y a une maison qui vous attend, ajouta la jeune fille d'une voix timide.

Jackie, de nouveau submergée par une vague de sympathie, se détourna par pudeur.

— Je vais me changer, dit-elle en s'éloignant vers sa chambre. Tu sauras passer les steaks au gril ?

— Bien sûr, voyons ! cria la jeune fille depuis la cuisine.

Souriant au ton indigné de sa voix, Jackie enferma son

arme dans le tiroir de sa table de chevet, se lava le visage et les mains et, après avoir enfilé un short kaki, regagna la cuisine où Sandy était en train de servir la salade et les steaks.

— C'est formidable ! s'exclama Jackie en fixant son assiette d'un air affamé. Ça fait des siècles que je n'ai pas mis les pieds sous la table en rentrant !

— J'ai discuté avec une dame très gentille de l'autre côté du palier, déclara Sandy en s'installant à son tour. Elle a une petite fille qui s'appelle Tiffany.

— C'est Carmen, une amie. Elle n'a pas été étonnée de te voir sortir de chez moi ?

— Je lui ai dit que j'étais votre cousine, dit Sandy en rougissant violemment. Ce n'est pas grave ?

— Du tout. Carmen sait que j'ai des tas de cousins et cousines. Une de plus, une de moins...

Sandy hocha la tête avec soulagement. Tandis qu'elle s'attaquait à sa salade, Jackie l'observa à la dérobée, intriguée par la métamorphose qui s'était opérée chez la jeune fille. Moins de vingt-quatre heures plus tôt, elle avait ramassé au coin de la rue une femme fardée, l'injure à la bouche. Maintenant, elle partageait son dîner avec une enfant à l'air attachant et bien élevé, apparemment pleine de talents cachés.

— Carmen dit qu'elle a tout le temps besoin d'une baby-sitter, poursuivit Sandy. J'ai pensé que je pourrais garder Tiffany et d'autres enfants de l'immeuble. Comme ça, je gagnerais un peu d'argent pour vous payer un loyer. Je ne veux pas vivre à vos crochets.

— Ma chérie, tu ne peux pas vivre ici avec moi, dit Jackie, à la fois émue et attristée par la proposition de Sandy.

— Pourquoi pas ?

— Parce que je ne peux pas t'offrir une vie de famille normale. Je travaille presque tout le temps... Toi, il te faut un environnement stable, des gens avec qui tu puisses communiquer et qui prennent soin de toi...

— Je n'ai pas besoin de tout ça. Je peux prendre soin de moi toute seule.

— Comme tu le faisais la nuit dernière ?

Sans répondre, la jeune fille fixa son assiette d'un air renfrogné.

— Parle-moi de ta maison, demanda Jackie. Pourquoi ne peux-tu pas rentrer chez toi ?

Tout ce qu'elle pouvait voir, c'était la chevelure de Sandy qui recouvrait son visage d'un voile doré, et ses doigts crispés sur la fourchette.

— Que fait ton père ? insista Jackie, observant attentivement la jeune fille. Je suppose que tes parents ont en tout cas les moyens de te payer des leçons de flûte !

— Je... je suis vraiment désolée, murmura Sandy en levant un visage cramoisi vers Jackie. Je n'aurais pas dû y toucher, mais c'était plus fort que moi...

— Ce n'est pas grave, assura Jackie en souriant. Cela dit, ma pauvre vieille flûte doit encore être sous le choc ! Ce n'est pas souvent qu'on en joue avec un tel savoir-faire.

— Ça vous a plu ? demanda Sandy, le visage illuminé de plaisir.

— J'étais persuadée que tu passais un disque. Tu as beaucoup de talent, Sandy. Cela fait des années que j'essaie d'apprendre à jouer comme ça — sans y parvenir... Et maintenant, raconte-moi qui est ton père, conclut Jackie.

— Mon beau-père, corrigea Sandy, le regard de nouveau fixé sur son assiette. Il est médecin. Quant à mon père, il est mort il y a cinq ans, dans un accident sur son bateau.

— Je vois. Et tu ne t'entends pas avec ton beau-père ?

— Je le hais ! explosa soudain Sandy, le visage déformé par une expression d'angoisse mêlée de dégoût. Je voudrais le tuer... Prendre votre revolver et lui mettre une balle entre les deux yeux !

— Et ta mère? demanda Jackie après un instant de réflexion. Elle ne te manque pas? N'aimerais-tu pas...

La fille se leva brusquement et sortit en courant de la cuisine. Jackie entendit claquer la porte d'entrée. Elle se précipita dehors, juste à temps pour voir la porte de l'escalier se refermer sur Sandy. Après avoir vainement attendu dans le couloir, elle retourna dans son appartement et finit son repas en silence.

Une heure passa, mais Sandy ne revenait toujours pas. Jackie débarrassa, fit la vaisselle, puis fouilla rapidement toutes les corbeilles et poubelles de l'appartement. Rien! Sans se décourager, elle descendit au sous-sol et entreprit d'examiner les bennes à ordures situées près du parking.

Enfin, elle trouva ce qu'elle cherchait : un sac de papier marron contenant la minijupe de cuir, le corsage et les chaussures à hauts talons que Sandy portait la veille. Dans la poche de la jupe, elle découvrit un portefeuille rouge, vide à l'exception d'une carte d'identité.

Après avoir jeté les vêtements dans la benne, elle remonta avec la carte. La fille s'appelait en réalité Alexandra Gerard. Elle avait quatorze ans et cinq mois, et habitait à Seattle.

Jackie se lava les mains, s'installa sur le canapé et, prenant une longue inspiration, composa le numéro de téléphone qui figurait sur la carte. Une voix de femme répondit à l'autre bout du fil.

— Madame Gerard? demanda Jackie.

— Je m'appelle Mme Collins. Que désirez-vous?

— Connaissez-vous Alexandra Gerard?

— Oui, acquiesça la femme après un long silence tendu. Alex est ma fille, mais elle n'est pas là en ce moment. Elle est partie chez des amis de collège pour les vacances d'été.

— Je suis l'inspecteur Kaminski, de la police de Spokane. Votre fille n'est pas chez des amis de collège. En fait, elle a passé un moment chez moi.

Le silence s'éternisa, si bien que Jackie se demanda si la femme n'avait pas raccroché.

— Est-ce qu'elle... va bien ? demanda enfin son interlocutrice d'un ton réticent.

— Pas vraiment. En réalité, elle est dans une situation plutôt désespérée. Que se passe-t-il, madame Collins ? Pourquoi s'est-elle sauvée de la maison ?

— Alex est une fille très difficile, répondit froidement la femme. Elle échappe à tout contrôle. Je n'arrive plus à la maîtriser.

— Voyons, elle n'est pas si méchante, objecta nerveusement Jackie, enroulant le fil du téléphone autour de ses doigts. Pourquoi ne pas essayer de résoudre vos problèmes en lui donnant une nouvelle chance ? Quand elle reviendra à la maison...

— Elle ne peut pas revenir ici, coupa la femme d'une voix inquiète. Je ne le lui permettrai pas !

— Pourquoi pas ?

— Elle essaie de... briser mon ménage. Elle a séduit mon mari !

Jackie songea à la colère de Sandy, et à la façon dont elle déclarait vouloir tuer son beau-père...

— Ecoutez, poursuivit la femme d'un ton presque suppliant. Nous sommes mariés depuis peu. David et moi avons besoin d'un peu de temps, tous les deux. Et Alex, avec son physique...

— Elle a le physique d'une enfant de quatorze ans, madame Collins, dit Jackie calmement.

— Mais il la regarde comme si... Un jour, le mois dernier, je suis rentrée du club de bridge, et il était dans sa chambre. Alex pleurait, et elle a affirmé qu'il l'avait agressée, mais je sais que David ne serait pas capable d'une chose pareille ! Elle était... Elle a continué à l'aguicher, et il a craqué, comme n'importe quel homme l'aurait fait à sa place ! Je ne veux pas qu'elle revienne... Je ne veux pas d'elle dans ma maison ! conclut-elle sur une note hystérique.

— Et que proposez-vous qu'on fasse de votre fille, madame Collins ? demanda Jackie, s'efforçant de dominer sa colère.

— Je ne sais pas. Vous pourriez peut-être lui trouver une famille d'accueil ? J'enverrai de l'argent pour elle. L'argent n'est pas un problème. Mais je ne veux pas qu'elle revienne à la maison !

— Compte tenu de vos sentiments, déclara Jackie, je doute que, de son côté, Sandy... Alex souhaite retourner chez vous.

— Alors, c'est entendu ? Vous lui trouverez un foyer, pour qu'elle ne revienne pas à Seattle ?

— Il faudra bien, soupira Jackie.

— Donnez-moi une adresse, afin que je puisse envoyer de l'argent, dit la femme d'un ton pressé.

— La brigade des mineurs vous contactera, madame Collins, trancha Jackie, contenant difficilement son indignation.

Elle raccrocha, sachant que si la communication durait un instant de plus, elle risquait d'exploser et de lancer à la femme des propos qu'elle regretterait par la suite.

Elle demeura encore un instant à contempler le crépuscule qui tombait lentement au-dehors. Enfin, elle sortit de l'appartement et arpenta le quartier, cherchant des yeux une longue chevelure blonde et un T-shirt jaune. Mais la jeune fille avait disparu sans laisser de trace.

Dépitée, Jackie se décida enfin à rentrer. Elle hésita à prendre sa voiture et à parcourir les rues au hasard, puis finit par y renoncer, consciente que ses chances de croiser la jeune fille étaient quasi nulles. Elle prit un bain et se coucha, essayant vainement de trouver un peu de paix dans la lecture. Elle éteignit bien après minuit et resta étendue dans l'obscurité, à scruter les ombres au plafond.

Peu avant 2 heures du matin, elle entendit un bruit léger dans l'entrée. Elle se releva d'un bond, la main tendue vers le tiroir où elle gardait son revolver. Des pas retentirent dans le couloir. L'instant d'après, Jackie vit se profiler dans l'encadrement de la porte une mince silhouette auréolée d'argent sous le clair de lune.

— Vous dormez ? murmura la fille.

— Pas encore. Entre, Alex, dit Jackie en allumant sa lampe de chevet.

— Comment savez-vous mon nom ? murmura l'adolescente d'un air apeuré.

— J'ai fouillé dans la benne à ordures, et j'ai trouvé ta carte d'identité dans la poche de ta jupe. J'ai également discuté avec ta mère.

Alexandra se glissa timidement dans la chambre et s'assit sur le bord du lit en se tordant les mains dans un geste d'angoisse.

— Ma mère ? Qu'est-ce qu'elle vous a dit ?

— Que tu as séduit ton beau-père.

Serrant sa tête entre ses mains, la fille fondit en larmes, ses frêles épaules secouées par des sanglots.

— Est-ce vrai ? demanda Jackie.

Alex secoua la tête, détournant le regard.

— Maman est folle de lui... Mais c'est un vrai connard ! Il n'arrêtait pas de me reluquer d'une drôle de façon... Enfin, vous savez. J'ai essayé de dire à maman que j'avais peur de lui, mais elle ne voulait pas m'écouter. Elle me traitait comme si c'était ma faute... Puis, un soir, maman n'était pas là, et il est venu dans ma chambre. Alors, il... il a...

— J'ai compris, murmura Jackie, qui sentait son cœur se déchirer. Qu'est-il arrivé ensuite ?

— Maman est rentrée, et elle l'a surpris. Elle est littéralement sortie de ses gonds ! Elle m'a traitée de tous les noms... C'était affreux.

— Et qu'as-tu fait ?

— J'ai pris tout l'argent que j'avais sur mon compte, et je suis venue ici. Je pensais trouver un boulot. Mais c'était si dur...

Alex avala péniblement sa salive et recommença à pleurer. Jackie la prit dans ses bras en chuchotant :

— Ça va aller, chérie. C'est fini.

— Je ne peux pas retourner à la maison, gémit Alex. C'est vraiment impossible...

— Je le sais. Nous allons trouver une autre solution.

— Quelle... solution ?

— Je ne sais pas encore, dit Jackie en caressant la masse emmêlée des cheveux dorés. Va te coucher. Nous en parlerons demain matin.

— Et vous n'allez pas me forcer à retourner à la maison ?

Jackie prit à deux mains le visage de la jeune fille et la fixa droit dans les yeux.

— Tu ne vas pas rentrer, parce que ces gens ne te méritent pas, Alexandra Gerard ! Ne l'oublie jamais. Ils ne méritent pas une fille comme toi !

Alex croisa son regard pendant un long moment, puis se passa la main sur la figure en essuyant ses larmes. Enfin, elle quitta la chambre d'un pas hésitant, et regagna dans le salon le canapé qui lui servait de lit.

18.

Malgré l'heure matinale, la halle aux fruits et légumes grouillait d'activités. Des camions chargés de primeurs se rapprochaient des chariots élévateurs, attendant d'être déchargés. Dans l'ombre du toit métallique, les employés triaient des montagnes d'oignons, de concombres et de pommes de terre, tandis que les surveillants passaient, armés de leurs liasses de bordereaux.

Installés dans leur voiture de police non loin de l'entrée, Jackie et Wardlow observaient un groupe de femmes, les cheveux recouverts d'une résille, pendant qu'elles rangeaient les tomates dans des caisses en carton. Aujourd'hui, c'était le tour de Wardlow de conduire, et il tambourinait sur le volant du même air ennuyé que la veille.

— Arrête, dit Jackie en ouvrant son calepin.

— Arrêter quoi ?

— De frapper comme tu le fais. Ça m'énerve !

— Et tu prétends que c'est *moi* qui suis à cran ! grogna-t-il. Moi, au moins, j'aurais toutes les raisons d'être énervé. Le ciel me tombe même sur la tête !

Jackie tourna la tête vers lui.

— Qu'est-ce qui... ?

— Sarah n'est pas rentrée la nuit dernière. J'ai regardé des vieux films à la télé jusqu'à 4 heures du matin. Elle a fini par se glisser dans la maison comme une voleuse, juste à l'aube.

— Et tu l'as questionnée ? demanda-t-elle en scrutant avec sympathie le visage livide et les yeux cernés de son camarade.

— Bien sûr. Elle a prétendu que son amie Connie traversait un moment difficile, et qu'elle est restée avec elle dans sa bicoque près du lac, où il n'y avait pas le téléphone.

— Tu l'as crue ?

Wardlow émit un bref rire sans joie et détourna le regard.

— Au fond, hasarda Jackie, ce n'est pas mauvais signe, Brian. Le fait qu'elle se donne la peine de te mentir prouve que, malgré tout, elle n'est pas prête à tout envoyer promener.

— T'es vraiment un sacré numéro, Kaminski, remarqua Wardlow avec un ricanement lugubre. Tu le sais ?

— Pourquoi ?

— Parce que, si horrible soit la situation, tu lui trouves toujours un aspect positif ! T'es une optimiste pure et dure, avec un cœur d'acier et un revolver à la main !

Jackie s'accorda un instant de réflexion avant de répondre.

— Ma vie n'a pas toujours été facile, dit-elle enfin. Et je crois que Nietzsche avait raison. Tout ce qui ne vous tue pas vous rend plus fort.

— Nietzsche ? On dirait un éternuement !

— C'était un philosophe allemand, ignare ! s'écria Jackie en donnant une tape sur le bras de son coéquipier. Un type vraiment intéressant. Je devrais te prêter ce livre... Alors, on y va ? ajouta-t-elle. Il est 8 h 30 !

— Ouais. On peut commencer notre journée par une autre impasse...

— Ecoute, reprit Jackie. Arnussen est persuadé que la cachette du gosse a été soigneusement choisie et préparée. Or ces gens qui enlèvent les enfants pour les expédier ensuite à l'étranger sont des experts en la matière. Peut-être ce groupe détient-il réellement Michael...

— C'est la jeune délinquante que tu as hébergée qui t'a inspiré cette brillante idée, Kaminski ? s'exclama Wardlow en roulant les yeux. Tu veux qu'on fonde notre enquête sur le délire de ce médium ?

— Sois logique avec toi-même ! rétorqua Jackie, rougissante de dépit. C'est toi qui as proposé d'écouter Arnussen pour se faire une idée.

— L'écouter, oui, confirma Wardlow, tandis qu'il descendait de voiture et lançait un regard haineux sur la pile de concombres brillant d'un éclat frais dans la lumière du matin. Mais je n'ai jamais dit qu'il fallait prendre ce qu'il dit pour parole d'Evangile !

— Eh bien, j'aimerais, moi, croire quelqu'un dans cette histoire, marmonna Jackie. Nous pourrions peut-être enfin progresser et trouver Michael avant qu'il ne soit trop tard !

Quelques instants plus tard, ils se retrouvaient dans un petit bureau encombré, situé au fond de la halle. Une femme corpulente, d'âge moyen, vêtue d'une combinaison en polyester, vint leur ouvrir. Elle portait des lunettes à monture métallique, et ses cheveux grisonnants étaient mal égalisés, comme si elle les avait coupés elle-même.

— Pouvons-nous nous asseoir, madame Albright ? demanda Jackie après avoir montré sa plaque et présenté son collègue.

La femme désigna deux chaises de bois contre le mur et continua à rentrer calmement des colonnes de chiffres dans son ordinateur.

— Je n'ai rien à vous dire, déclara-t-elle.

— Nous avons identifié les deux numéros de téléphone utilisés par Leigh Mellon, commença Wardlow. Elle vous a appelée ici et chez vous. Nous sommes sûrs que c'est vous qui étiez en contact avec elle.

— Je n'ai jamais entendu parler de Leigh Mellon, dit Mme Albright en levant la tête, tandis que la lumière se reflétait dans les verres épais de ses lunettes.

— Si vous coopérez, proposa Jackie en échangeant un regard avec Wardlow, nous n'enquêterons pas sur votre participation personnelle.

— Immunité garantie ?

— Dans cette affaire, oui. Si vous continuez à faire passer des enfants à l'étranger illégalement, vous n'éviterez pas des ennuis avec la police. Mais nous sommes prêts à renoncer à vous poursuivre dans le cas présent en échange d'informations qui nous permettraient de retrouver Michael Panesivic.

— Je ne peux vous donner aucune information, car je n'en ai pas.

Jackie sentait monter l'exaspération chez Wardlow, dont elle pouvait voir la mâchoire se contracter. Lui décochant un léger coup de pied, elle lui lança en même temps un regard sévère.

— Je comprends vos raisons, madame Albright, dit-elle à la femme. Leigh Mellon m'a parlé des principes auxquels obéit votre groupe. Vous cherchez à éviter la souffrance aux parents dont l'enfant peut être enlevé par celui qui n'a pas le droit de visite. Et vous vous occupez uniquement des enfants qui courent un véritable danger de kidnapping.

— Voler un enfant est un crime lâche et odieux, murmura Mme Albright. Mon ex-mari l'a fait, il y a très longtemps, me privant de plusieurs années de bonheur en compagnie de ma fille. J'ai juré que cela n'arriverait pas à une autre femme.

— Ainsi, vous vous arrangez pour faire passer les enfants au Canada, n'est-ce pas ? Ils n'ont pas besoin de passeport pour aller au Canada, juste de leur carte d'identité... Ensuite, celui des parents qui a le droit de garde peut rejoindre l'enfant et vivre en sécurité, sans être menacé par l'autre parent !

— Je n'ai rien fait, répondit la femme en tapant sur son clavier. Je vis et travaille dans le respect le plus strict de la loi.

— Ecoutez, madame Albright..., intervint Wardlow d'une voix où perçait la fureur.

— J'admire ce que vous faites, l'interrompit Jackie, le toisant de nouveau avec sévérité. Je sais que c'est le bonheur des enfants qui vous préoccupe. Leigh m'a assuré que vous êtes parfaitement sincère. Mais nous enquêtons sur la disparition de ce petit garçon, et nous devons vérifier si ce n'est pas votre groupe qui le détient.

— Je n'aurais jamais gardé un enfant sans avertir sa mère, inspecteur. Je préférerais mourir. Voyez-vous, c'est justement à ce genre de souffrance que j'ai juré de mettre un terme.

Derrière ses épaisses lunettes, son regard semblait franc et direct. Jackie ne doutait d'ailleurs pas du diagnostic de Michelson : Mme Albright était une fanatique, mais elle était dévouée corps et âme à la cause des enfants.

— Si cela s'est passé comme vous l'avez déclaré à Leigh, quelqu'un était prêt à enlever Michael dans le magasin de jouets, mais il avait déjà disparu. Est-ce exact ?

— Nous n'avons rien à voir avec cette affaire, marmonna la femme, le visage fermé.

— D'accord, dit Jackie, raisonnons de manière purement théorique. Admettons que, pour vous, Stefan Panesivic incarne le kidnappeur en puissance, un homme sur le point d'emmener son fils en Europe contre le gré de la mère. Admettons aussi que vous vous mettiez d'accord avec Leigh Mellon pour qu'elle laisse l'enfant dans le magasin de jouets à 19 heures, où quelqu'un doit passer le prendre... Imaginons un instant que tout cela est vrai.

La femme continuait de taper, imperturbable. Une mèche de cheveux lui tomba sur les yeux ; elle l'écarta, puis se pencha de nouveau sur son clavier.

— Et maintenant, imaginons que Michael ait été là, et qu'en réalité, la fille l'ait bel et bien enlevé. Y aurait-il une chance qu'elle l'ait gardé, sans rien en dire à sa mère ?

Geraldine Albright posa une main sur le clavier, ôta de l'autre ses lunettes. Stupéfaite, Jackie découvrit la douceur de ses immenses yeux bruns.

— Inspecteur Kaminski, dit la femme d'une voix calme, regardez-moi droit dans les yeux ! Si je savais où se trouve Michael Panesivic, je le dirais immédiatement à sa mère. Rien au monde ne m'en empêcherait, même si, pour cela, l'on devait m'accuser de crime et me mettre en prison.

Jackie croisa le regard tranquille de son interlocutrice.

— Vous me croyez ? demanda celle-ci.

— Oui. Je crois que vous ne savez pas où est Michael. Mais peut-être soupçonnez-vous quelqu'un ? Un autre membre de votre organisation ne pourrait-il pas le détenir ?

— Pas sans me mettre au courant. Et puis, je n'ai pas avoué l'existence d'une telle organisation, rectifia la femme avec un sourire forcé. J'ai seulement dit que *si* elle existait, elle serait très, très petite...

La femme remit ses lunettes, reprenant du même coup son expression imperturbable.

— J'ignore tout de l'affaire sur laquelle vous enquêtez. Si l'on m'interroge, je nierai vous avoir dit quoi que ce soit.

Elle repoussa son siège à roulettes et se mit à parcourir une pile de documents, ignorant avec ostentation les deux policiers. Jackie et Wardlow se levèrent, la saluèrent et sortirent du bureau, pour se retrouver de nouveau dans le dédale de l'entrepôt.

— Tu la crois ? demanda Wardlow.

— Oui. Et toi ?

— Aucun doute, confirma-t-il en hochant la tête. Ils n'ont pas Michael. Mais je me demande...

Jackie s'installa sur le siège du passager, attendit que son coéquipier prît place au volant et l'encouragea à poursuivre.

— Ce qui m'intrigue, reprit Wardlow, c'est la raison pour laquelle ils étaient si sûrs que Stefan représentait une menace pour l'enfant. Se fondaient-ils uniquement sur les propos de Leigh... ou ont-ils appris quelque chose par eux-mêmes ?

— Bonne question, approuva Jackie en prenant des notes. Mais ce n'est pas Mme Albright qui va nous renseigner. J'interrogerai de nouveau Leigh et le Pr Panesivic dès que je pourrai leur mettre la main dessus.

— Tu as dit que Panesivic était d'accord pour passer au détecteur de mensonges ?

— Oui. Par ailleurs, j'ai vérifié tout ce que nous avons sur lui une bonne centaine de fois, il est irréprochable sur toute la ligne !

— Et merde, dit Wardlow d'un ton las. Quoi qu'on fasse, tout semble nous renvoyer à ce fichu médium. Dommage qu'on ne puisse pas arrêter Arnussen et le torturer jusqu'à ce qu'il avoue son crime !

— Hélas pour toi, remarqua sèchement Jackie, ces bonnes vieilles méthodes sont passées de mode dans notre pays.

— Ainsi, vous avez d'abord aperçu le petit garçon dans le centre commercial ?

— Oui. Dans le magasin.

— Quel magasin ?

— J'ai oublié... Il était si mignon ! Un petit garçon mignon à croquer, dit Waldemar Koziak en se passant la langue sur les lèvres, les yeux fermés.

Jackie et Wardlow échangèrent un regard, puis fixèrent de nouveau l'homme qui leur faisait face. Pédophile notoire, il avait été aperçu dans le centre commercial le soir de la disparition de Michael. Il avait plusieurs condamnations à son casier, le plus souvent pour avoir montré des images pornographiques aux enfants et pour s'être exhibé dans des parcs et des aires de jeux. Mais on lui reprochait aussi d'avoir pratiqué des attouchements sur des petits garçons. Par ailleurs, il avait été condamné pour avoir enlevé un enfant du quartier âgé de cinq ans. Le garçonnet avait réussi à s'enfuir et à rentrer chez lui sain et sauf.

Koziak faisait plus que ses cinquante-sept ans. Son visage flasque et ridé était couvert de poils gris ; il avait une bouche tombante, des yeux d'un bleu délavé, et il empestait l'alcool et le linge sale. Les policiers de la patrouille régulière l'avaient conduit au commissariat après qu'il eut confessé, dans une cafétéria du coin, l'enlèvement de Michael Panesivic.

A présent, Jackie et son coéquipier cuisinaient l'homme dans la salle des interrogatoires, une petite pièce contenant une table, trois chaises et une caméra accrochée dans un coin du plafond.

— Un autre café, monsieur Koziak ? demanda Jackie, s'efforçant de surmonter sa répugnance. Ou peut-être voulez-vous une cigarette ?

— Oui, je m'en grillerais bien une.

Wardlow ouvrit le paquet qui se trouvait sur la table, sortit une cigarette et poussa le cendrier vers l'homme. Koziak alluma la cigarette d'une main tremblante et promena son regard autour de lui d'un air nerveux.

— Dans quel magasin l'avez-vous aperçu ? demanda Jackie.

— Je ne me rappelle pas. Dans une des boutiques du centre commercial.

— Et vous l'avez emmené avec vous ?

— Oui. Il m'a pris par la main, et nous sommes partis. Il m'a adoré !

— Où êtes-vous allés ?

— Chez moi. Nous avons pris un bus. Il était si mignon, ce petit !

— Et qu'est-il arrivé ensuite ? demanda Wardlow.

— Je ne m'en souviens pas, murmura Koziak en soufflant un nuage bleu de fumée vers le plafond.

— L'avez-vous conduit ailleurs ?

— Je crois qu'il est parti. Je ne m'en souviens pas... J'étais si triste quand il est parti !

Jackie adressa un signe de tête à Wardlow, qui ouvrit un classeur sur la table.

— Je vais vous montrer des photos, monsieur Koziak. Pourriez-vous désigner le garçon qui a quitté le centre commercial avec vous ?

Wardlow disposa sur la table huit photos d'enfants, parmi lesquelles se trouvait celle de Michael Panesivic vêtu de son costume de fête. Koziak promena lentement un regard lascif sur les visages souriants, les contemplant avec délectation l'un après l'autre. Il finit par désigner l'image d'un garçonnet blond d'environ huit ans, aux yeux bleus.

— C'est lui, déclara-t-il.

— Vous êtes formel ? demanda Jackie en échangeant un regard avec son coéquipier.

— Je suis formel, confirma Koziak, son index sale suivant la courbe de la joue du petit garçon. Je le reconnaîtrais entre mille ! Il avait des yeux bleu ciel, et des cheveux d'or pâle... tellement doux !

Jackie adressa un nouveau signe de tête à Wardlow, et celui-ci balaya les photos, avant de les ranger dans le classeur.

— Nous allons vous laisser, monsieur Koziak. Les agents vous raccompagneront chez vous.

— Vous ne m'arrêtez pas ?

— Pas aujourd'hui. Mais, ajouta Wardlow sur un ton soudain glacial et menaçant, tenez-vous à l'écart des petits garçons ! Si jamais vous en touchez un seul, nous vous retrouverons avant que vous n'ayez le temps de dire « ouf » !

Les yeux ronds, Koziak se recroquevilla sur sa chaise, pendant que les deux policiers quittaient la pièce.

— Tu es sûr qu'il ment ? demanda Jackie dans le couloir, dévisageant Wardlow d'un air inquiet.

— Il ne ment pas, ricana Wardlow. Il fantasme à fond la caisse ! Il croit que c'est arrivé exactement comme il le raconte, mais je lui ai fait répéter son histoire trois fois, et elle ne tient pas debout. Nous perdons notre temps avec ce détraqué !

— Tu as probablement raison, dit Jackie pensivement. Et pourtant, ajouta-t-elle en frissonnant, cet homme constitue une menace pour la société ! J'aimerais trouver un prétexte pour l'empêcher de se balader en liberté...

— Tu oublies les règles d'or de notre cher système, inspecteur Kaminski ! Nous sommes obligés de le relâcher et d'attendre qu'il blesse ou tue un enfant... Alors seulement nous pourrons le mettre à l'ombre pour quelques années.

Jackie savait que son coéquipier avait raison. Elle acquiesça tristement de la tête, puis demanda :

— Que vas-tu faire maintenant, Brian ?

— La routine, répondit-il en haussant les épaules. Nous avons encore les alibis de trois autres cinglés à vérifier. Et puis, il y a eu de nouvelles informations ce week-end, depuis que nous avons rediffusé la photo. Et toi ?

— Je vais me pointer chez Barbara Mellon sans rendez-vous, histoire de voir si elle lâche le morceau sous l'effet de la surprise. Puis j'irai voir Arnussen sur son chantier. Tu veux que je te dépose ?

— Merci, un collègue de la patrouille le fera. Ecoute, Kaminski..., ajouta soudain Wardlow d'un ton grave. Fais attention à toi !

Jackie lui adressa un bref sourire et se dirigea vers sa voiture. Elle atteignit rapidement le quartier de South Hill avec ses rues bordées d'arbres. Mais il n'y avait aucun signe de vie chez les Mellon. La grande maison semblait se prélasser au soleil, sa façade de brique tournant au rose foncé dans la lumière dorée de l'après-midi. Jackie eut beau insister sur la sonnette, personne ne répondit à l'Interphone, et il n'y avait aucun mouvement derrière les baies aux lourdes persiennes. Aucune ombre, aucun signe suspect. De guerre lasse, elle remonta dans sa voiture, absorbée dans ses pensées, tout en fixant la maison silencieuse.

Enfin, elle reprit la route et s'arrêta au coin de la rue, où elle découvrit Paul Arnussen en train de fignoler la véranda qu'il venait de restaurer.

Jackie se gara et traversa la pelouse en direction de la maison, contemplant l'œuvre de l'artisan. Les fines ciselures de la frise, sculptées en sapin jaune, s'accordaient parfaitement avec le style des ornements que l'on voyait aux angles de la façade. Sans aucun doute, l'homme avait dû sculpter la frise ailleurs, et la transporter ensuite ici — car personne n'aurait pu faire ce travail avec autant de raffinement en l'espace de quelques jours. Le travail était désormais presque accompli. A part le fait que le bois n'était pas peint, rien ne permettait de distinguer cette partie de la façade du reste de la maison.

Cependant, tout occupé à réparer la rampe de la balustrade, Arnussen ne l'avait pas entendue s'approcher.

— Très beau, commenta Jackie, comme il se retournait pour la découvrir avec étonnement à deux pas de lui. Je parle de votre travail de charpentier.

Il posa son marteau dans sa caisse à outils.

— Merci, inspecteur. Alors, vous vous promenez dans le quartier?

— J'étais venue voir Mme Mellon, mais elle n'est pas là.

— Je vois, dit-il en prenant les mesures d'un morceau de bois, avant de le porter vers une scie fixée à un établi. Du nouveau dans votre enquête?

— Pas vraiment. Des aveux, oui ; on en reçoit tous les jours. Que pensez-vous faire après cela ? ajouta-t-elle, tandis qu'il commençait à découper le petit cylindre de bois.

— Que voulez-vous dire ? demanda-t-il, la dévisageant par-dessous sa visière.

— Vous avez presque fini votre travail ici, répondit Jackie en désignant la véranda d'un geste de la main. Avez-vous un autre chantier en perspective ?

— J'ai plusieurs propositions. Mais je vais peut-être prendre quelques vacances.

— Excellente résolution.

— Comment le sauriez-vous, *vous*, inspecteur ? demanda-t-il en esquissant un sourire sans gaieté. Vous travaillez tous les week-ends, tout l'été, sans le moindre répit. Et vous venez me parler du bienfait des vacances ?

— J'ai entendu dire que c'était agréable, balbutia Jackie, troublée par la franchise de son regard.

— Vous n'êtes plus seule à la maison, dit-il brusquement. Mais vous vous sentez aussi seule qu'avant !

— Que voulez-vous dire ? demanda-t-elle, tout entière tendue par l'appréhension.

— Quelqu'un vit avec vous. Cette personne se trouve dans votre appartement en ce moment même.

— Comment le savez-vous ?

— Votre solitude m'a toujours sauté aux yeux. On dirait une auréole autour de votre tête... Mais en ce moment, il y a quelqu'un dans votre vie, et vous ne savez pas quoi en faire. Cette présence n'apporte pas de réconfort ; au contraire, elle pose problème.

Jackie se sentit outragée, pire, violée. Ses pensées les plus intimes lui semblaient mises à nu.

— A quel jeu jouez-vous, Arnussen ? demanda-t-elle d'une voix rauque. Vous m'avez suivie ? Vous épiez mon appartement ?

— Je n'ai pas besoin de vous suivre, Jackie, répondit-il calmement. Je peux vous raconter des tas de choses sur vous, rien qu'à regarder votre visage !

— Je n'en crois rien, rétorqua-t-elle, furieuse. En fait, je ne pense pas que vous soyez plus médium que ce poteau ! ajouta-t-elle en tapant de la paume sur un pilier sculpté de la balustrade. Et je vous préviens, Arnussen...

— Ne me prévenez pas, interrompit-il, le visage assombri. Vous avez déjà proféré à mon encontre plusieurs avertissements et menaces, et je ne les apprécie pas. Sortez de ma vie, c'est tout.

— Pas avant que nous n'ayons retrouvé Michael Panesivic. D'ici là, je ne vous quitte pas d'une semelle !

Il ne répondit pas. Saisissant le cylindre de bois, il se dirigea brusquement vers la véranda. Jackie s'écarta à la hâte pour le laisser passer, consciente de l'étrange puissance, dangereusement proche et tangible, qui émanait du grand corps musclé de l'homme. Elle en fut plus effrayée encore que par ses propos énigmatiques, et s'éloigna précipitamment de la maison.

Elle osa un dernier regard vers la véranda, tandis qu'elle montait dans sa voiture. Lui tournant le dos, Paul Arnussen continuait à travailler sur la balustrade d'un air de calme détermination.

19.

Sous le soleil, la surface de l'eau scintillait comme des myriades de diamants. Leigh plongea son regard dans les profondeurs turquoise de la piscine. Se noyer... Ce serait si facile de se laisser glisser dans cette eau miroitante qui l'accueillerait, qui la bercerait, se refermant à jamais au-dessus de sa tête. Elle n'éprouverait qu'un instant de panique, après quoi tous ses sentiments et toutes ses pensées s'évanouiraient ; la douleur aussi.

Insupportable, la souffrance lui broyait les entrailles. N'y tenant plus, Leigh se recroquevilla sur sa chaise longue et étouffa un sanglot. Ses mains se crispèrent sur l'ourson en peluche, le jouet préféré de Michael après le canard Dixie. L'ourson était tellement usé par les câlins et les bisous que sa salopette n'avait plus de boutons, et que sa peau en peluche commençait elle-même à se faner...

En apercevant Adrienne qui s'approchait avec un plateau chargé de limonade et de petits gâteaux, Leigh s'efforça de se ressaisir. Sa sœur posa le plateau sur la table de verre, puis ôta sa jupe de plage et ses sandales.

— Tu ne veux pas te baigner ? s'écria Adrienne. L'eau est excellente !

— Quel jour sommes-nous, Rennie ? répliqua Leigh en posant un regard éperdu sur la silhouette svelte de sa sœur.

— Jeudi. Prends donc un peu de limonade !

— Merci, dit Leigh en secouant la tête. Depuis combien de temps suis-je chez toi ?

— Depuis deux jours. Ça ne va pas, chérie ?

— Je ne me souviens de rien. J'ai la tête complètement vide.

— Ces pilules qu'on te donne, dit Adrienne en lui caressant le front, ça doit être excellent pour se défoncer. Je devrais peut-être les partager avec toi !

— Mon enfant est mort, n'est-ce pas ? murmura Leigh. Michael est mort !

— Bien sûr que non ! On l'a caché quelque part, voilà tout. La police va te le ramener.

— Si Michael est mort, poursuivit Leigh obstinément, je ne veux plus vivre. Je ne sais pas comment on peut continuer à vivre en souffrant ainsi.

— Ne parle pas comme ça, répondit Adrienne en s'agenouillant près de la chaise longue. Il faut que tu tiennes le coup ! Fais-le pour Michael, il aura besoin de toi quand la police le retrouvera. Il sera troublé, effrayé, et c'est toi qui devras le rassurer.

— J'essaie d'imaginer ce moment, murmura Leigh, les yeux de nouveau fixés sur l'eau. Le moment où ils vont le ramener à la maison... Mais je n'y arrive pas ! Tout ce que je vois, c'est le vide.

Adrienne la prit dans ses bras, et Leigh se blottit contre elle. Des sanglots désespérés lui gonflaient la gorge et lui déchiraient la poitrine.

Comme Jackie contournait la maison, elle vit les deux femmes enlacées. De son côté, Adrienne l'aperçut au même instant et bondit sur ses pieds.

— Ça ne vous arrive jamais de vous annoncer, inspecteur ? cria-t-elle, furieuse.

— Ça dépend, rétorqua Jackie.

Elle s'approcha de Leigh qui pleurait toujours, l'ourson serré entre ses mains.

— Bonjour, Leigh, dit-elle en touchant l'épaule de la jeune femme.

Leigh s'essuya les yeux avec sa manche et se redressa sur sa chaise longue. Apercevant alors son visage, Jackie eut un choc. Elle scruta les traits fins de la jeune femme, presque méconnaissables tant ils étaient tirés et marqués par la douleur. Ses yeux rougis et gonflés par les larmes faisaient penser à deux blessures. Leigh l'agrippa par le bras.

— Vous avez du nouveau ? Il s'est passé quelque chose ?

— Rien pour l'instant, répondit-elle en prenant place à côté de Leigh.

Exposant son visage aux rayons caressants du soleil, Jackie observa Adrienne, qui venait de plonger dans la piscine et nageait comme une forcenée. Pendant quelques instants, Jackie et Leigh suivirent des yeux la tête brune qui fendait l'eau.

— Leigh, demanda enfin Jackie, que font vos parents aujourd'hui ?

— Mes parents ? répéta la jeune femme, comme sa tête retombait, inerte, sur l'oreiller de la chaise longue.

Adrienne sortit de l'eau, prit une serviette et les rejoignit rapidement.

— Qu'est-ce que vous lui voulez ? Pourquoi cette question ? demanda-t-elle d'un ton brusque à Jackie.

— Parce que, hier après-midi, je suis allée les voir... Et il n'y avait personne. Ce matin, j'ai appelé votre mère et je suis tombée sur le répondeur. Enfin, sur le chemin qui me conduisait ici, je me suis arrêtée devant la maison, mais personne n'a répondu à l'Interphone.

Adrienne enroula la serviette autour de sa taille et s'installa sur un autre siège.

— Ils se sont absentés quelques jours, déclara-t-elle laconiquement. Ils sont partis mardi après-midi.

— Drôle de moment pour partir en vacances ! remarqua Jackie en haussant les sourcils.

— Leigh, ma chérie, veux-tu aller chercher mes lunettes de soleil ? dit Adrienne avec une feinte insouciance. J'ai dû les laisser sur la petite table dans l'entrée.

Leigh hocha la tête d'un air indifférent, se leva et partit vers la maison d'un pas traînant.

— Maman n'a pas choisi le moment au hasard, reprit Adrienne quand Leigh se fut suffisamment éloignée. Elle essaie de protéger papa. Il était habitué aux fréquentes visites de Michael, et il est dans tous ses états depuis qu'il ne voit plus l'enfant. Maman pense que le changement va le distraire un peu.

— Où sont-ils allés ?

— A Kalispell. Ils sont dans une station balnéaire à Flathead Lake.

Jackie se souvint du bref voyage de Paul Arnussen à Kalispell, juste après la disparition de Michael. Un frisson lui parcourut la nuque, le petit signal d'alarme familier...

— Vos parents ont-ils une propriété près du lac ?

— Plus maintenant. Ils en avaient une, mais la charge était devenue trop lourde après la maladie de papa. Alors, quand ils ont envie de s'échapper, ils louent un appartement dans un bungalow au bord du lac.

— Et quand doivent-ils rentrer ? demanda Jackie.

— Ce soir. Maman appelle deux fois par jour, elle ne supporte plus de rester éloignée. Elle se fait énormément de souci pour Michael.

— Et Monica ? Est-elle partie avec eux ?

— Bien sûr. Maman n'aurait pas bougé sans Monica.

A cet instant, Leigh revint avec les lunettes de soleil, l'ourson en peluche toujours sous le bras. Elle tendit les lunettes à sa sœur, puis se laissa tomber de nouveau sur son siège, les yeux hagards.

— Leigh, je voudrais vous poser une question, hasarda Jackie. Ces gens que vous avez contactés pour faire enlever Michael... qu'est-ce que vous leur avez dit au sujet de Stefan ?

Adrienne lui jeta un regard étonné, mais Leigh demeura indifférente ; le menton pressé contre la tête de l'ourson, elle ne semblait même pas avoir entendu la question.

— J'aimerais comprendre comment vous les avez convaincus que Stefan s'apprêtait à enlever Michael, insista Jackie. Leur avez-vous confié quelque chose que vous ne m'avez pas dit à moi ? Vous a-t-il menacée, ou...

Ne sachant plus comment poursuivre, elle se tut, troublée par le silence effrayant de la jeune femme qui continuait à fixer l'eau de son regard vide d'expression.

Adrienne lui adressa un signe de tête imperceptible en direction du portillon. Jackie se leva et la suivit le long du sentier contournant la maison.

— Je suis désolée, inspecteur, mais essayez donc de comprendre ce que Leigh est en train de vivre ! murmura Adrienne en s'arrêtant près d'un buisson argenté de genévrier. J'ai peur qu'elle perde la raison...

— Je comprends. Faites-la parler, quel que soit le sujet. Cela vaut mieux que de la laisser sombrer dans la dépression. Et si elle se souvient d'un détail utile, appelez-moi tout de suite, d'accord ?

— Tiens, c'est nouveau ! fit Adrienne avec un petit sourire amer. Je vais donc assister la police dans son enquête ?

— Je l'espère, déclara gravement Jackie. Dans cette affaire, nous avons besoin de toute l'aide possible !

Elle dépassa le portillon pour prendre l'allée conduisant vers la sortie de la propriété. Puis elle monta dans sa voiture et s'éloigna de la maison, sous le regard énigmatique d'Adrienne qu'elle sentait toujours rivé sur elle.

⁂

Deux heures plus tard, Jackie débarquait dans le cabinet d'avocats dont la plaque affichait Thorne, Thorne, Blake et Calder. L'un des associés était le mari d'Adrienne, juriste spécialisé dans le droit des affaires.

Tandis qu'elle patientait dans la salle d'attente, elle se livra au petit jeu qu'elle affectionnait et qui consistait à se représenter son futur interlocuteur en se fondant sur l'image de ses proches et sur les détails de sa vie qu'elle connaissait déjà. Elle s'imagina ainsi un homme dans la fleur de l'âge, dont l'embonpoint trahissait le penchant pour la bonne chère et l'alcool...

Mais quand on l'introduisit dans son bureau, elle dut s'avouer que, pour une fois, elle s'était complètement trompée. Harlan Calder était grand et mince, avec une calvitie précoce et une barbe grisonnante soigneusement taillée en collier. Les rides qui étoilaient ses yeux et ses lèvres dénotaient un tempérament doux et souriant, mais son expression était vive et perspicace. Il portait un pantalon kaki, une chemise blanche au col ouvert et un cardigan fatigué aux coudes renforcés de cuir. En fait, songea Jackie, Harlan Calder évoquait un professeur d'université — bien plus que Stefan Panesivic. Par ailleurs, il devait avoir au moins quinze ans de plus que sa femme. Et, comme le souvenir d'Adrienne traversait l'esprit de Jackie, l'image du couple lui parut soudain si insolite, si bizarre, qu'elle en demeura muette d'embarras.

— Désolé de vous avoir fait attendre, inspecteur, dit l'avocat en lui serrant cordialement la main et en désignant un fauteuil de cuir en face de son bureau. C'est à cause du week-end... Trois de mes rendez-vous sont arrivés en retard aujourd'hui !

— Ce n'est pas grave, je n'ai pas attendu longtemps, balbutia Jackie.

Elle chercha un moyen de commencer l'entretien qui lui permettrait d'évaluer rapidement l'homme.

— Je suis allée chez vous ce matin, dit-elle. Leigh semble dans un état épouvantable.

— La pauvre, elle vit l'enfer en ce moment. Pour une mère, c'est une terrible épreuve. Et Leigh n'est déjà pas très solide sur le plan psychique...

— Je suppose que, des deux sœurs, Adrienne est la plus forte ?

— Qu'est-ce qui vous fait croire ça ? demanda Calder, apparemment surpris.

— Je ne sais pas. Elle a l'air tellement hardie et décidée. Sûre d'elle, en somme.

— Les apparences peuvent être trompeuses, n'est-ce pas ?

— Vous voulez dire qu'Adrienne n'est ni forte ni sûre d'elle ? demanda Jackie, intriguée, tout en étudiant son vis-à-vis.

— Ma femme semble tout feu tout flamme, prête à affronter le monde entier. En réalité, c'est une personnalité plus... complexe.

— Les relations entre Adrienne et sa mère ont-elles toujours été tendues ? demanda Jackie après un temps de réflexion.

— Vous êtes très perspicace, remarqua Calder en esquissant un sourire, tandis que son regard demeurait grave et vigilant.

— Pas vraiment. Deviner ce qui se passe entre les gens fait partie de mon métier.

— Chercher la vérité derrière les mensonges en fait partie aussi, je suppose...

Jackie croisa son regard et le soutint calmement. Calder finit par détourner la tête, et se mit à scruter la silhouette escarpée des gratte-ciel à travers la fenêtre.

— Depuis que je les connais, Barbara a toujours été exaspérée par Adrienne, dit-il. Elle cherche à cacher ses véritables sentiments et à donner l'impression d'une famille unie, mais elle n'y réussit pas toujours.

— Pourquoi est-elle fâchée contre Adrienne ?

— Parce qu'elle adore dominer, et qu'Adrienne refuse de se laisser faire. Leigh est beaucoup plus... malléable.

— Pour quelle raison Adrienne s'est-elle révoltée contre sa mère ?

— Je crois que c'est son caractère, répondit l'avocat, le regard toujours perdu dans le lointain. Leurs relations ont commencé à se gâter quand Adrienne était encore enfant, et c'est devenu un véritable cercle vicieux... Adrienne était l'aînée, et Barbara voulait contrôler chacun de ses gestes. Voyant qu'elle n'y arrivait pas, elle s'est éloignée de sa fille, et elle est devenue froide et distante. Alors, Adrienne a essayé d'attirer l'attention de sa mère par tous les moyens... Cela a commencé ainsi, et depuis, c'est le serpent qui se mord la queue !

— Adrienne cherche-t-elle toujours à attirer l'attention de Barbara ?

— Plus maintenant... J'espère qu'elle a enfin surmonté la douleur d'avoir été rejetée par sa mère. Mais, ajouta l'avocat d'un ton sec, en quoi ces histoires de famille concernent-elles la disparition de Michael, inspecteur ?

— La famille peut y être impliquée.

— Vous pensez que c'est possible ?

— Bien sûr. Selon les statistiques, très peu d'enfants en bas âge sont kidnappés par des inconnus.

— C'est exact. Je l'ai constaté moi aussi, en consultant ces derniers jours les données officielles. Mais pourquoi soupçonner la famille de Leigh ? Puisque le père n'a pas la garde, n'a-t-il pas plus de raisons d'enlever l'enfant ?

Jackie songea à la folle tentative de Leigh pour faire quitter le pays à Michael, puis expliqua d'une voix neutre :

— A ce stade de l'enquête, nous ne pouvons pas nous contenter de ce genre de raisonnement. Tout le monde est devenu suspect dans cette affaire.

— Je vous comprends, répondit Calder après un bref silence. Je ne puis répondre des autres, mais je vous assure qu'Adrienne n'a rien fait de répréhensible.

Jackie parcourut ses notes. Désormais, elle devait avancer à tâtons. Tant pis ! Risquant le tout pour le tout, elle déclara :

— Mme Mellon prétend qu'Adrienne connaît Stefan mieux que quiconque dans la famille...

— Quand a-t-elle dit ça ? demanda Calder, empoignant un stylo avec une telle violence que ses phalanges en blanchirent.

— Peu après la disparition de Michael, quand je lui ai rendu visite.

— Maudite femme ! explosa-t-il, et, l'espace d'un instant, Jackie vit avec étonnement cet homme si calme perdre totalement son sang-froid.

— Ma femme, reprit-il en se ressaisissant, a eu une aventure avec Stefan il y a quelques années. Mais je ne savais pas que Barbara était au courant.

— Adrienne ? souffla Jackie, qui n'en croyait pas ses oreilles. Avec le mari de sa sœur ?

— Ne soyez pas si choquée, inspecteur. Il n'est pas rare que le péché de chair soit commis au sein d'une même famille.

— Sans doute. Mais c'est beaucoup plus rare de manifester comme vous le faites une tolérance absolue. Vous lui avez pardonné ?

— J'aime ma femme.

Cette phrase si simple était aussi éloquente qu'un poème, songea Jackie. Elle regarda l'homme au fond des yeux, puis, profondément émue, scruta son visage, y lisant sa souffrance, son pardon, et un amour sans limite qui n'avait pas besoin de mots pour s'exprimer.

— Que s'est-il passé ? demanda-t-elle doucement.

— C'était à l'époque de la naissance de Michael. Je suppose que Stefan était alors frustré de ne pas pouvoir faire l'amour avec Leigh... Et Adrienne n'était pas dans son état normal pendant toute la période où Leigh attendait un enfant.

— Parce qu'elle-même en désirait un ?

— Oui, c'était son idée fixe. Leigh, qui a cinq ans de moins qu'Adrienne, est tombée enceinte peu après son mariage, et Adrienne a aussitôt paru déchirée entre deux sentiments contradictoires. Elle était ravie pour sa sœur et, en même temps, elle avait la mort dans l'âme. Je crois, ajouta Calder après un bref silence, qu'elle était obsédée par Stefan pendant ces quelques mois. Elle devait le voir comme une sorte de symbole viril, le mâle qui donne la vie. Bref, les circonstances et les émotions ont rendu la situation si explosive que l'inévitable est arrivé...

— Comment l'avez-vous appris ?

— Adrienne me l'a raconté. Elle était dévorée par le remords, rongée par la culpabilité. Elle m'a dit qu'elle comprendrait si je souhaitais divorcer.

— Mais vous ne l'avez pas voulu ?

— Je ne voulais qu'une chose : que cette aventure prenne fin. Je l'ai dit à ma femme, et elle était d'accord. Elle m'a promis que, si je lui pardonnais, elle ferait en sorte de ne plus jamais se retrouver en tête à tête avec cet homme.

— Et elle a tenu parole ?

— Oui. Après quelques mois difficiles, nous avons réussi à enterrer définitivement cet épisode et à nous comporter comme si de rien n'était. Nous n'en avons d'ailleurs jamais reparlé... Et, surtout, je ne soupçonnais pas que Barbara était au courant !

— Pensez-vous que votre femme ait fait des confidences à sa mère ?

— Je doute, rétorqua Calder, qu'Adrienne ait confié quoi que ce soit à sa mère depuis sa plus tendre enfance ! Ce n'est pas par ma femme que Barbara l'a appris. Peut-être l'a-t-elle simplement deviné... Elle est assez fine mouche pour ça !

— Et Leigh ? Est-ce qu'elle est au courant ?

— Bien sûr que non. La famille a toujours eu tendance à la préserver. Si Leigh savait que son mari l'a trompée avec sa propre sœur... je crois qu'elle en mourrait !

— L'a-t-il fait avec d'autres femmes ?

— Je n'en ai pas la moindre idée, répondit Calder froidement. Je n'ai jamais prêté l'oreille à ce genre de ragots.

— Ce que je cherche, expliqua Jackie, c'est à me faire une idée claire du couple que formaient Leigh et Stefan. Or, je n'arrive pas à imaginer comment ça fonctionnait. Chaque fois qu'on me parle de leurs relations, j'en ai une vision différente !

— Chaque union, remarqua l'avocat, garde un côté mystérieux aux yeux d'autrui. C'est comme un pays étranger, dont seuls les habitants savent vraiment ce qui se passe à l'intérieur des frontières.

Jackie songea à Harlan Calder et à Adrienne, si impétueuse et pourtant si fragile, et à tout l'amour qu'il avait fallu à Harlan pour pardonner la trahison de son épouse. Sans qu'elle sût pourquoi, un sentiment de solitude s'empara d'elle. Cependant, l'avocat poursuivit :

— Je compte sur votre discrétion en ce qui concerne ce que je vous ai confié. Je ne l'ai fait que pour vous aider à mieux comprendre notre famille, en espérant que cela vous sera utile dans vos recherches.

— N'ayez aucune inquiétude, monsieur Calder, le rassura Jackie, tout en sortant la photo de Paul Arnussen de son calepin. Avez-vous déjà rencontré cet homme ?

— Je ne le pense pas, répondit l'avocat après avoir étudié le cliché.

Jackie rangea la photo, se leva et tendit la main à Calder.

— N'hésitez pas à me recontacter si vous croyez que je peux vous aider, insista l'avocat en lui serrant cordialement la main, avant de la raccompagner.

— Merci, répondit chaleureusement Jackie. Comme je

l'ai dit à votre femme ce matin, nous avons besoin de l'aide de tous.

Stefan Panesivic s'apprêtait à déménager. Depuis l'entrée, Jackie contempla les montagnes de caisses remplies de livres qui jonchaient le petit appartement. Puis elle suivit le professeur, qui, après avoir refermé la porte derrière elle, se hâta de regagner le salon, où il était occupé à ranger des volumes dans une caisse en carton.

— Comme vous le voyez, il y a des changements dans ma vie, déclara-t-il à brûle-pourpoint. Au moins, ça m'occupe ! Sinon, je deviendrais fou d'inquiétude.

Jackie l'observa avec sympathie. Le beau visage de Stefan était hagard, et il avait tellement maigri qu'elle eut l'impression que son corps musclé avait fondu depuis leur dernière rencontre.

— Où allez-vous ? lui demanda-t-elle.

— Je cherche une maison. Je vais consigner toutes mes affaires dans un garde-meuble jusqu'à ce que je trouve un logement.

— Pourquoi tant de précipitation ? demanda-t-elle, étonnée. D'habitude, on trouve la maison qui convient avant de déménager.

— Ils ont déjà un locataire pour cet appartement, répondit Stefan, comme il parcourait un livre avant de le jeter dans la caisse avec une grimace. Quand j'ai dit que j'hésitais à renouveler le bail, le gérant m'a demandé de vider les lieux sous quinzaine.

— Et vous avez opté pour une maison...

— Michael aura besoin d'espace. Il lui faudra un jardin avec une clôture, pour qu'il puisse jouer. Sans parler d'une chambre séparée.

— Michael ? répéta-t-elle, stupéfaite et un peu effrayée.

— Il va revenir, inspecteur, assura Stefan en levant les

yeux vers elle d'un air buté. Même si la police semble de plus en plus déroutée... Je vais me lancer moi-même à sa recherche ! Je vais remuer ciel et terre, et je finirai par le retrouver, moi. Et, quand ce sera fait, je le garderai. Leigh a prouvé qu'elle était incapable de s'occuper de lui.

— Stefan, vous m'avez dit que votre mariage marchait à merveille au début, puis que les choses se sont gâtées. Est-ce parce que vous avez été déçu par Leigh ?

— J'ai l'impression que vous empiétez sur un domaine qui dépasse le cadre de votre enquête, inspecteur, rétorqua-t-il en lui lançant un regard perçant.

— Toute enquête est fondée sur les relations entre les gens. Et votre mariage se trouve au cœur de cette affaire ; il en est même la clé.

— Première nouvelle ! Mon mariage n'existe pas. Peut-être n'a-t-il jamais existé...

— Que voulez-vous dire ?

— Peut-être n'était-ce qu'un conte de fées que Leigh avait inventé. Elle était si jeune et si inexpérimentée. Elle pensait que nous allions nous embrasser sur fond de soleil couchant, et rester ainsi jusqu'à la fin des temps... Elle ne savait rien de la vie.

— Et sa naïveté a fini par vous ennuyer ?

Stefan ne répondit pas. Jackie vit sa mâchoire se contracter, puis il détourna la tête. Manifestement, elle n'allait aboutir à rien avec ce genre de questions.

— Pourquoi Leigh avait-elle peur de vous ? demanda-t-elle.

— Je ne crois pas qu'elle ait eu peur de moi. Je n'ai jamais levé la main sur elle.

— Ce n'est pas ce que je voulais dire. Elle vous refusait le droit de visite, et vous avez dû passer par le Tribunal et vous battre pour revoir Michael. Pourquoi s'est-elle imaginé que vous aviez l'intention de l'enlever ?

— Cette idée grotesque vient probablement de sa mère. Je suis sûr que Barbara Mellon a manigancé quelque chose, juste pour monter Leigh contre moi. Cette femme m'a toujours détesté.

— D'après vous, dit Jackie après réflexion, c'est donc Barbara qui a eu l'idée de vous refuser le droit de visite en prétextant un projet d'enlèvement ?

— Sans aucun doute. Toute cette histoire porte la signature de Barbara ! Leigh n'a jamais été vindicative, mais les autres Mellon ne sont pas de la même trempe... Ils aiment les jeux dangereux !

Il sortit de la pièce, puis revint avec du papier de soie et se mit à envelopper ses figurines japonaises en ivoire qui trônaient sur une étagère. Après l'avoir observé pendant quelques instants, Jackie sortit la photo de Paul Arnussen et la lui tendit.

— Vous ne vous rappelez toujours pas où vous avez rencontré cet homme ?

— Pourquoi vous intéressez-vous tant à lui ? répliqua-t-il, après avoir jeté un coup d'œil sur le cliché.

— Parce que cela peut se révéler très important.

Poussant un soupir, il glissa les doigts dans son épaisse chevelure bouclée et fixa la photo d'un regard attentif.

— Mais... n'est-ce pas l'homme qui est venu avec vous à la ferme l'autre jour ? Le soi-disant médium ?

— Si, c'est lui. Vous sembliez l'avoir rencontré avant. Quand je vous ai montré la photo la première fois, vous lui avez trouvé un air vaguement familier.

— Que me cachez-vous, inspecteur ? s'écria-t-il en la transperçant du regard. Pour l'amour du ciel, que se passe-t-il ?

— Vous souvenez-vous de l'avoir rencontré quelque part ? insista Jackie sans répondre.

— C'est peu probable. J'ai dû me tromper.

— Bon, soupira-t-elle en rangeant la photo. Si cela vous revient, appelez-moi de toute urgence.

S'approchant d'elle, Stefan lui serra le bras, le regard étincelant de colère.

— Arrêtez de déconner, inspecteur ! dit-il avec un calme menaçant. Foncez, et retrouvez mon fils ! Ma patience est à bout. Si cela continue comme ça, je ne réponds plus de mes actes !

20.

Après un sommeil agité, Jackie resta allongée dans son lit, cherchant à se rappeler son rêve. Les images, floues et imprécises, lui échappaient, excepté celle de Paul Arnussen. Mais quelle place avait-il occupée dans ce songe ? Impossible de s'en souvenir.

Un bruit insolite la tira soudain de ses pensées. Des sanglots étouffés lui parvenaient à travers l'appartement silencieux, depuis le salon où Alex dormait. Manifestement, la jeune fille cherchait à faire le moins de bruit possible, sans toutefois parvenir à retenir ses pleurs désespérés.

Les yeux fixés sur la porte ouverte, Jackie demeura immobile dans son lit, émue mais aussi un peu soulagée : jusqu'à présent, Alex avait affiché une maîtrise d'elle-même qui n'était ni naturelle ni saine, compte tenu de ce qu'elle avait subi. Pourtant, maintenant qu'elle ne cherchait plus à contenir ces larmes libératrices, Jackie ne savait comment se comporter avec elle. Son instinct lui déconseillait de se précipiter vers l'adolescente pour la prendre dans ses bras, car elle sentait que sa petite protégée en serait plus humiliée que réconfortée. Or elle savait qu'Alex tenait par-dessus tout à l'impressionner par son courage et sa résistance.

Elle attendit donc patiemment que la crise passe. Bientôt, Alex se calma. Jackie l'entendit aller dans la salle de bains, puis dans la cuisine. Alors seulement elle se hâta à son tour de faire sa toilette et de s'habiller.

Quand elle gagna la cuisine qui embaumait le café fraîchement moulu, Alex était occupée à disposer sur la table les pots de confiture et de miel près de la boîte de céréales. Vêtue d'un short en jean et d'un ample chemisier en coton, ses longs cheveux blonds tirés en arrière en une queue-de-cheval, elle tourna vers Jackie un visage calme et souriant qui ne portait pas la moindre trace de ses larmes récentes.

— Eh bien, quel est le programme pour aujourd'hui ? demanda Jackie, comme elle se faisait une tartine à la confiture de fraise.

— Nettoyage des placards. Je vais les vider entièrement, laver les rayonnages, puis ranger de nouveau toutes les affaires.

— Quelle idée de passer une belle journée d'été à nettoyer et à ranger ! répliqua Jackie en buvant son café. Pourquoi n'irais-tu pas flâner au parc, une cigarette au bec, comme tous les gamins de ton âge ?

— J'adore faire le ménage, répondit Alex avec obstination. Si j'ai le temps, je vais aussi laver les carreaux. La cave, ce sera pour la semaine prochaine.

Jackie se souvint des pleurs désespérés qu'elle avait entendus en se réveillant et éprouva un élan de tendresse mêlée de tristesse.

— Ma chérie, dit-elle doucement, tu sais que j'aime ta présence chez moi. Mais, quelle que soit mon affection pour toi, et la quantité de travail que tu abats, tu ne peux pas rester ici indéfiniment. Nous devons te trouver une vraie maison.

— Mais pourquoi ? Je promets de ne pas vous causer d'ennuis, Jackie !

— Ce n'est pas une vie pour toi. Tu as besoin d'un vrai foyer, de personnes à qui tu pourras parler et qui te tiendront compagnie plus qu'une demi-heure par jour...

— Mais je suis très bien chez vous ! s'exclama Alex avec conviction. Vraiment ! Et puis, l'été va bientôt finir, je retournerai à l'école, et alors je serai occupée toute la journée !

Renonçant à poursuivre la discussion, Jackie finit son petit déjeuner et se prépara à partir. Quand elle quitta l'appartement, Alex avait déjà commencé à vider les placards dans la cuisine, disposant la vaisselle au milieu de la pièce.

Sur le chemin du commissariat, Jackie réfléchit longuement à l'avenir de sa jeune protégée. Le drame, songea-t-elle, c'est qu'aucune des solutions adaptées habituellement aux fugueurs ne convenait dans la situation présente. Cette enfant, qui ne pouvait retourner chez elle, avait tout pour elle — la beauté, l'intelligence, une gentillesse naturelle — et cela ne faisait que compliquer le problème.

Après avoir garé sa voiture derrière le commissariat, elle s'en fut assister au briefing quotidien, et remarqua aussitôt la tension qui régnait entre Michelson et Wardlow. De toute évidence, ils venaient de se disputer, car ils se parlaient sur un ton irrité et brusque. Décidément, tout le monde était à cran ces jours-ci. Malgré le travail acharné des policiers, l'affaire Panesivic piétinait, et les hommes n'étaient pas à prendre avec des pincettes. Pour couronner le tout, Michelson distribua à la fin de la réunion des photocopies d'un extrait du journal local, où l'on reprochait à la police « sa maladresse doublée d'incompétence », et « sa coupable indifférence au sort d'un enfant ». Jackie lut l'article dans un silence lugubre, et ne put s'empêcher de se demander si la famille Mellon n'était pas à l'origine de cette attaque.

Quand le briefing fut enfin terminé, Jackie prit son sac et son dossier, accorda son planning avec celui de Wardlow et quitta le commissariat, pour se diriger vers le quartier de South Hill.

Les Mellon étaient effectivement rentrés la veille au soir, ainsi qu'Adrienne l'avait indiqué. On répondit immédiatement à l'Interphone, la grille s'ouvrit, et Jackie pénétra dans le domaine. Elle se gara près de la maison, puis gravit à la hâte les marches du perron. Monica l'attendait sur le seuil.

— Comment s'est passé le voyage à Kalispell ? demanda Jackie d'un ton insouciant. Le lac doit être superbe à cette période de l'année !

— Nous n'étions pas vraiment en état d'en profiter, répondit Monica de sa douce voix teintée d'accent. Mme Mellon est folle d'inquiétude.

D'un geste, elle invita Jackie à la suivre à travers l'enfilade de salles luxueuses. En arrivant dans la pièce aux baies vitrées, Jackie fut surprise de découvrir Barbara Mellon non pas devant son métier à tisser, mais installée près de la fenêtre. Vêtue d'une robe de chambre beige, elle serrait entre ses doigts une tasse de café posée sur ses genoux, fixant d'un regard morne le grand saule qui jouxtait la serre. Monica laissa Jackie au seuil de la pièce et lui lança un regard entendu avant de disparaître dans le couloir.

— Bonjour, madame Mellon, dit Jackie. Comment allez-vous aujourd'hui ?

Au son de sa voix, Barbara sursauta, renversant presque son café, puis leva les yeux. Jackie fut frappée par le changement qui s'était opéré en elle. Le visage hagard, les yeux cernés, la femme semblait avoir vieilli de vingt ans depuis qu'elles s'étaient vues. Cette fois, sans l'ombre d'un doute, Jackie avait devant elle une personne en proie à une souffrance intolérable. Elle en fut touchée jusqu'au fond du cœur.

— Je suis désolée, murmura-t-elle. Si seulement je pouvais vous annoncer que nous l'avons retrouvé... Cela doit être très dur pour vous.

— En effet, souffla la femme. Je suis sûre que vous faites tout votre possible...

Sa voix se brisa, et Jackie crut qu'elle allait éclater en sanglots. Mais, au prix d'un effort visible, Barbara parvint à se dominer ; elle posa la tasse sur le guéridon et s'immobilisa, les doigts entrelacés, les mains sur les genoux.

— Alden doit souffrir encore plus que moi, dit-elle, fixant de nouveau le jardin, où Jackie aperçut alors une silhouette qui se déplaçait entre les massifs de fleurs à l'intérieur de la serre. Il n'arrive pas à comprendre ce qui se passe, voyez-vous ? Il me demande pourquoi Michael ne vient plus le voir, et je ne sais que répondre...

Toutes les questions habiles et pointues que Jackie avait préparées s'étaient évanouies de son esprit. Elle était sûre que le chagrin de Barbara était sincère. Et elle n'avait pas la cruauté d'ajouter à sa douleur en la questionnant sur son bref voyage à Kalispell, sur Paul Arnussen ou sur ses relations avec son ex-beau-fils.

— Vous semblez très bouleversée, madame Mellon, hasarda-t-elle enfin en prenant place sur un siège à côté de Barbara. Et pourtant, vous ne l'étiez pas au début ! Vous pensiez que votre petit-fils avait été enlevé par Stefan, et qu'il était en sécurité.

— Je sais. Mais Stefan n'est pas parti, et... et vous n'avez toujours pas retrouvé Michael. Je me suis sans doute trompée en pensant que c'était Stefan le coupable. Et toute autre alternative est simplement... impensable ! ajouta-t-elle en levant vers Jackie un visage tourmenté.

Jackie baissa la tête et se mit à parcourir ses notes, se demandant si Barbara Mellon avait jamais autant souffert. Apparemment, son amour pour son petit-fils était plus profond que les sentiments qui la liaient à chacune de ses filles. A moins que les tensions permanentes de la vie et la maladie de son mari aient eu raison de son caractère de fer, la rendant aussi vulnérable que le commun des mortels...

Jackie sortit la photo de Paul Arnussen de son calepin et la tendit à Barbara.

— Avez-vous jamais rencontré cet homme ?

La maîtresse de maison prit la photo en adressant à Jackie un regard reconnaissant. Elle semblait soulagée de changer de conversation. Elle étudia attentivement le cliché, puis secoua la tête.

— Jamais. Je suis sûre de ne pas le connaître.

Le peu d'énergie qui lui restait s'était épuisé. Elle se tourna de nouveau vers la fenêtre, et ses épaules se mirent à trembler sous la soie fine de son peignoir. Jackie rapprocha son siège du sien et lui posa une main apaisante sur le bras. Elles demeurèrent toutes deux immobiles, à contempler les courbes scintillantes dessinées par les jets d'arrosage de la pelouse.

En quittant la propriété, Jackie suivit machinalement dans le rétroviseur le mouvement de la grille en fer forgé qui se refermait derrière elle. Elle roula jusqu'au coin de la rue, puis s'arrêta et ouvrit son calepin d'un air songeur.

Le souvenir de l'article publié par le journal local la hantait, avec ses mots si blessants : « maladresse doublée d'incompétence », « indifférence au sort d'un enfant »... Quelle idée les gens se faisaient-ils donc de la police ? Ne se rendaient-ils pas compte des longues heures de travail méticuleux et éreintant, des jours de congé que les policiers sacrifiaient sans hésiter, du retard pris sur les autres affaires — tout cela, pour retrouver l'enfant disparu ! Non, apparemment, ils ne s'en rendaient pas compte, reconnut Jackie avec amertume. Elle referma son calepin et, frappant des doigts sur le volant, envisagea de nouveau le problème qui la préoccupait.

Au début de cette affaire, elle avait pressenti que la clé de l'énigme se trouvait dans les relations entre les deux familles... mais que Paul Arnussen n'y était sans doute pas étranger. Pourtant, plus l'enquête avançait, moins elle se sentait sûre de quoi que ce fût. Et, pour couronner le tout, il y avait cette terrible impression de passer à côté d'un détail vraiment important. Tandis que les jours défilaient sans apporter d'information vraiment nouvelle, cette impression devenait de plus en plus tenace, quittant les tréfonds de son intelligence et s'arrêtant juste aux confins de la conscience, comme pour la narguer ! Sa mémoire refusait de lui livrer l'indice essentiel, et la frustration qu'elle en éprouvait était parfois tellement insupportable qu'elle avait envie de crier...

Elle finit par secouer la tête avec dépit, mit en route le moteur et prit la rue ombragée où se trouvait la maison d'Helen Philps, car c'était le chemin le plus rapide pour parvenir à la partie nord de la ville. Mais, comme elle tournait le coin de la rue et jetait un regard distrait sur le portail du domaine, ses mains posées sur le volant devinrent moites, et son cœur se mit à battre à tout rompre. Elle avait reconnu la camionnette bleue de Paul Arnussen juste devant l'entrée.

Jackie freina, fit marche arrière, et gara sa voiture à l'ombre d'un orme géant, à un pâté de maisons de la camionnette d'Arnussen. Sortant ses notes, elle vérifia le numéro d'immatriculation du véhicule, chaussa ses lunettes de soleil et se prépara à attendre.

Un quart d'heure plus tard, Arnussen apparaissait au portail. Il contourna sa camionnette et s'arrêta devant la porte coulissante à l'arrière. Bien qu'il ne regardât pas dans sa direction, Jackie se laissa glisser sur son siège pour qu'il ne puisse pas apercevoir sa tête dans l'ombre, au cas où il se retournerait.

Arnussen portait sa tenue de travail habituelle, un jean, une paire de bottes et son inévitable casquette de baseball décolorée par le soleil. Il rangea ses outils à l'intérieur de la camionnette, referma la portière et jeta un regard attentif alentour. Ses yeux s'arrêtèrent un instant sur la voiture de police banalisée, et Jackie retint son souffle. Mais, apparemment, l'homme ne se douta de rien, car son visage demeura impassible. Il finit par remonter dans sa camionnette et partit.

Quand il eut disparu derrière le tournant, Jackie gara sa voiture à la place qu'Arnussen venait de libérer, se demandant comment elle allait s'y prendre pour résoudre cette nouvelle énigme. Que faisait Arnussen chez Helen Philps ? Elle avait beau se creuser la tête, elle ne parvenait pas à trouver d'explication. Elle opta donc pour la seule action à sa portée : ôtant ses lunettes de soleil, elle prit son calepin et se dirigea vers la maison, décidant au dernier moment de contourner la propriété et d'entrer par la porte de la cuisine.

Le jardin était aussi charmant que dans le souvenir qu'elle en conservait. La girouette de bronze tournoyait paresseusement dans la brise, les massifs de fleurs longeaient la palissade avec leurs taches colorées, et l'herbe de la pelouse, qu'on venait manifestement d'arroser, étincelait encore de fraîcheur et d'humidité. Sur le terrain occupé par le potager, Helen était en train de fixer un plant de tomates à un tuteur. Elle portait son grand chapeau de paille et un ample short qui laissait découvertes ses minces jambes à la peau très blanche.

— Bonjour, dit Jackie en se protégeant du soleil qui inondait le jardin. Comment allez-vous, miss Philps ?

Helen ôta ses gants de jardinage et s'approcha du portillon pour lui ouvrir.

— Bonjour, inspecteur, répondit-elle. S'il vous plaît, appelez-moi Helen... Quel temps de rêve, n'est-ce pas ?

Cette phrase, prononcée sur un ton plein d'entrain, n'abusa pas Jackie : Helen Philps avait le cœur en deuil, comme toutes les autres personnes concernées par l'enlèvement de Michael. Les yeux cernés, les traits crispés, son visage délicat parsemé de taches de rousseur semblait tendu et presque effrayé.

Comme elle tirait en arrière son chapeau, son abondante chevelure flamboyante s'en échappa, lui recouvrant le dos telle une cape.

— Ça, c'est la malédiction des rouquins, remarqua-t-elle. Si je ne porte pas un chapeau en permanence, je deviens rouge comme une écrevisse. Avez-vous du nouveau au sujet de Michael ?

— L'enquête suit son cours, répondit Jackie. Pourrions-nous entrer un instant ?

— Bien sûr. Je vais servir de la limonade.

— Ne vous dérangez pas pour moi, dit Jackie en suivant la femme dans la cuisine. Tout ce que je veux, c'est vous poser quelques questions.

Helen n'insista pas. Elle se lava les mains au-dessus de l'évier, puis s'installa en face de Jackie et lui adressa un regard interrogateur.

— Quand je suis arrivée il y a quelques minutes, un homme sortait de chez vous. Vous avez discuté avec lui ?

— Vous parlez de M. Arnussen ? Bien sûr !

— La dernière fois que je suis passée, dit Jackie en sortant le cliché de Polaroïd, je vous ai montré cette photo. Vous aviez l'impression de le reconnaître, sans toutefois vous rappeler son nom.

— Mais... c'est bien lui ! s'exclama Helen, qui visiblement n'en croyait pas ses yeux. J'avais complètement oublié tout ça !

— Pourquoi est-il venu chez vous, Helen ?

— Il doit réparer le toit. Il est passé il y a quelques jours, me signalant que les voliges sous les tuiles étaient très détériorées, et se proposant pour les remplacer.

— Et vous l'avez engagé sans même vous demander qui il était ?

— Bien sûr que non ! Il m'a cité quelques références... La plupart des gens pour qui il a travaillé sont des voisins à nous. J'en ai appelé quelques-uns pour savoir ce qu'il vaut et ils ont tous été très élogieux. De plus, il a demandé un prix correct. Et, comme de toute façon une réfection est nécessaire, je l'ai contacté ce matin pour lui donner mon accord.

— Quand pense-t-il commencer ? demanda Jackie en prenant des notes.

— Demain.

— Il va s'attaquer à un travail aussi important un samedi matin ?

— Oui, confirma Helen. D'après ce qu'il m'a expliqué, il préfère s'y mettre ce week-end car il a l'intention de partir en vacances juste après ce travail.

— Je vois.

Etonnée par le ton lugubre de sa voix, Helen leva les yeux vers Jackie mais, avant qu'elle ait pu formuler une question, on sonna à la porte. La femme sursauta, jetant un regard rapide sur la pendule.

— C'est sûrement le livreur de journaux, dit-elle. Zut, je n'ai pas de monnaie — à moins que je... Pourriez-vous m'excuser un instant, inspecteur ? ajouta-t-elle d'un air embarrassé.

— Prenez votre temps, répondit Jackie. Je vais mettre à jour mes notes en attendant.

Pendant qu'elle écrivait, Grace Philps, vêtue d'un cardigan de laine et d'une robe d'été à fleurs, entra dans la cuisine de son pas traînant. Elle se dirigea vers le réfrigérateur, puis s'arrêta en apercevant Jackie.

— Vous êtes la femme flic, déclara-t-elle. Mais je ne me rappelle pas votre nom.

Jackie se présenta une nouvelle fois en parlant assez fort pour que la vieille dame l'entendît. Celle-ci hocha la tête avec satisfaction, puis se pencha vers Jackie, exhalant un mélange de pommade médicale et de lotion.

— Vous avez toujours votre revolver ? demanda-t-elle tout bas.

Jackie écarta un pan de son blouson, découvrant le holster, et Grace Philps fixa d'un regard fasciné la crosse de l'arme.

— J'aimerais que vous le descendiez, marmonna-t-elle, lançant un coup d'œil furtif vers la porte par-dessus son épaule. Je voudrais que vous l'abattiez comme un chien enragé !

— Abattre qui, madame Philps ? demanda Jackie, alors qu'elle entendait les pas précipités d'Helen qui redescendait l'escalier.

— Cet homme, chuchota la vieille dame d'une voix rauque. Il est encore venu ici, vous savez !

— L'artisan qui doit réparer le toit ?

— C'est un homme mauvais ! poursuivit Grace Philps. Ce n'est pas bien de venir au milieu de la nuit et de se glisser dans sa chambre. Ils commettent un péché, et elle le sait !

— Cet homme vient ici la nuit ? demanda Jackie, qui sentait la tête lui tourner.

— Des choses terribles se passent ici, murmura la vieille dame, le visage crispé, tandis que des larmes coulaient sur ses joues ridées. J'ai si peur...

— Venez, nous allons faire un tour dans ma voiture, décida Jackie. Comme ça, nous parlerons de tout ce qui vous tracasse.

— Non ! répliqua Grace Philps, s'écartant de Jackie d'un mouvement effrayé. Je ne veux vous parler de rien !

— Mais vous-même...

— J'ai dit : non ! cria la femme, le visage rougissant de colère.

Jackie plongea la main dans la poche de son blouson et en sortit une de ses cartes de visite. Après s'être assurée qu'elles étaient toujours seules, elle glissa la carte dans la main noueuse de Grace et se pencha vers son appareil auditif.

— Si quelque chose vous fait peur, appelez-moi à ce numéro, et je viendrai tout de suite, dit-elle en articulant distinctement les mots. Vous avez compris ?

La vieille femme hocha la tête, fixant Jackie d'un air indécis.

— Même si vous voulez simplement bavarder avec

moi, faites-le ! insista Jackie dans un dernier effort désespéré, tandis que le pas d'Helen s'approchait encore. Vous m'appellerez, n'est-ce pas ?

— Maman ? dit Helen d'une voix aiguë. Que fais-tu ici ? Je pensais que tu regardais toujours ce show à la télé...

— Il est stupide, ce show, rétorqua Grace avec une mine boudeuse. Ils sont tous stupides ! Et puis, j'avais faim, ajouta-t-elle. La nourriture est toujours exécrable dans cette maison !

Le visage crispé, Helen poussa un soupir d'impatience et ouvrit le réfrigérateur. Pendant qu'elle avait le dos tourné, Grace glissa la carte dans la poche de son cardigan. Jackie, tout en écoutant les deux femmes se disputer, regardait la tête auréolée de cheveux blancs et se demandait si la plus vieille divaguait. Certes, il était difficile d'imaginer Paul Arnussen se glissant de nuit dans cette maison pour faire l'amour avec Helen Philps... Mais, après tout, songea-t-elle avec lassitude, beaucoup de choses dans cette affaire étaient difficiles à croire.

21.

Samedi matin, Jackie arriva tôt au commissariat. S'installant à son bureau avec un gobelet de café fumant, elle passa pour la énième fois le dossier au peigne fin, étudiant attentivement les détails les plus infimes, cherchant à relier tous les témoignages contradictoires et à en saisir le sens profond, dans l'espoir que cela provoquerait le déclic...

— Onze jours, marmonna Wardlow depuis son bureau.

— Comment ? demanda Jackie, occupée à relire le compte rendu d'un entretien avec Leigh Mellon.

— Ça fait onze jours qu'on bosse sans répit...

— Et plus d'une semaine que Michael a disparu, répliqua Jackie. Comment vas-tu, sinon ?

— Puisque nous sommes logés à la même enseigne pour ce qui concerne le boulot, je suppose que tu m'interroges sur ma vie privée, dit son coéquipier avec un sourire amer. Eh bien, elle ne s'est pas vraiment améliorée ces jours-ci. Je ne vois pratiquement plus ma femme.

— Et tu n'as toujours pas tenté de t'expliquer avec elle ?

— Tu parles ! Je ne saurais pas quoi lui dire, même si j'avais le privilège de passer deux minutes en sa compagnie. Et puis, poursuivit-il, ignorant la tentative de Jackie pour prendre la parole, cette maudite affaire Panesivic commence à me porter sur les nerfs... Nous ne disposons d'aucun indice nouveau alors que tout le monde nous réclame à cor et à cri des résultats immédiats. En ce moment, j'ai sur le dos la presse, les gars du commissariat du centre-ville, et même Michelson !

— J'ai remarqué qu'il y avait de l'eau dans le gaz entre vous deux, dit Jackie. Tu sais, ce n'est pas facile pour lui non plus. Il doit fournir des explications à ses propres supérieurs, lesquels ne comprennent rien au travail de terrain.

— Cela ne justifie pas qu'il...

Il s'interrompit brusquement. Alice, la secrétaire, venait de faire irruption dans le bureau.

— Des messages téléphoniques pour toi, Jackie, déclara-t-elle, traversant rapidement la pièce et déposant sur le dossier ouvert quelques feuilles agrafées.

Jackie parcourut les messages, dont aucun ne semblait urgent. Un seul ne portait pas de nom, mais simplement un numéro de téléphone et la mention « prière de rappeler ».

— Qu'est-ce que c'est, Alice ? demanda-t-elle, intriguée.

Mais la secrétaire avait déjà quitté la pièce. Haussant les épaules, Jackie écarta les messages et sortit sa carte d'appel longue distance pour composer le numéro de Lorna McPhee, à Los Angeles. Comme d'habitude, l'assistante sociale répondit immédiatement.

— Même un samedi matin, tu es fidèle au poste ! s'exclama Jackie.

— Et toi, répliqua Lorna dans un éclat de rire, je suppose que tu es installée en peignoir sur ton canapé, avec un bon chocolat ?

— Tu as tout deviné !

Puis, redevenant grave, Jackie demanda :

— As-tu vu ma grand-mère ?

— Je suis allée chez eux jeudi. Ils se portent tous très bien... Enfin, autant que faire se peut. Joey s'occupe en ce moment de voitures d'occasion. Il en a tout un lot, sur un terrain abandonné. Il dit qu'il revend des pièces détachées.

— Ce ne serait pas des voitures volées, par hasard? demanda Jackie, inquiète.

— J'ai préféré m'abstenir de poser des questions trop indiscrètes, ma chérie. Il s'en occupe au vu et au su de tous ; c'est donc probablement légal — enfin, à peu près...

— Et que devient Carmelo?

— Il est sorti de prison, et il cherche un boulot pas trop prenant. Quand je suis passée, il était en train de jouer aux cartes avec ta grand-mère, et elle avait déjà gagné quatre dollars !

— Comment se sent-elle?

— Un peu fatiguée, mais ça va. Tu sais, Jackie, elle ne rajeunit pas. Chaque fois qu'elle se paie une cuite carabinée, ça fait des dégâts !

— Je devrais la faire venir ici, Lorna, dit Jackie, en proie à un insupportable sentiment de culpabilité. Je devrais...

— Absolument pas, ma chérie, objecta l'assistante sociale de sa voix calme et grave. Tu ne parviendras pas à la changer ! Elle est seule responsable de ses actes.

— Mais cela finira par la tuer !

— Eh bien, ç'aura été son choix, répondit fermement Lorna. Tu lui as fait une proposition, et elle a décliné ton offre. Tu n'y peux rien, la balle est dans son camp.

— A-t-elle parlé de moi ? demanda Jackie avec appréhension. La dernière fois, grand-ma'semblait réellement fâchée contre moi...

— Non, ma chérie, se hâta de répondre Lorna, la voix soudain adoucie. Elle n'a rien dit du tout.

— J'ai une autre question à te poser, reprit Jackie après un long silence.

Et elle lui raconta l'histoire poignante d'Alex, depuis le jour où elle l'avait trouvée dans la rue jusqu'au moment où elle avait appris son vrai nom, sa fugue et sa situation désespérée.

— Elle campe toujours chez moi, conclut Jackie, et je n'ai toujours pas de solution à son problème. La gamine paraît nager dans le bonheur, mais je suis sûre qu'elle est encore sous le choc, compte tenu de tout ce qu'elle a subi !

— Elle a besoin d'un suivi psychologique, ou au moins d'une écoute attentive... de quelqu'un à qui elle pourrait confier tout ce qu'elle a vécu.

— Je sais, soupira Jackie. Mais moi, j'ai à peine le loisir de lui dire bonjour-bonsoir. Elle passe son temps enfermée dans mon appartement, à nettoyer et à ranger. Je ne peux quand même pas accepter qu'elle reste ainsi à trimer comme une esclave.

— Il est hors de question de la renvoyer chez elle. Vingt-quatre heures plus tard, elle serait de nouveau au coin de la rue à racoler les passants. J'ai trop vu de cas comme ça !

— Mais je ne peux pas la garder chez moi. Tu connais mon appartement ; c'est un tout petit deux pièces, et elle dort sur le canapé du salon. Comment veux-tu qu'on vive toutes les deux dans une telle promiscuité ?

— Eh bien, tu sais aussi bien que moi ce qui reste à faire, Jackie. Les foyers d'accueil, ça existe... Et ce n'est pas aussi terrible qu'on peut l'imaginer. C'est en tout cas une bien meilleure solution que de la renvoyer chez elle, avec tous les risques que ça implique, ajouta Lorna d'un ton lugubre.

Songeuse, Jackie imagina Alex dans un foyer d'accueil... La tendre, la timide Alex, merveilleusement intelligente, talentueuse et pleine de délicatesse naturelle, si touchante avec son dévouement et son zèle pour s'assurer un toit et un peu de sécurité...

— Seigneur, tout ce que je désire, s'exclama Jackie, c'est qu'elle ait un chez-soi comme les autres gamins. Elle le mérite vraiment ! Hélas, ce n'est pas moi qui pourrai le lui apporter. Alors, à défaut de ça, j'ai aussi pensé à un internat : puisque sa mère est prête à payer pour se débarrasser d'elle, on pourrait peut-être lui dénicher une bonne école privée ?

— Mais où ira-t-elle pendant les vacances ? La vie ne se résume pas aux problèmes de scolarité !

— Je sais, dit Jackie en soupirant. Je comptais un peu sur toi pour m'aider à trouver une meilleure issue.

— Il faudra que je procède à quelques vérifications, puis je te rappellerai. Qui sait, je vais peut-être tomber sur la solution miracle...

— Merci. Tu es un ange, Lorna !

— Tu viens de t'en apercevoir ?

Jackie raccrocha en riant. La conversation avec l'assistance sociale l'avait revigorée, et c'est avec une énergie nouvelle qu'elle se remit au travail, en commençant par les messages téléphoniques. Enfin, il n'en resta plus qu'un seul — l'appel anonyme. Après plusieurs sonneries, une voix de femme répondit à l'autre bout du fil.

— Oui ? dit la femme, qui paraissait essoufflée et contrariée.

— Helen ? s'exclama Jackie avec étonnement. C'est l'inspecteur Kaminski. Vous m'avez téléphoné ?

— Absolument pas ! répondit Helen Philps, tout aussi surprise. Pourquoi l'aurais-je fait ?

— J'ai cru que..., balbutia Jackie en fixant le Post-it jaune d'un air incrédule.

Puis, se rappelant brusquement avoir laissé sa carte à Grace Philps, elle s'apprêta à inventer une explication, mais Helen déclara d'un ton pressé :

— Je suis sûre qu'il s'agit d'une erreur. Ecoutez, je suis navrée de ne pas pouvoir rester plus longtemps avec vous mais il faut que je parte. Je suis déjà en retard à mon rendez-vous, et je dois revenir dans une heure, pour accueillir M. Arnussen qui vient réparer le toit.

— Ce n'est pas grave, répondit Jackie. Désolée de vous avoir dérangée.

— Mais... pourquoi m'appeliez-vous ? demanda Helen, soudain méfiante.

— Comme vous l'avez deviné, je me suis trompée, dit Jackie avec aplomb. J'ai composé votre numéro au lieu de celui qui se trouve juste en dessous dans mon calepin. Toutes mes excuses pour cette erreur stupide !

— Ce n'est rien, assura Helen, qui semblait soulagée. Si je peux vous être utile en quoi que ce soit, n'hésitez pas à me rappeler. Je serai là dans une heure.

Jackie répéta qu'elle n'avait rien d'urgent à lui dire, et la femme se hâta de raccrocher. Pendant les vingt minutes qui suivirent, Jackie s'efforça de contenir son impatience, étudiant divers documents étalés sur son bureau. Enfin, elle composa le numéro de nouveau, dans l'espoir que Grace Philps entendrait la sonnerie du téléphone. Elle était sur le point de renoncer, se demandant si elle aurait le temps de se rendre à la résidence des Philps avant le retour de Helen, lorsqu'une voix chevrotante répondit.

— C'est vous, Grace ? s'enquit Jackie. Ici, l'inspecteur Kaminski. Je vous rappelle comme vous me l'avez demandé.

— J'ai peur, déclara la vieille dame sans préambule. Je veux que vous veniez ici.

Apparemment, Grace l'entendait sans peine : son appareil acoustique devait être équipé d'un amplificateur de son adapté au téléphone.

— J'arrive sur-le-champ, répondit Jackie en rangeant à la hâte les différentes pièces du dossier, le combiné coincé entre le menton et l'épaule.

— Non, pas maintenant ! Vous ne pouvez pas venir aujourd'hui. Elle va bientôt rentrer !

— Quand pourrais-je vous parler ?

— Demain. Elle va toujours à l'église le dimanche matin. Elle sera absente pendant un bon bout de temps.

— Mais si vous avez peur, je ferais mieux de passer tout de suite !

— Pas aujourd'hui, répéta fermement la vieille femme. Elle donne un cours de catéchisme le dimanche, et elle participe à la chorale. Ma fille quitte la maison à 9 h 30, et elle rentre à midi passé. Vous pourrez venir dans la matinée... Il faut que je vous raconte certaines choses sur elle, ajouta-t-elle d'une voix sombre. Des choses terribles !

Jackie se demanda une nouvelle fois si la vieille femme avait toute sa tête. Peut-être aussi ses accusations révélaient-elles une rancœur accumulée à la suite de ses altercations incessantes avec sa fille...

— Je viendrai, promit Jackie. Je passerai dès que je le pourrai à partir de 9 heures et demie.

— Bien. Je vous attends, lança Grace avant de raccrocher sans rien ajouter.

Jackie reposa le combiné et leva les yeux vers son coéquipier.

— As-tu des informations intéressantes au sujet de la famille Philps ? lui demanda-t-elle. Leur passé, leur situation financière, et ainsi de suite ?

— Pas vraiment, répondit-il en ouvrant un dossier. Tu as dit toi-même que la baby-sitter ne jouait aucun rôle important dans cette affaire !

— J'en suis moins sûre désormais.

Elle lui raconta brièvement sa conversation téléphonique avec Grace et les allusions de cette dernière aux « choses terribles » qu'elle avait à lui confier. Wardlow haussa les épaules d'un air sceptique.

— Je vais te dire le peu que j'ai déniché. Le père d'Helen était un entrepreneur de haut vol, connu et respecté par ses concitoyens. Il est mort il y a vingt ans en laissant un héritage important qui permet, encore aujourd'hui, à sa veuve et à sa fille de vivre confortablement. Donc, pas de problèmes d'argent ; Helen Philps verse d'ailleurs annuellement deux mille dollars à la société des amis des beaux-arts de Spokane. Je n'ai rien d'autre sur les Philps dans mon dossier, à part le fait que leurs voisins plaignent la pauvre Helen de passer toute sa vie enfermée avec sa vieille mère. Ils pensent tous que Grace Philps devient de plus en plus gâteuse...

— Encore une impasse, n'est-ce pas ? commenta Jackie en soupirant.

Elle alluma son ordinateur et s'absorba dans la mise à jour de ses notes, tandis qu'en face, son coéquipier continuait son travail dans un morne silence.

Samedi après-midi, les nuages étaient amassés à l'horizon, noirs et menaçants. L'orage éclata à la tombée de la nuit, et la maison comme le jardin alentour semblèrent retenir leur souffle. Une averse froide s'abattit violemment sur la vieille demeure silencieuse, tambourinant sur les tuiles, noyant le perron, transformant les gouttières en cascades d'eau trouble.

Blottie dans son lit, Helen Philps écoutait les yeux grands ouverts les hurlements sinistres du vent et le bruit monotone de la pluie qui battait à sa fenêtre. De temps en temps, elle tournait la tête vers la pendulette à affichage digital dont les chiffres rougeoyaient dans l'obscurité. 11 heures et demie, soupira-t-elle en serrant nerveusement les mains sous la couverture. Comme chaque fois, l'attente lui paraissait interminable...

A minuit moins dix, elle se glissa hors du lit, enfila son peignoir et sortit silencieusement de sa chambre, s'arrêtant dans le couloir devant la porte de sa mère. Aucun son ne filtrait à travers l'épaisse paroi de chêne. Helen appuya doucement sur la poignée et passa la tête à l'intérieur. La lumière tamisée du couloir éclaira faiblement le grand lit à baldaquin de sa mère. La silhouette fragile sous la couverture de laine semblait invisible, noyée dans l'immensité du lit, mais Helen pouvait entendre les faibles ronflements de sa mère. Elle distinguait aussi son visage, et la fente de sa bouche entrouverte, tandis que son dentier arborait un sourire étrange dans un verre sur la table de chevet.

Refermant la porte sur elle, Helen attendit encore quelques instants, l'oreille tendue, les bras frileusement noués sur son ventre. Enfin, elle descendit l'escalier en s'agrippant à la rampe de chêne poli, puis traversa prestement la maison silencieuse jusqu'à la sortie de derrière. Elle ouvrit la porte au moment où douze coups sonnaient à la pendule.

Il attendait sur les marches du petit perron, son corps chaud de mâle dégageant des senteurs de pluie, ses épaules ruisselant de gouttelettes scintillantes. L'attirant à l'intérieur, Helen secoua l'eau de sa veste, puis l'enlaça passionnément et s'empara fougueusement de ses lèvres.

— Mon Dieu, murmura-t-elle, tandis que ses mains couraient sur ses cheveux, son visage, sa poitrine et ses hanches, c'est si bon de te retrouver ! Je n'en pouvais plus de t'attendre...

Il prit à deux mains la masse flamboyante et soyeuse de ses cheveux, lui rendant baiser pour baiser, puis il lui entrouvrit les lèvres et explora sa bouche de la langue, tout en écartant les pans de son peignoir pour lui caresser avidement les seins.

Le corps en feu, Helen se cambra, l'attirant plus près encore, puis baissa la main pour caresser impatiemment, à travers le tissu du pantalon, son sexe tendu par le désir.

— J'ai envie de toi, murmura-t-elle. J'ai envie de toi tout de suite !

Il rit doucement, l'entraînant vers l'escalier. Ils montèrent en silence à sa chambre, tout en s'attardant sur les marches pour échanger des caresses et des baisers passionnés.

— Fais attention à ne pas faire de bruit, chuchota Helen. Elle se réveille si facilement ces jours-ci !

— Tu ne lui as donc pas donné un calmant ?

— Non, j'ai eu peur... Ça la rend encore plus insupportable ! Hier, elle...

Ils refermèrent sur eux la porte de la chambre. Il défit lentement les cordons de son peignoir, lui découvrit les épaules d'un geste tendre et autoritaire à la fois, et la regarda fixement, son visage dissimulé dans l'ombre qui entourait le halo de la lampe de chevet. Plongeant la main dans le décolleté de sa chemise de nuit, il laissa ses doigts courir sur sa peau satinée, puis lui caressa lentement le bout des seins.

— Qu'a-t-elle fait hier ? lui demanda-t-il, tandis qu'elle frémissait de plaisir, la tête renversée en arrière.

— Elle... a menacé de parler à cette femme de la police.

— Tu veux dire à Kaminski ? demanda-t-il, soudain immobile, le visage figé au point de paraître effrayant.

Elle saisit sa main et la pressa contre son sein, cherchant à prolonger la délicieuse caresse que ses sens enflammés exigeaient.

— Je... je me suis assurée qu'elles ne restent pas en tête à tête. Maman n'a pas parlé.

— Qu'est-ce qu'elle aurait bien pu dire ? Ta mère ne sait rien, n'est-ce pas ? Tu m'as promis de faire attention !

Il s'écarta d'elle et alla se planter devant la fenêtre. Affolée, elle se précipita vers lui et prit son bras, dont elle sentit les muscles se contracter sous la fine étoffe de sa chemise.

— Tu es tellement beau, murmura-t-elle, embrassant son poignet, puis laissant ses lèvres suivre la ligne de son bras et remonter sur son épaule jusqu'au point très sensible situé à la naissance du cou.

Il demeurait silencieux, le visage fermé, à fixer d'un regard furieux l'obscurité de la nuit.

— Est-ce qu'elle sait quelque chose ? répéta-t-il.

— Bien sûr que non ! Elle ignore jusqu'à tes visites ! J'ai été très prudente, chéri. Je te jure que j'ai fait très attention... Je t'en supplie, ne sois pas si cruel ! Tu sais à quel point je tiens à toi...

Il se détendit et finit par la prendre dans ses bras du geste puissant, presque brutal, qu'elle aimait tant. Après un instant, il lui permit de le déshabiller, se tenant immobile pendant qu'elle ôtait sa chemise et déboutonnait son jean, pour s'agenouiller devant lui avec adoration. Il enjamba ses vêtements et apparut sous ses yeux, fier de la nudité arrogante de son corps superbe de mâle.

— Oh Seigneur, comme tu es beau ! murmura-t-elle, tandis qu'il l'observait avec une expression impénétrable.

Tendrement, religieusement, elle le prit d'abord dans sa main, puis dans sa bouche, aspirant avidement l'odeur de sa peau. Elle le sentit alors retenir sa respiration et frémir sous la caresse de sa langue. Comme elle adorait le faire vibrer ainsi ! Elle continua à le caresser avec une fougue croissante, répondant à l'intensité de son désir, et à l'exigence de sa propre passion qui semblait les porter tous les deux.

Finalement, il la força à se relever et l'emporta à travers la chambre jusqu'au lit, où il la jeta sur le dos, avant de la posséder d'un mouvement violent. Elle eut un sourd gémissement et s'agrippa à lui des deux mains.

— Tu es une drôle de petite femme, remarqua-t-il d'un ton amusé. Tu préfères la manière forte, hein ?

Elle plongea ses ongles dans la chair de ses épaules et poussa des petits cris de joie, tandis qu'il s'enfonçait en elle avec brutalité, tout en la giflant sauvagement plusieurs fois. Et plus il lui faisait mal, plus elle se sentait heureuse. Oui, la douleur lui permettait de sortir du monde des sensations ordinaires et la transportait dans un univers sauvage et merveilleux, où elle pouvait enfin devenir ce qu'elle avait toujours désiré : un être qui ne vivait que par ses sens...

Enfin, rassasiés, ils se renversèrent tous deux sur les oreillers et demeurèrent immobiles, dans un entrelacement de jambes et de bras couverts de sueur.

— Tu es vraiment incroyable, tu sais ? murmura-t-il, les yeux pétillant d'une lueur énigmatique. Tu vas me manquer !

— Que veux-tu dire ? demanda Helen, soudain tendue, en se relevant sur son coude.

— Tu sais que je ne peux pas t'emmener avec moi, répondit-il calmement.

— Mais tu m'as promis...

— Nous en avons déjà discuté, marmonna-t-il. Ne me mets pas en colère !

Elle se tut, terrorisée par son exaspération, et par le souvenir de cette cruauté vicieuse et parfaitement maîtrisée dont elle avait été témoin plusieurs fois par le passé. Mais elle était encore plus terrifiée à l'idée de le perdre.

— Je veux partir avec toi, gémit-elle d'une voix où perçait la panique. Tu m'as promis de t'arranger pour que ce soit possible. Je t'en supplie, ne me laisse pas seule ! Je mourrai si tu me quittes...

Il s'étendit sur le dos, fixant le plafond d'un air profondément ennuyé.

— Je ne te poserai aucun problème, poursuivit-elle. Je ne ferai jamais rien pour te causer le moindre embarras. Laisse-moi venir avec toi, et je t'obéirai au doigt et à l'œil... Tu sais combien je t'ai été utile ! ajouta-t-elle, consciente de la colère grandissante de l'homme, mais incapable de s'arrêter. J'ai fait tout ce que tu m'as demandé, pas vrai ? Tu le sais, non ? Réponds !

— Ça suffit ! Tu deviens hystérique, dit-il froidement. Il n'est pas question que tu viennes avec moi maintenant, et tu le sais parfaitement. Peut-être que plus tard, quand toute cette histoire se sera tassée, je reviendrai te chercher.

Il se leva d'un bond, traversa la pièce en ramassant son

jean, et entreprit de se rhabiller. Appuyée sur son coude, Helen l'observa avec angoisse pendant quelques instants, puis se leva à son tour pour venir s'agenouiller devant lui, nue et tremblante. Elle chercha à lui enlacer les jambes, mais il s'écarta d'un geste impatient. Alors, n'y tenant plus, elle éclata en sanglots.

— Chéri, je t'en supplie, murmura-t-elle. Je ferai tout pour toi...

Malgré l'obscurité, elle perçut l'expression de dégoût qui déformait son visage. L'espace d'un instant, elle le contempla, incrédule.

— Si tu me quittes..., dit-elle d'une voix sifflante en s'humectant les lèvres. Si seulement tu me quittes, je leur raconterai tout !

Il était en train de boutonner son jean, et il s'immobilisa comme transformé en statue de sel.

— Répète un peu ? répliqua-t-il après un silence.

— Je raconterai tout à la police ! répéta-t-elle en pleurant rageusement. Je leur dirai ce que tu as fait !

Il la saisit par les cheveux et l'attira brutalement vers lui.

— Ecoute-moi, salope, grogna-t-il en se penchant vers elle. Tu ne leur diras rien du tout ! Tu m'entends ?

— Arrête, tu me fais mal ! gémit-elle, toujours agenouillée. Lâche-moi... je t'en prie !

— Tu ne souffleras pas un mot de tout ça, répéta-t-il, les yeux flamboyants de fureur.

De nouveau, il tira sauvagement sur ses cheveux, et elle poussa un cri de douleur. Puis elle le sentit relâcher son emprise et tourner la tête. Elle suivit son regard...

La porte était ouverte sur le couloir. Dans la pénombre, elle aperçut la silhouette de sa mère, toute tremblante dans sa chemise de nuit en flanelle, un halo de cheveux blancs auréolant son visage.

— Qu'est-ce que c'est ? Helen, que se passe-t-il ?

Le regard de sa mère la cloua au sol. Elle était toujours

nue, agenouillée, et elle se sentit soudain ridicule et très vulnérable. Puis elle vit sa mère fixer d'un air indigné le torse découvert de l'homme, tandis qu'il traversait la pièce à sa rencontre.

— Dehors ! hurla la vieille dame en reculant d'un pas. Ne vous approchez pas de moi !

Mais l'homme marchait lentement sur sa proie. L'instant d'après, sa haute silhouette cacha aux yeux d'Helen celle de sa mère. Et, pétrifiée d'horreur, elle vit deux mains noueuses s'accrocher désespérément au chambranle de la porte...

22.

Juste avant l'aube, la pluie torrentielle se calma, se transformant petit à petit en un crachin froid qui enveloppait d'un voile grisâtre la ville, silencieuse et immobile en ce dimanche matin. Jackie prit le petit déjeuner en compagnie d'Alex qui s'apprêtait à passer l'aspirateur dans le salon, puis à ranger par ordre alphabétique la collection de disques. Poussant un soupir, Jackie s'abstint de tout commentaire...

Il faisait bon dans l'appartement, et elle eut toutes les peines du monde à affronter la bruine glaciale pour traverser la ville et se rendre chez Grace Philps. Il était 9 heures et demie lorsqu'elle se gara dans la petite rue derrière la propriété, à l'abri des regards indiscrets. Ouvrant la portière, elle enfila rapidement sa vieille veste, les épaules contractées au contact de l'humidité qui imprégnait l'air.

Elle pénétra dans le jardin par le portillon et se dirigea vers la maison, jetant au passage un bref regard sur les voliges de bois neuf soigneusement empilées le long du garage. Apparemment, Paul Arnussen avait bel et bien commencé son travail la veille.

En gravissant les marches du petit perron sur lequel donnait la cuisine, elle s'aperçut avec étonnement que la porte était entrouverte. Elle se dit qu'Helen avait dû oublier de fermer derrière elle avant de partir pour l'église. Elle appuya sur la sonnette et attendit, regardant par-dessus son épaule les arbustes et les massifs de fleurs voilés par la brume.

Elle avait beau insister, rien ne bougeait dans la maison. De toute évidence, Grace ne l'entendait pas ; elle poussa donc la porte et pénétra à l'intérieur. Comme elle s'arrêtait près de la table de la cuisine, elle tendit l'oreille : toujours aucun signe de vie. Une impression de mélancolie et de désolation émanait de la maison, qui paraissait abandonnée par ses habitants.

Après une brève hésitation, elle s'engagea dans le couloir et traversa les pièces du rez-de-chaussée, appelant Grace d'une voix forte. Mais la vieille dame demeurait invisible. Les sourcils froncés, Jackie consulta sa montre. Bizarre. Grace avait bien insisté sur le fait qu'elle l'attendrait à partir de 9 heures et demie. Or il était déjà 10 heures moins le quart...

Jackie s'arrêta devant l'escalier conduisant au premier étage. Aucun son ne lui parvenait, à part le bruissement de la pluie à l'extérieur et le tic-tac monotone de l'ancienne pendule du salon.

— Grace ? appela-t-elle de nouveau. Etes-vous là-haut ?

Le silence de la maison devenait oppressant, presque menaçant. Jackie se mit à gravir l'escalier, s'arrêtant un instant pour dégainer son revolver. Comme elle atteignait la dernière marche, elle posa la main sur le pilastre en chêne sculpté, embrassa du regard le couloir qui s'ouvrait devant elle...

... et sentit ses cheveux se dresser sur la tête.

Une des portes donnant dans le couloir était ouverte, et elle pouvait voir deux jambes nues de femme qui s'étalaient impudiquement sur le tapis.

Jackie se précipita vers la porte, atteignit d'un bond le corps et regarda à l'intérieur de la chambre, l'arme à la main.

— Seigneur..., murmura-t-elle en baissant le revolver, tandis qu'une vague de nausée lui montait à la gorge.

La chemise de nuit retroussée sur ses hanches maigres, Grace Philps était étendue sur le sol, les yeux vitreux grands ouverts, la tête penchée sous un angle anormal. Avec ses cheveux blancs ébouriffés et son corps menu, elle ressemblait à un petit chat qu'on aurait tué dans un accès de rage, puis jeté négligemment par terre.

Sur le lit gisait le cadavre d'Helen Philps. Apparemment, elle avait été étranglée, mais avant de mourir, elle avait dû lutter avec acharnement, à en juger par les marques laissées sur elle par l'assassin. Sa chevelure rousse s'emmêlait en une tignasse informe, et son visage ressemblait à un horrible masque bleuâtre zébré de filets de sang coagulé. Sa langue enflée sortait de sa bouche en une affreuse grimace, et son cou était couvert d'ecchymoses brunes. La nudité de son corps brutalement exposé tranchait sur le bleu sombre de la couverture.

Le premier réflexe de Jackie fut de recouvrir ce corps nu, si cruellement offert à la vue... Mais elle réprima cet élan de compassion, se gardant bien de toucher à quoi que ce soit. En revanche, elle devait explorer sans attendre la maison. L'arme au poing, elle sortit de la chambre et longea le couloir à pas feutrés, ouvrant les portes et inspectant les pièces l'une après l'autre.

Après s'être assurée qu'il n'y avait plus personne, mort ou vif, au premier étage, elle descendit au rez-de-chaussée. Lorsqu'elle ouvrit la dernière porte près de la cuisine, elle aperçut un étroit escalier qui conduisait au sous-sol plongé dans l'obscurité. Elle referma aussitôt la porte et recula jusqu'à la table de cuisine, inspirant profondément pour recouvrer son sang-froid. Puis elle posa son arme sur la table, sortit son téléphone portable de son sac et composa le numéro de Wardlow. A cette heure-là, il devait se trouver dans un foyer pour S.D.F. au centre-ville, occupé à interroger un clochard qui connaissait Waldemar Koziak.

Wardlow lui avait promis de ne pas se séparer de son portable, afin d'être prêt à lui venir en aide à tout moment. Que pouvait-il bien faire ? songea-t-elle avec impatience, tandis que la sonnerie retentissait dans le vide. Elle recomposa le numéro et attendit. En vain. Renonçant finalement à joindre son coéquipier, elle téléphona au commissariat. D'une voix qu'elle espérait ferme, elle indiqua à la réceptionniste où elle se trouvait, décrivit brièvement la situation, demanda des renforts d'urgence, puis raccrocha, les mains tremblantes.

C'est alors qu'un écho à peine perceptible, un bruit sourd, s'éleva du sous-sol. Saisissant son revolver, Jackie pivota sur elle-même et fixa la porte qui menait à l'étage inférieur. Elle avait aperçu des fenêtres au niveau du sol en arrivant, se rappela-t-elle avec un frisson. Pendant qu'elle attendait patiemment, l'assassin — s'il se trouvait là — pouvait donc s'échapper par une de ces croisées.

Elle s'efforça de calmer sa respiration, puis sortit une torche de son sac et la glissa dans la poche de sa veste. Lentement, elle ouvrit la porte et, le revolver pointé devant elle, commença à descendre, tous les sens en éveil.

Le silence alentour était total, à l'exception du bruit de la pluie martelant le sol de l'autre côté des petites fenêtres, et du glouglou de l'eau qui s'écoulait par les gargouilles. Parvenue en bas, elle s'arrêta et attendit que ses yeux s'habituent à la pénombre environnante. La maigre lumière filtrant à travers les vitres sales éclairait les épais murs de pierre couverts de moisissure et l'incroyable fatras qui emplissait le sous-sol. Au milieu des canettes et des bouteilles vides, d'énormes caisses en carton jonchaient le sol, pleines de vieux bois qui avait sans doute servi lors d'une réfection antérieure.

Au fond de la salle, une gigantesque vieille chaudière aux flancs métalliques luisait faiblement dans l'obscurité ;

hérissée de tuyaux à l'isolant arraché, elle ressemblait à un monstre à mille bras... Mais ce monstre en cachait peut-être un autre, bien plus redoutable : derrière la chaudière, Jackie découvrit une autre pièce, dont l'entrée était dissimulée par une grosse poutre horizontale et une paroi de planches délabrée.

La pièce semblait plongée dans un calme menaçant, et Jackie était sûre que son instinct ne la trompait pas : quelqu'un était tapi à l'intérieur, en train de l'observer, prêt à bondir. Tous ses sens étaient aiguisés par une peur animale qui lui nouait le ventre ; elle pouvait presque sentir l'odeur du danger tout proche, entendre les battements de cœur du prédateur dissimulé dans l'ombre.

Enjambant les débris qui encombraient le sol, elle fit quelques pas vers l'entrée de la pièce puis s'immobilisa, pour rassembler son courage et chasser de son esprit le souvenir du spectacle macabre qu'elle avait découvert au premier étage.

— Police ! cria-t-elle sur un ton qui se voulait ferme. Sortez de là les mains en l'air. Venez au centre de la pièce pour que je puisse vous voir.

Le silence pesait sur elle comme une chape de plomb. Au-dessus, l'averse continuait à marteler la terre avec un bruit sourd. Un mince rayon de lumière grisâtre tombant de la lucarne sale éclairait une grosse araignée noire dans l'angle du mur ; Jackie pouvait voir l'insecte se déplacer lentement à travers le lacis argenté de la toile. La tension devenait insupportable, et elle sentit la sueur couler sur sa nuque dans le col de son chemisier.

— Sortez de là, répéta-t-elle.

Elle fit encore quelques pas prudents vers l'entrée obscure, protégée par la paroi de planches vermoulues. Son revolver serré dans sa main droite, elle sortit de l'autre main la torche électrique et la dirigea à l'intérieur de la pièce, promenant le faisceau de lumière sur le mur du fond puis sur les caisses vides entassées au milieu du sol.

Comme elle contemplait machinalement ce bric-à-brac, quelque chose l'alerta soudain. Ces caisses avaient un aspect bizarre... Pour commencer, elles n'étaient ni vieilles ni abîmées, à la différence de tout le fatras qui emplissait le sous-sol. Et puis, elles étaient propres, sans un grain de poussière, comme si on les avait posées là tout récemment.

Elle jeta un coup d'œil alentour et, comme elle ne voyait rien bouger, entreprit de déplacer les caisses avec sa main gauche, la droite tenant toujours le revolver pointé devant elle. Enfin, elle s'arrêta, regardant le sol d'un air incrédule.

— Que diable...

Elle s'interrompit tandis qu'elle dégageait un cadre de bois et de ciment, d'un mètre carré environ, fixé autour d'une trappe de planches grossières et fissurées. Un anneau métallique était posé au centre.

Jackie se pencha et souleva la trappe, qui s'ouvrit facilement, basculant sur ses gonds apparemment bien huilés. Un trou noir et sinistre béait à ses pieds ; elle pouvait distinguer les degrés supérieurs d'une échelle qui s'appuyait au bord de l'ouverture. Elle se pencha prudemment, plongeant la torche à l'intérieur.

C'était une ancienne citerne ronde, d'une dizaine de mètres de diamètre, et d'environ huit mètres de profondeur. Elle avait dû être aménagée lors de la construction de la maison, pour drainer l'eau de pluie sur le toit et en faire une réserve destinée à l'usage domestique. Le système de plomberie d'origine avait évidemment été enlevé, mais l'ancien tuyau alimentant la citerne avait dû être relié autrefois aux gouttières, tandis qu'un autre conduit, visible au niveau du sol, était connecté dans la cuisine où une pompe à main, aujourd'hui disparue, fournissait l'eau.

Ayant constaté que la citerne était vide, Jackie baissa son arme pour étudier l'intérieur du puits à la lumière de sa torche. Intriguée, elle fronça les sourcils. Les murs étaient enduits d'une épaisse couche de peinture isolante, d'un bleu éclatant comme le ciel par une chaude journée d'été. Elle s'aperçut également que le sol, qu'elle avait cru nu, était revêtu d'une moquette claire, avec un tapis ovale contre la paroi. Sur le tapis, un petit lit pliant était recouvert d'un gros plaid en laine. Continuant son inspection, elle découvrit un minuscule rocking-chair chargé de jouets empilés, et une table en plastique où trônaient quelques livres pour enfants à couverture multicolore...

— Ce n'est pas vrai, murmura-t-elle, avec l'impression que son sang se glaçait dans ses veines. Mon Dieu, ce n'est pas possible...

Elle se releva lentement, la torche toujours pointée sur l'intérieur du puits, refusant de croire la monstrueuse vérité qui venait de lui apparaître. Et soudain, un léger bruit — ou, plutôt, le soupçon d'un bruit, le souffle d'une présence — la fit sursauter. Rapide comme l'éclair, elle leva de nouveau son arme devant elle. Puis elle se dirigea à pas feutrés vers l'angle le plus éloigné, où elle distinguait une armoire électrique fixée au mur et une sorte de niche, à moitié dissimulée par un écheveau de fils et plongée dans une ombre épaisse.

— Sortez de là ! ordonna-t-elle.

Il n'y eut pas de réponse ; rien ne remuait dans le noir. D'un pas lent et souple, elle poursuivit alors sa progression. Ses yeux commençaient à s'habituer vraiment à la semi-obscurité qui régnait dans la pièce ; elle distinguait maintenant tous les objets environnants... Et surtout, elle voyait nettement une silhouette d'homme aplatie contre le mur, au fond de la niche.

— Je sais que vous êtes là, dit-elle avec un calme glacial que démentaient les battements effrénés de son cœur. J'ai une arme pointée sur vous. Avancez de quelques pas ! Et tenez vos mains devant vous pour que je puisse les voir.

La silhouette finit par bouger. L'homme sortit de son abri, contourna l'amas de fils électriques et s'immobilisa à quelques mètres de distance. Alors seulement, elle reconnut Paul Arnussen...

Il était vêtu d'un jean et d'une veste de sport et, pour une fois, il n'avait pas de couvre-chef. Avançant encore d'un pas, il finit par s'arrêter au bord de la citerne et la regarda droit dans les yeux, le visage calme et dénué d'expression.

— A genoux ! dit-elle. Levez les mains lentement et mettez-les derrière la tête !

Arnussen demeura immobile, l'observant avec la même expression déconcertante.

— Obéissez ! cria-t-elle.

— Vous ne pouvez pas me tuer, Jackie, répliqua-t-il. Je parierais que vous ne sauriez appuyer sur la détente, pas même pour sauver votre vie !

— A votre place, je ne parierais pas, monsieur Arnussen, rétorqua froidement Jackie, comme elle continuait à le viser entre les yeux. J'ai dit : à genoux !

Il finit par obtempérer et s'agenouilla sur le sol en ciment, les mains derrière la nuque, tout en la fixant de son regard froid et énigmatique.

— Vous avez le droit de garder le silence, annonça Jackie en s'approchant de lui sans baisser son arme. Tout ce que vous direz pourra être retenu contre vous. Vous avez le droit de ne parler qu'en présence de votre avocat. Si vous souhaitez appeler...

— Vous êtes en train de m'arrêter ? demanda-t-il.

— Exact.

Elle finit de lui énoncer ses droits, puis détacha avec sa main gauche les menottes qu'elle portait à sa ceinture.

— Mais pourquoi ? Pour quel crime m'arrêtez-vous ?

— Pour vous être introduit dans une propriété privée. On parlera plus tard des meurtres.

— Quels meurtres ? demanda-t-il en se relevant et en

la regardant par-dessus son épaule. Qu'est-ce que vous racontez ?

— Vous le savez pertinemment. Où est Michael Panesivic ?

— Je n'en ai pas la moindre idée !

— Vous feriez mieux de me le dire tout de suite. Votre petit jeu est terminé !

Les poignets attachés dans le dos, Arnussen pointa son coude en direction de la citerne.

— J'ignore où se trouve le petit maintenant, mais je crois qu'il a passé un bon bout de temps là-dedans. Qu'en pensez-vous ?

— C'est moi qui pose les questions, Arnussen. Qu'avez-vous fait à l'enfant ?

A cet instant leur parvint un bruit de portes que l'on claque. En entendant le pas lourd des policiers, Jackie poussa un soupir de soulagement.

— Police ! cria une voix d'homme. Il y a quelqu'un ?

— En bas ! appela-t-elle. Au sous-sol !

Elle entendit les pas qui dévalaient l'escalier et traversaient la première cave. Enfin, deux agents en tenue apparurent sur le seuil. Ils écarquillèrent les yeux en voyant la citerne vide et l'homme qu'elle tenait en joue.

— Il se cachait là-bas dans la niche quand je suis arrivée, expliqua-t-elle en désignant le coin obscur de la pièce. Il y a deux cadavres dans une chambre au premier étage.

— Deux cadavres ? s'écria Arnussen. Quels cadavres ? De quoi parlez-vous ?

Il fixait tour à tour Jackie et les deux policiers d'un air incrédule.

— Et ça, poursuivit-elle, l'ignorant et indiquant la citerne, c'est l'endroit où Michael Panesivic est resté caché pendant une semaine.

Le plus jeune des agents jeta un coup d'œil sur le trou sombre, puis considéra Jackie d'un air effrayé.

— Le gosse est toujours là-dedans ?

— Non. Mais je suis sûre que M. Arnussen va nous apprendre où il se trouve.

Le deuxième policier avança vers Arnussen et lui posa la main sur l'épaule.

— Vous lui avez rappelé ses droits, inspecteur ?

— Oui. Mais, sachant à qui on a affaire, faites-le encore une fois.

Elle regarda les deux agents emmener Arnussen. Il était plus grand qu'eux, et une impression de puissance se dégageait de son corps mince et souple, en dépit des menottes qui lui emprisonnaient les poignets. Quand elle fut restée seule dans la pénombre du sous-sol, Jackie sentit ses mains trembler violemment, et une vague de convulsions secoua son corps tout entier. Posant son arme par terre, elle s'assit sur une caisse, les mains moites de sueur, le souffle court, le cœur battant à tout rompre...

Elle parvint enfin à se dominer, et remit le revolver dans son holster. Puis, jetant un dernier regard à l'intérieur de la citerne, elle gravit l'escalier et émergea près de la cuisine, où s'affairaient plusieurs policiers en tenue tandis que deux inspecteurs de la brigade criminelle déballaient leurs appareils photo et le matériel utilisé pour relever les empreintes.

Jackie s'approcha de la fenêtre et vit encore Arnussen, vêtu de sa veste bleue assombrie par la pluie, cependant que les agents le conduisaient vers le fourgon de police garé à la sortie de la propriété. L'un d'eux ouvrit la portière arrière et leva la main pour protéger la tête d'Arnussen au moment où il montait. L'instant d'après, le fourgon démarrait et disparaissait, comme avalé par la grisaille ambiante.

Elle s'éloigna de la fenêtre, prit son sac, vérifia si son calepin se trouvait à l'intérieur...

— Excellent travail, inspecteur ! lui dit un des officiers de la criminelle avant de quitter la pièce. D'après ce que j'ai compris, c'est vous qui avez trouvé les corps et arrêté le coupable ?

— Il se cachait au sous-sol.

— Vous avez beaucoup de courage, remarqua l'autre officier avec une sincère admiration. Aller fouiner toute seule dans cette cave sinistre... Il vous a fallu un sacré cran ! Vous êtes un bon flic, Kaminski.

— Je crois que vous avez besoin de ma déposition, n'est-ce pas ? demanda Jackie d'un ton las. Je n'ai pas encore eu le temps de prendre des notes...

— Voyons, rien ne presse ! dit le deuxième officier en lui jetant un regard pénétrant. Ne voulez-vous pas d'abord sortir et prendre un peu l'air pour vous détendre ? Nous pourrons reparler boutique dans quelques instants, ajouta-t-il doucement.

Elle lui sourit avec reconnaissance et sortit dans le jardin par la porte de derrière. Les fleurs inclinaient leur tête sous la pluie battante, et l'herbe de la pelouse paraissait lisse et brillante comme une table d'émeraude. Un souffle de vent fit pivoter lentement la girouette fixée sur le toit des anciennes écuries...

Ecarquillant les yeux de stupeur, Jackie s'approcha lentement, le regard rivé sur l'effigie de bronze mouillée qui luisait délicatement dans la lumière gris perle. Comment ne s'en était-elle pas aperçue plus tôt, à l'époque où Paul Arnussen avait parlé pour la première fois d'un coq qui hantait ses visions ? Oui, la girouette en métal ouvragé représentait un beau coq, ayant fière allure avec sa queue dressée et ses plumes aux reflets d'or...

23.

— Où diable étais-tu passé ? demanda Jackie d'une voix rauque.

Malgré sa colère, elle jeta un regard prudent par-dessus son épaule sur la porte entrouverte du bureau de Michelson, avant de fixer de nouveau son coéquipier. Wardlow était affaissé d'un air malheureux devant sa table de travail.

C'était lundi matin, plus de vingt heures après qu'elle eut arrêté Paul Arnussen dans le sous-sol humide de la maison d'Helen Philps. En dépit du temps écoulé, Jackie ne s'était pas encore entièrement remise de l'horrible découverte des deux cadavres, et de son affrontement avec l'homme caché dans l'ombre. Bien au contraire. Plus elle accusait le choc, moins elle avait l'impression de maîtriser ses émotions...

Elle était furieuse contre elle-même, et ce sentiment de dépit se trouvait aggravé par le fait que, malgré l'arrestation d'Arnussen et la découverte de la cachette de Michael, on était sur le point de leur retirer le dossier. En effet, la brigade criminelle s'était emparée de l'enquête sur le double meurtre, menaçant d'enlever à l'équipe de Jackie une affaire qui dépassait désormais le simple kidnapping.

— Ecoute, Wardlow, dit-elle à son coéquipier. J'étais

seule dans cette maudite maison avec deux cadavres en haut et un assassin planqué au sous-sol... et je n'ai pas réussi à te joindre ! As-tu la moindre idée de ce que j'ai pu éprouver ?

— Je suis désolé, marmonna-t-il en prenant sa tête à deux mains et en se frottant les tempes.

— Tu es désolé ? C'est tout ce que tu as à dire ? Tu ne peux même pas fournir une excuse qui tienne la route ? Je devrais transmettre un rapport à Michelson t'accusant d'être incapable d'assurer la couverture de ton chef d'équipe !

— Je t'en prie, supplia-t-il, l'air hagard, ne fais pas cela.

— Et pourquoi m'en priverais-je ?

— Parce que j'ai besoin de ce travail. J'ai travaillé dur pour obtenir ce poste... Je ne veux pas avoir un rapport dans mon dossier personnel, et me retrouver trois jours plus tard agent de la circulation, comme avant... Je te le jure, Jackie, cela ne se répétera jamais plus !

— Qu'est-ce que tu fabriquais ? Tu étais censé te trouver au centre-ville, avec ton portable sur toi !

— Je sais... Laisse-moi t'expliquer. Je me dirigeais vers l'abri pour S.D.F. lorsque j'ai repéré une voiture. Une Chevrolet blanche décapotable. Alors, j'ai fait demi-tour, et je l'ai suivie.

— Mais pourquoi ?

— Parce que Sarah était à l'intérieur... avec un homme.

— Ta femme ? souffla Jackie, incrédule.

— Eh oui, ma femme, répéta-t-il amèrement.

— Et que s'est-il passé ensuite ?

— Je les ai suivis jusqu'à un hôtel pas loin de l'autoroute. Ils sont descendus, ont sorti une valise du coffre, puis se sont rendus à la réception pour prendre une chambre. Je les ai abordés dans le hall, devant l'ascenseur... Pardonne-moi, Jackie ! Dans le feu de l'action, j'ai dû oublier mon portable en voiture.

— Et comment abordes-tu les gens dans une situation pareille ? demanda-t-elle, intriguée.

— Alors là, si tu m'avais vu, tu aurais été fière de moi ! répliqua Wardlow avec un sourire jaune. J'étais vraiment cool... Moi-même, je n'en reviens pas ! J'ai salué Sarah, puis je me suis présenté au mec. Je lui ai même serré la main et lui ai parlé de la pluie et du beau temps. Ensuite, Sarah...

— Inspecteurs Kaminski et Wardlow, appela Michelson depuis le seuil de son bureau. Pouvez-vous venir, s'il vous plaît ?

Jackie échangea un regard avec son coéquipier puis entra dans la pièce, Wardlow sur ses talons. Pendant qu'ils s'installaient, Michelson ferma la porte et se posta en face d'eux, leur décochant un regard glacial.

— Bon, on vient de me raconter tout ce qui s'est passé hier, déclara-t-il enfin. Kaminski, vous êtes une idiote !

— Moi ? fit-elle, les yeux ronds. Pourquoi ? Qu'ai-je fait ?

— Vous êtes descendue sans renforts dans le sous-sol d'une maison vide où un double meurtre venait d'être commis. C'était quoi ? Une envie subite d'épater la galerie, de décrocher une médaille à titre posthume ?

— C'était la seule chose à faire compte tenu de la situation, commissaire. Consultez le manuel de police, vous verrez que c'est écrit noir sur blanc. Je cite : « Un policier arrivant sur le lieu d'un crime doit d'abord utiliser tous les moyens raisonnables pour éviter que le ou les suspects quittent les lieux. L'arrestation a la priorité sur le déroulement de l'enquête, excepté dans le cas où la ou les victimes ont besoin de l'intervention immédiate du policier. »

— Bravo, vous avez une mémoire d'éléphant. Et quel est, à votre avis, le mot clé dans ce passage ?

Jackie baissa la tête sans répondre.

— C'est le mot « raisonnable », Kaminski. Pourquoi

ne pas avoir attendu les renforts ? demanda Michelson, avant de tourner son regard las vers Wardlow. Et vous, inspecteur, où diable étiez-vous passé pendant que Kaminski jouait au cow-boy ?

Embarrassé, Wardlow s'agita sur son siège.

— Brian était en mission au centre-ville, occupé à interroger un témoin potentiel, déclara Jackie. J'ai jugé que les gars du commissariat arriveraient plus vite... Et comme j'étais sûre qu'ils interviendraient très rapidement, je suis descendue au sous-sol. Je voulais surtout éviter que le coupable ne nous glisse entre les doigts en filant par une des fenêtres qui donnent sur le jardin. Et c'est ce qui serait arrivé si j'avais attendu les renforts les bras croisés.

Elle sentit Wardlow se détendre sur son siège. Il lui adressa discrètement un sourire reconnaissant, mais elle préféra l'ignorer.

— Bon, dit enfin Michelson en ouvrant les classeurs sur son bureau. Nous avons à présent deux affaires, un kidnapping d'enfant et un double meurtre, qui sont apparemment liées. Les homicides reviennent à la criminelle du commissariat du centre-ville, mais on nous laisse pour l'instant le kidnapping. Il faut décider de la direction que nous allons donner à l'enquête.

— Puisque nous gardons le premier dossier, pouvons-nous interroger Arnussen ? demanda Jackie.

— Arnussen refuse de parler. Il a passé la nuit en garde à vue, mais il n'a pas desserré les dents.

— A-t-il exigé un avocat ?

— Je vous l'ai dit, il est muet comme une carpe. Il reste assis sur son lit, les yeux rivés sur le mur de sa cellule.

Jackie imagina Paul Arnussen derrière les barreaux, muré dans son silence, défiant le monde entier envers et contre tout. Bizarrement, cette image ne lui procura aucun sentiment de triomphe ou de satisfaction. Au contraire, une immense tristesse s'empara soudain d'elle.

— Que savons-nous à ce jour ? demanda Wardlow, tandis que Michelson parcourait ses notes.

— On a fouillé la citerne et retrouvé de l'urine dans un pot. Le labo affirme que cette urine remonte à environ vingt-quatre heures. Nous pouvons donc supposer que le gosse était encore en vie la nuit dernière.

— Mais ce n'est plus le cas, dit Jackie d'une voix altérée. Aucune chance !

— Qu'est-ce qui te fait croire cela ? s'enquit Wardlow.

— Il s'agit d'un cas classique de kidnapping d'enfant, répondit Michelson. Quand l'enfant a vu son ravisseur assez souvent pour le reconnaître par la suite ou quand le ravisseur est obligé de lui trouver une autre cachette, le gosse est d'ordinaire éliminé dans les deux cas. Je suis d'accord avec Kaminski. Il n'y a pas beaucoup de chances que ce pauvre petit ait survécu à la nuit dernière.

— Pensez-vous que le gosse aurait été capable de reconnaître Arnussen ? remarqua Wardlow, sceptique. Nous n'avons même pas de scénario plausible pour cet enlèvement, pas vrai ?

— Nous étudions deux hypothèses en ce moment. Arnussen devait connaître Helen Philps depuis longtemps, et il entretenait une liaison avec elle. On a d'ailleurs constaté que la victime avait eu des rapports sexuels peu avant de mourir. S'il a voulu se faire un petit garçon, Helen pouvait lui procurer à la fois la victime et la cachette... Un cadeau, en quelque sorte, pour satisfaire les goûts pervers de son amant. L'isolation acoustique de la citerne permettait à l'homme d'abuser impunément du gosse sans que quiconque l'entende crier.

— Dieu du ciel ! murmura Wardlow, écœuré.

— Par ailleurs, il était particulièrement facile pour Helen d'enlever Michael dans le centre commercial, ajouta Jackie. L'enfant la connaissait bien, il n'avait aucune raison d'avoir peur de sa baby-sitter.

— Poursuivez, Kaminski, approuva Michelson, tandis qu'il avalait deux comprimés contre ses maux d'estomac.

— Je crois qu'Helen n'en pouvait plus de cette vie solitaire, avec sa mère pour seule occupation, déclara Jackie. Elle a, comme on dit, pété les plombs... J'ai observé Grace Philps, et je sais qu'elle pouvait être vraiment difficile à supporter. Peut-être Helen, jalouse de Leigh, voulait-elle garder le petit pour elle-même. Ou peut-être avait-elle l'intention de faire chanter les Mellon, espérant une rançon importante. Nous savons que c'est sa mère qui tenait les cordons de la bourse ; Helen devait rêver de se libérer de cette dépendance et, sans doute, de quitter la maison...

— Et Arnussen là-dedans ? demanda Michelson, sceptique.

— C'était son amant, et il a fini par apprendre ce qu'elle manigançait. Il a pu s'apercevoir de quelque chose pendant une de ses visites nocturnes. Il avait peur que sa maîtresse, de plus en plus déséquilibrée, fasse du mal à l'enfant. Mais il ne voulait pas alerter la police, craignant d'être accusé de complicité ; il a préféré prétendre qu'il était médium, faisant des allusions suffisamment transparentes, comme le puits ou le coq... Il espérait que je remarquerais la girouette de bronze, et que je finirais par fouiller le sous-sol — comme à la ferme des Panesivic.

— Tout ça est très clair... sauf que le gosse a de nouveau disparu, et que nous avons ce double meurtre ! objecta Michelson.

— Ont-ils établi les causes des décès ? s'enquit Wardlow.

— Pour la vieille dame, colonne vertébrale brisée. En réalité, on lui a pratiquement dévissé la tête. L'assassin est un véritable hercule ! Quant à Helen Philps, elle a été étranglée, mais elle a dû lutter désespérément avant de succomber. Le décès est survenu à minuit, à une ou deux heures près.

— Arnussen n'a aucune marque sur le visage ou les mains, remarqua Jackie, songeuse.

Michelson lui adressa un regard pénétrant, puis répondit :

— Vous avez vu le bonhomme, Kaminski... Et la femme aussi. Il est possible qu'elle n'ait pas eu l'occasion de lui laisser la moindre éraflure, même si elle s'est débattue comme une tigresse.

— Avez-vous une idée claire de ce qui s'est passé sur le lieu du crime ? demanda Wardlow.

— Les corps ont été trouvés dans la chambre de la fille, commença Michelson en consultant le dossier. Voici comment les gars de la criminelle voient les choses. Arnussen est en train de lui faire l'amour, ou peut-être, déjà, de la tuer. Le bruit réveille la vieille dame, et elle entre dans la pièce pour voir ce qui se passe... Erreur fatale, comme on dit, ajouta-t-il avec un rictus sinistre.

— Ainsi, ils pensent qu'Arnussen a tué les deux femmes aux alentours de minuit, qu'il est allé chercher Michael dans la citerne, l'a tué également, puis qu'il a quitté la maison pour se débarrasser du corps ? demanda Jackie.

— C'est très possible. En ce moment, ils interrogent les voisins, au cas où quelqu'un aurait vu un véhicule arriver ou partir durant la nuit.

— Mais alors, pourquoi est-il revenu sur le lieu du crime dimanche matin ? C'était vraiment idiot, d'autant qu'il pouvait soupçonner qu'on avait découvert les cadavres entre-temps !

— Il avait une excuse en béton : réfection de la toiture, objecta Michelson. Nos collègues supposent qu'il avait laissé un indice important, et qu'il est revenu pour le faire disparaître... Mais il ne s'attendait certainement pas à voir Kaminski débarquer dans le sous-sol et l'attraper la main dans le sac !

— Je veux quand même poursuivre les recherches concernant Michael, dit Jackie. Il faut vérifier tous les endroits liés au nom d'Arnussen. Désormais, nous n'aurons aucun mal à obtenir un mandat pour fouiller la maison de sa propriétaire. Nous devrions également envoyer nos hommes ratisser ce canyon au nord de la ville, où il a l'habitude de faire ses randonnées.

— Bonne idée, approuva Michelson. L'endroit est idéal pour enterrer un cadavre... surtout celui d'un enfant.

— Quand allons-nous mettre les deux familles au courant des meurtres ? demanda Jackie.

— Il faudra lâcher le morceau d'ici peu, déclara Michelson en soupirant. Vingt-quatre heures tout au plus... Les médias n'ont pas arrêté de nous tarabuster, mais nos services ont été très prudents, et nous avons réussi à garder secrète l'affaire des meurtres — du moins, pour l'instant. Le sergent Alvarez espérait obtenir les aveux d'Arnussen avant d'avertir les deux familles, mais ce salopard refuse de...

Interrompu par la sonnerie du téléphone, Michelson décrocha d'un geste brusque, puis écouta en silence son interlocuteur à l'autre bout du fil. Enfin, il reposa l'écouteur, le visage illuminé.

— A cheval, les enfants ! commanda-t-il. Arnussen est prêt à se mettre à table, mais il exige que vous soyez là, Kaminski. En fait, il refuse de dire quoi que ce soit autrement qu'en votre présence.

— Alors, que penses-tu faire à présent ? demanda Jackie.

Au volant de la voiture de police, elle se dirigeait vers le commissariat du centre-ville.

— A propos de quoi ?

— A propos de ton mariage, de Sarah et de... cet autre homme. As-tu l'intention de discuter avec elle ?

— Il est trop tard pour discuter, répondit Wardlow d'une voix blanche en regardant par la vitre. Hier soir, j'ai plié bagage et je suis parti.

— Mon Dieu... Comme ça doit être dur pour toi, Brian ! Où es-tu allé ?

— Chez mon frère. Je dors sur le canapé dans le living.

— Tu penses chercher un appartement ?

— Comment veux-tu que je reste longtemps dans de telles conditions ? dit-il avec un bref sourire triste. Quand je suis au lit, mon petit neveu s'installe sur mon ventre pour regarder la télé. Pour lui, ça va, mais moi, je ne trouve pas cette position très confortable !

Jackie répondit à son sourire, ravie de l'entendre plaisanter, même si le cœur n'y était pas...

— Au fait, toi aussi, tu as un canapé dans le living ? Je peux compter là-dessus ?

— La place est prise, répliqua Jackie sèchement.

Elle gara la voiture dans le parking du commissariat et prit son sac et ses dossiers sur le siège arrière.

— Ecoute, Brian... Crois-tu que Michael soit mort ? demanda-t-elle d'un air sombre.

— Pourquoi ne pas poser cette question à ton ami Arnussen ? rétorqua Wardlow avec une grimace de dégoût. Après tout, il n'y a que lui qui le sache !

Jackie hocha la tête d'un air désabusé. Ils pénétrèrent dans le commissariat et longèrent les couloirs bourdonnants d'activités. Arrivés dans l'antichambre de la salle des interrogatoires, ils observèrent Arnussen à travers un miroir sans tain. L'homme était assis en face du bureau, ses mains calleuses tranquillement posées sur ses genoux. Devant lui se trouvaient Dave Kellerman et Ozzie Leiter, les deux inspecteurs chargés du double meurtre Philps.

Suivi de son coéquipier, Jackie s'approcha de la porte, frappa et passa la tête dans la salle.

— Kaminski et Wardlow, annonça-t-elle brièvement, comme Kellerman levait les yeux vers elle. On peut entrer ?

— Oui, nous vous attendions, répondit Kellerman avec soulagement.

Ils s'installèrent des deux côtés du bureau en face d'Arnussen. En regardant le prisonnier, Jackie eut un choc. Sous ses cheveux blonds ébouriffés, son visage aux traits tirés dénotait un épuisement extrême. Une barbe naissante, drue et foncée, ombrait son menton et ses joues. L'espace d'un instant, ses yeux noirs croisèrent ceux de Jackie, puis il détourna le regard, fixant le mur au-dessus des têtes des deux inspecteurs de la criminelle.

Sans savoir pourquoi, Jackie songea à la photo qu'elle avait remarquée sur le calendrier épinglé dans la cuisine d'Arnussen ; elle revit les chevaux sauvages, crinière et queue au vent, lancés au galop sur fond de soleil couchant...

— Eh bien, la voici, monsieur Arnussen, dit l'inspecteur Leiter. Peut-on commencer ?

Le regard absent, Arnussen acquiesça d'un hochement de tête.

— Vous savez que vous pouvez exiger la présence d'un avocat avant toute déclaration, et que vous n'êtes pas obligé de parler en son absence ?

— Je connais mes droits. Je renonce de mon propre gré à mon droit au silence, et à la présence d'un avocat pendant cet entretien.

Bien que la salle fût équipée d'une caméra de télévision qui était déjà en marche, Kellerman brancha le petit magnétophone installé sur la table et énonça l'heure, la date et les circonstances de l'interrogatoire.

— Première question, déclara Leiter. Que faisiez-vous dans ce sous-sol, monsieur Arnussen ?

— Je ne répondrai qu'aux questions posées par l'inspecteur Kaminski, rétorqua le prisonnier avec un regard glacial. Je vous en ai avertis !

— Je vous propose de couper la poire en deux, suggéra Leiter doucement. L'inspecteur Kaminski et moi enquêtons sur deux aspects différents de cette affaire. Si vous nous laissez vous poser quelques questions pour commencer, nous passerons ensuite le flambeau à l'inspecteur Kaminski ! D'accord ?

Arnussen étudia tour à tour les visages des policiers, puis hocha la tête.

— Donc, que faisiez-vous dans le sous-sol de cette maison ?

— J'explorais les lieux. Je voulais savoir ce qui s'y trouvait.

— Pourquoi ?

— Eh bien... Je soupçonnais quelque chose de louche.

— Expliquez-vous.

Arnussen lança un bref coup d'œil à Jackie, mais refusa de répondre. Se penchant vers le prisonnier, Kellerman lui adressa un sourire engageant.

— Pourquoi avez-vous tué Helen Philps et sa mère, monsieur Arnussen ? demanda-t-il.

— Je n'ai tué personne. Je n'ai rencontré miss Philps qu'une fois, et je ne connaissais pas sa mère.

— Mais alors, que faisiez-vous dans leur sous-sol ?

— Je vous l'ai dit, je cherchais quelque chose.

— Quoi exactement ?

— La citerne, répondit Arnussen après un bref silence. Je cherchais la citerne.

— Comment pouviez-vous savoir que...

— Vous vous souvenez du jour où nous sommes passés devant cette maison ? l'interrompit Arnussen en s'adressant à Jackie.

Elle hocha la tête, puis ajouta un bref « oui » à haute voix pour l'enregistrement.

— Eh bien, cette maison a provoqué comme un déclic en moi. Elle m'a... intrigué.

— Intrigué ? Pourquoi vous a-t-elle intrigué, monsieur Arnussen ? demanda Leiter avec un sourire affable.

— J'avais remarqué, dit Arnussen, ignorant Leiter et s'adressant à Jackie, que le toit avait besoin d'être réparé... Et comme j'avais besoin d'un autre job après en avoir fini avec la véranda, j'ai pensé que c'était un bon prétexte pour m'introduire dans la maison et en avoir le cœur net. Je suis donc passé chez elle le lendemain et j'ai proposé mes services...

— La personne avec qui vous avez discuté, c'était bien Helen Philps ? demanda Kellerman, et, comme Arnussen acquiesçait, il ajouta : vous prétendez ne l'avoir jamais rencontrée auparavant ?

— C'était une parfaite inconnue pour moi.

— Et que vous a-t-elle répondu quand vous lui avez proposé de réparer son toit ?

— Elle a dit qu'elle souhaitait vérifier mes références auprès des voisins du quartier pour qui j'avais déjà travaillé, et qu'elle me rappellerait ensuite. Et elle m'a effectivement rappelé le soir même.

— Désirez-vous quelque chose, monsieur Arnussen ? demanda Leiter sur un ton empressé. Un café ? Ou peut-être une cigarette ?

— Je ne fume pas, répondit Arnussen avec un geste impatient. Ecoutez, finissons-en, voulez-vous ?

— Bien sûr, monsieur Arnussen, répliqua Kellerman d'une voix suave. Que s'est-il passé après qu'elle a donné son accord pour la réfection du toit ?

— Vendredi matin, je suis passé évaluer les dégâts et établir un devis. Nous sommes convenus d'un prix, et je suis revenu l'après-midi pour lui faire signer un contrat.

— Il dit la vérité, confirma Jackie. J'ai vu sa camionnette partir vendredi après-midi, et Helen m'a donné la même explication.

— Avez-vous rencontré miss Philps après la signature du contrat ? reprit Leiter.

— Très brièvement. J'ai livré le matériel samedi après-midi, et elle est sortie échanger quelques mots avec moi.

— Quelle heure était-il ?

— Je ne me rappelle pas. Autour de 14 heures.

— Et que vous a-t-elle dit ?
— Pas grand-chose. Elle semblait très tendue. Je lui ai demandé la permission d'entrer et de jeter un coup d'œil sur l'installation électrique, afin de m'assurer que l'alimentation était suffisante pour mon équipement. Mais elle a refusé.
— Helen Philps ne vous a pas laissé pénétrer dans la maison ? Pour quelle raison ?
— Elle a prétexté la sieste de sa mère. Mais je ne vois pas pourquoi j'aurais réveillé Mme Philps si j'étais descendu au sous-sol vérifier l'alimentation en électricité !
— Et que s'est-il passé ensuite ?
— Je voulais plus que jamais examiner leur sous-sol. Surtout après avoir visité le jardin derrière la maison.
— Pourquoi ? Qu'y avait-il de si intéressant dans le jardin des Philps ?
— Quand j'ai livré les voliges pour le toit, répondit-il en se tournant vers Jackie et en la regardant droit dans les yeux, j'ai aperçu la girouette... L'avez-vous remarquée ?
— Oui, acquiesça-t-elle lentement.
— Et alors ? intervint de nouveau Kellerman. Qu'avait-elle d'extraordinaire, cette girouette ?
— Je... je l'avais déjà vue. Je savais qu'il existait un lien entre cette effigie et le petit garçon qui avait été enlevé. Et je sentais... j'étais toujours convaincu que le gosse se trouvait sous terre. Voilà pourquoi je voulais explorer le sous-sol.
— Je suppose, dit Leiter en échangeant un regard éloquent avec son collègue, qu'il s'agit là d'un de vos pressentiments d'extralucide ? L'inspecteur Kaminski nous a dit que vous étiez une sorte de médium.
— Je ne suis pas médium. Simplement, il m'arrive parfois de... deviner des choses. Mais je n'aime pas en parler.
— Vous n'avez donc jamais averti la police de vos « visions » par le passé ?

— Non, rétorqua-t-il d'un air sombre. Et je me garderai bien de le faire à l'avenir.

— Avez-vous déjà assassiné quelqu'un ? demanda Leiter d'un ton léger. Comme, par exemple, une petite fille à Billings... ou un petit garçon à Boise ?

Pâlissant sous son hâle, Arnussen fixa l'homme d'un air ahuri.

— Mais qu'est-ce que vous racontez, bon sang de bois ? Vous êtes fou ?

— Laissons cela de côté pour l'instant, déclara Kellerman en se penchant vers Arnussen. Vous vouliez donc à tout prix pénétrer dans le sous-sol des Philps... Et qu'avez-vous fait alors ?

— Rien. Je suis rentré chez moi en me disant que la nuit porte conseil. Je pensais revenir sur les lieux dimanche matin... Si mon intuition était toujours aussi forte, j'avais l'intention d'appeler l'inspecteur Kaminski, de lui parler de la girouette et de suggérer qu'elle examine le sous-sol de cette maison.

— Mais vous ne l'avez pas appelée !

— Non. J'y suis allé dimanche matin après l'averse pour m'assurer que les voliges ne risquaient pas d'être abîmées par l'eau. Quand je me suis approché de la demeure, j'ai vu que la porte de la cuisine était entrouverte. J'ai alors décidé sur un coup de tête de pénétrer dans la maison à l'insu des propriétaires.

— Mettons les choses au point, monsieur Arnussen. Vous vous rendez chez votre cliente par un dimanche matin pluvieux, et vous décidez d'agir en cambrioleur par simple curiosité ?

— J'étais certain qu'elle ne me laisserait pas pénétrer dans le sous-sol... Et pourtant, il fallait que je sache ce qui s'y tramait ! Je me suis dit que, si quelqu'un m'attrapait à l'intérieur, je pourrais toujours prétexter la nécessité de voir l'installation électrique.

— En d'autres termes, vous vous apprêtiez à mentir ?

— Exact, confirma froidement Arnussen. Je m'apprêtais à mentir. La vie d'un enfant étant en jeu, ce mensonge me paraissait justifié.

— Et ensuite ? dit Kellerman, tout en prenant quelques notes.

— J'ai poussé la porte et regardé à l'intérieur. Il n'y avait personne dans la cuisine, et je suis entré.

— Et vous n'aviez jamais mis les pieds dans cette maison auparavant ?

— Dans la cuisine, si. Nous y avons signé le contrat.

— Comment saviez-vous où se trouvait le sous-sol ?

— Je connais bien les vieilles demeures pour y avoir souvent travaillé. Elles sont presque toutes bâties sur le même schéma. J'étais sûr que l'accès au sous-sol était près de la cuisine.

— Vous n'êtes pas monté à l'étage ?

— Bien sûr que non ! Je ne tenais pas à être vu. J'ai traversé la cuisine sur la pointe des pieds et je suis descendu au sous-sol.

— Qu'avez-vous trouvé en bas ?

— Des tas de vieilleries. Surtout des meubles cassés, une chaudière à charbon qui avait été transformée en chaudière à gaz... et une pile de caisses de bois.

— Quand vous êtes arrivé, ces caisses étaient-elles empilées de la même façon que lorsque l'inspecteur Kaminski les a découvertes ?

— Presque. Quand je l'ai entendue marcher au-dessus de moi, je les ai remises là où je les avais trouvées, et je suis allé me cacher dans la niche près de l'armoire électrique.

— Revenons un peu en arrière, monsieur Arnussen, déclara Kellerman en fixant ses notes. Pour quelle raison avez-vous déplacé ces caisses ? Puisque vous prétendez n'avoir jamais visité la maison avant ni connu intimement ses habitants, comment pouviez-vous deviner qu'il y avait une trappe cachée et une citerne vide en dessous ?

— Je vous l'ai dit, ces vieilles demeures, ça me connaît, j'y travaille tout le temps. Le climat est sec ici, mais la municipalité ne s'occupait pas d'installations sanitaires et de plomberie au tournant du siècle. Je dirais qu'au moins vingt-cinq pour cent des maisons à South Hill sont pourvues d'une citerne souterraine.

Pendant qu'il parlait, Jackie étudiait son visage, cherchant à deviner ce qui se dissimulait derrière ces traits fermes et réguliers, ces hautes pommettes anguleuses, ce sombre regard énigmatique... Se pouvait-il que l'homme fût innocent ? Elle éprouva un violent vertige et rejeta aussitôt cette pensée.

— Ainsi, vous avez dégagé la trappe et regardé à l'intérieur de la citerne, intervint Kellerman.

— Oui. Et j'ai vu exactement ce que j'avais imaginé... Une petite pièce aménagée sous terre. Je savais que l'enfant avait été caché là-dedans !

— Et qu'aviez-vous l'intention de faire ?

— Le raconter à l'inspecteur Kaminski... Mais je ne savais pas encore comment m'y prendre pour lui annoncer ça.

— Pourquoi ne pas lui avoir téléphoné en toute simplicité ?

— D'abord je n'en ai pas eu le temps. Ensuite, je n'avais aucun droit de pénétrer dans ce sous-sol. De plus, elle me soupçonnait déjà pour cette histoire de kidnapping. Je me creusais la cervelle, ne sachant comment lui parler de la citerne sans avoir l'air encore plus coupable à ses yeux.

— On peut donc supposer que vous étiez beaucoup plus préoccupé par votre sécurité personnelle, monsieur Arnussen, que par le sort du petit Michael !

— Pas du tout. Je me savais innocent, mais si les policiers étaient persuadés du contraire, ils risquaient d'arrêter de chercher le vrai coupable. Le garçon était toujours en danger... Je ne savais pas comment résoudre ces contradictions.

— Et quelle décision avez-vous prise ?

— Je n'ai pas eu le temps de décider quoi que ce soit. L'inspecteur Kaminski est arrivée avant que je puisse quitter la maison. Je me suis caché dans la niche, espérant qu'elle allait partir sans me voir... Mais, ajouta-t-il en lançant un autre regard à Jackie, elle m'a vu.

— Avez-vous étranglé Helen Philps, monsieur Arnussen ?

— Non.

— Etiez-vous amants ?

— Je vous ai dit que je l'ai rencontrée pour la première fois le jour où nous avons parlé de la réfection du toit.

— On a découvert la présence de sperme dans son corps, déclara Kellerman d'une voix soudain dure. Le labo est en train de l'analyser. Vous ne pourrez pas vous en tirer, Arnussen ! On va vous coincer dès que l'analyse sera terminée. Alors ne jouez pas les malins et racontez-nous ce qui s'est réellement passé.

— Je n'ai jamais touché cette femme.

— Parlons maintenant de ce que vous avez fait pendant la nuit de samedi à dimanche.

— Je ne parlerai qu'à l'inspecteur Kaminski, rétorqua Arnussen. Je refuse de répondre à une question de plus avant de m'entretenir avec elle.

Leiter et Kellerman se penchèrent l'un vers l'autre, discutant à voix basse. Leur bref conciliabule terminé, Kellerman se tourna vers Jackie.

— Allez-y, inspecteur !

Jackie regarda Arnussen droit dans les yeux, cherchant à déchiffrer son expression impénétrable.

— Est-ce vous qui avez enfermé Michael Panesivic dans cette citerne, monsieur Arnussen ?

— Non. Vous savez que je n'ai rien fait de tel !

Il soutint son regard, et Jackie se sentit fascinée malgré elle. Cet homme l'effrayait, elle était presque sûre de sa culpabilité. Et en même temps, elle ne pouvait se dérober à l'étrange puissance de sa personnalité. Elle avait l'impression d'être aimantée par la profondeur de ses yeux, comme si on l'avait précipitée d'une hauteur vertigineuse dans un insondable abîme... Allait-elle découvrir le mystère qui se cachait au fond de cet abîme, dans les recoins les plus intimes de l'esprit de cet homme ? S'efforçant de lutter contre le vertige et la peur qui la submergeaient, elle poursuivit :

— Savez-vous où se trouve Michael maintenant ?

— Si c'était le cas, je vous l'aurais dit. Mais je crois que...

— Oui ? murmura-t-elle en se penchant vers lui.

En un instant, elle eut l'impression que toutes les habitudes, toutes les règles acquises au fil des ans, s'évanouissaient sous la puissance magnétique de ce regard sombre. Son esprit ne fonctionnait plus sur un mode rationnel, elle se sentait tout entière envoûtée par la force de cette étrange personnalité. Elle savait qu'il cherchait à lui transmettre un message ! Il tentait de la convaincre en communiquant directement par la pensée, et leurs esprits étaient enfin sur la même longueur d'onde... D'abord, elle se sentit calmée et rassurée ; puis elle éprouva une bouffée de joie, qui était comme une réponse à toutes les questions qu'elle se posait, et qui avaient été formulées dans cette pièce. Mais cette vague de chaleur réconfortante fit place à un autre sentiment encore plus intense : la gravité de la situation présente.

— Dites-moi ce que vous voyez..., murmura-t-elle. Car vous voyez quelque chose à cet instant même !

Elle était consciente de l'embarras de Wardlow, du ricanement de Kellerman et de la mine sceptique de Leiter, mais seul comptait ce courant inexplicable, presque magique, qui passait entre elle et l'homme qui lui faisait face.

— Oui, répondit-il.

— Que voyez-vous ? souffla-t-elle, les mains tremblantes d'émotion.

Le visage d'Arnussen prit soudain une expression troublée et lointaine à la fois, et lorsqu'il parla, sa voix elle-même avait un timbre différent, plus doux et comme feutré.

— Il est assis sur un lit, serrant contre lui son canard en peluche jaune. Il est terrifié, il pleure... Quelqu'un est en train de mettre des affaires dans une valise à côté de lui.

Un silence total régnait dans la pièce. Jackie saisit un crayon et le tordit violemment entre ses doigts.

— Il est donc en vie ! murmura-t-elle. Michael est vivant !

Les yeux d'Arnussen se fixèrent de nouveau sur Jackie, et son visage s'assombrit.

— Dépêchez-vous, lui conseilla-t-il. Il faut faire vite ! Vous n'avez plus beaucoup de temps.

— Ecoutez, monsieur Arnussen..., commença Kellerman.

Jackie l'interrompit d'un geste brusque.

— Où dois-je aller, Paul ? demanda-t-elle. Je ne sais pas où le chercher.

— A la ferme, dit-il. Là où nous sommes allés l'autre jour... Cette ferme avec les poneys et les guirlandes d'oignons séchés.

— Michael est là-bas ?

— Non, répondit-il, se renversant sur son siège et passant une main tremblante sur son visage qui semblait encore plus pâle et plus fatigué qu'auparavant. Michael n'y est pas, mais c'est de là qu'il faut partir ; vous y découvrirez comment agir.

— Tout cela est parfaitement absurde ! s'exclama Leiter, en colère. C'est la chose la plus dingue que j'aie jamais entendue. Et vous imaginez que nous sommes prêts à avaler vos salades ?

— Mais vous ne comprenez donc rien ? s'écria Arnussen en se tournant vers le policier. Je me fiche éperdument de ce que vous pensez. Cela n'a aucune importance. Tout ce qui compte, c'est de retrouver le petit, et il nous reste très peu de temps !

Il se pencha vers Jackie, lui prit la main et la serra très fort.

— Allez-y ! dit-il.

Elle hocha la tête en silence, se leva et quitta la pièce en courant, sous le regard abasourdi des trois policiers.

24.

Pendant que Jackie, au volant de sa voiture de police banalisée, se dirigeait à toute allure vers la ferme des Panesivic, le soleil timide qui osait à peine se montrer depuis le matin disparut tout à fait derrière une masse de lourds nuages menaçants. Comme la veille, le ciel écrasa la terre sous sa chape de plomb ; bientôt, la pluie se remit à tomber, ruisselant sur le pare-brise et recouvrant la chaussée d'une plaque brillante parsemée de bulles.

Arrivée à la ferme, elle gara sa voiture et pénétra dans le jardin, où, pour la première fois, il n'y avait pas âme qui vive. Elle traversa la pelouse mouillée et frappa à la porte arrière de la maison. Miroslav vint lui ouvrir, et, dès qu'il l'eut reconnue, ses yeux s'agrandirent, exprimant une interrogation muette et effrayée. Il lui serra poliment la main d'un geste machinal, tandis que son visage demeurait tendu et fermé.

— Je n'ai rien à vous annoncer, déclara Jackie en répondant à la question qui n'avait pas franchi ses lèvres. Je voulais juste prendre de vos nouvelles.

Le visage de Miroslav se détendit un peu, tandis qu'il lui donnait une nouvelle poignée de main reconnaissante et cordiale.

— Entrez, inspecteur ! Venez saluer mon épouse.

Jackie ôta ses chaussures couvertes de boue, les posa

sur le tapis près de l'entrée, et suivit Miroslav jusqu'à la cuisine, où elle découvrit Ivana penchée sur un plateau de biscuits qu'elle sortait du four. La vieille femme se redressa et posa le plateau sur la table ; repoussant une mèche de cheveux de son front, elle fixa tour à tour Jackie et son mari, puis se figea, dans l'expectative.

— Ils n'ont rien de nouveau, chérie, déclara Miroslav avec douceur en la prenant dans ses bras. L'inspecteur est simplement venue nous dire bonjour... Et je suis sûr qu'elle va apprécier tes gâteaux !

Ivana étouffa un sanglot et se blottit contre son mari, le visage dans le creux de son épaule. Jackie se sentit terriblement mal à l'aise, obligée qu'elle était de leur imposer sa présence et de devenir ainsi le témoin involontaire de leur détresse. Comme elle détournait la tête, elle aperçut la petite Deborah, sagement assise dans un coin de la pièce, qui l'observait de ses grands yeux noirs.

— Bonjour, ma puce ! dit-elle en s'approchant de la petite fille et en s'agenouillant près d'elle. Qu'est-ce que tu fais aujourd'hui ?

— Je construis une maison. Regarde ! Papi m'aide un peu.

Jackie contempla en souriant l'échafaudage de caisses en carton fixées par des bouts de scotch. Deborah saisit une boîte de gros feutres, en prit un et se mit à dessiner de larges carreaux inégaux sur les parois extérieures des cartons.

— Et ça, qu'est-ce que c'est ? demanda Jackie.

— Des fenêtres. Il y a des tas de fenêtres dans cette maison... Et ça, c'est la porte d'entrée.

— C'est très beau ! Et là, ces taches roses et jaunes tout autour, qu'est-ce que c'est ?

— Des fleurs... Devine qui vit dans cette maison ? demanda la fillette, les yeux pétillants de malice. Mon chaton ! Regarde...

Avec un sourire ravi, la fillette ouvrit un volet découpé

dans une des parois, et Jackie se pencha pour regarder à l'intérieur. Couché sur une serviette pliée dans un coin, le chaton-martyr leva la tête, les prunelles luisant dans l'ombre... Une autre image s'imposa alors à l'esprit de Jackie : celle de Paul Arnussen, tapi au fond du sous-sol obscur, tandis que les corps des deux femmes sauvagement assassinées se trouvaient à l'étage supérieur... Réprimant un frisson, elle s'efforça de revenir à l'instant présent.

— Il a l'air de s'y plaire, dit-elle à l'enfant en caressant ses cheveux soyeux. Il doit être content d'être bien au chaud par un jour de pluie !

— Tu sais où est Michael ? lui demanda Deborah.

Surprise, Jackie observa la petite fille, qui, le visage grave, continuait à dessiner les fenêtres avec application.

— Papi dit que Michael s'est perdu mais que toi et tes amis, vous nous aidez à le chercher.

— Il te manque, ma puce ? demanda Jackie, le cœur serré.

— Oui, répondit la fillette, les yeux remplis de larmes. Je veux que Michael revienne jouer avec moi comme avant... Je veux lui montrer la maison de mon chaton...

— Viens, Deborah, dit Ivana en prenant l'enfant dans ses bras. Viens boire un verre de lait et manger des gâteaux.

— Et la dame ? Elle pourra manger des gâteaux elle aussi ?

— Bien sûr. Elle prendra des biscuits avec une tasse de chocolat chaud à la crème chantilly.

Jackie s'apprêtait à refuser quand elle surprit le visage d'Ivana, et les mots se figèrent sur ses lèvres. Amaigrie, le regard éteint, la vieille femme faisait peine à voir. Les cernes violets qui marquaient son visage émacié trahissaient la souffrance et les nuits blanches qui étaient devenues son lot quotidien. De toute évidence, Ivana Panesivic ne parvenait à échapper à cet enfer qu'en passant le plus clair de son temps à faire la cuisine pour les autres...

Jackie revint en pensée à l'horreur des récentes découvertes, songeant au sous-sol obscur et humide, aux meubles d'enfant disposés au fond de la citerne, aux corps meurtris des deux femmes... et au lien inévitable qui existait entre cet atroce assassinat et le petit Michael. Comment Ivana allait-elle supporter cette autre épreuve ? Même si la terrible nouvelle risquait de la terrasser, Jackie savait qu'il fallait la communiquer aux Panesivic avant qu'ils ne l'apprennent par les journaux. Et cela ne lui laissait pas beaucoup de temps, car Michelson lui-même était persuadé que les médias allaient s'emparer de l'histoire du meurtre Philps avant la fin de la journée.

Finalement, elle décida de prendre Miroslav à part avant de quitter la ferme et de lui raconter tout ce qui s'était passé dans la maison des Philps ; le vieil homme pourrait ensuite choisir le moyen le moins brutal pour apprendre la nouvelle à sa femme. Ensuite, elle devrait mettre au courant sans tarder Stefan Panesivic, mais aussi Leigh et toute la famille Mellon. Seigneur, ils allaient tous apprendre le supplice de l'enfant qu'on avait gardé enfermé au fond de la citerne...

— Merci, articula-t-elle machinalement, tandis qu'elle s'installait à la table de la cuisine devant une tasse de chocolat chaud nappé d'une épaisse couche de chantilly. Ça a l'air délicieux !

Deborah prit place en face d'elle, couvant du regard les biscuits à la vanille fraîchement sortis du four que sa grand-mère avait disposés sur un grand plat de faïence coloré.

— Tu sais que tu as beaucoup de chance, ma puce ? dit Jackie avec un sourire chaleureux. Ça doit être formidable, de passer toute la journée avec Papi et Mamie ! J'aimerais bien en faire autant...

— Cette fois, Deborah va rester bien plus longtemps avec nous, déclara Ivana, s'arrêtant près du siège de l'enfant et caressant ses boucles soyeuses. Elle va nous tenir compagnie pendant les deux semaines où papa et maman seront absents. N'est-ce pas, ma chérie ?

— Ah oui ? fit Jackie. Et où sont allés ses parents ?

— Zan et Mila partent aujourd'hui pour l'Europe, répondit Miroslav en sirotant son chocolat. Leur avion fait escale à Londres, puis c'est direct jusqu'à Zagreb. J'espère que leur vol ne sera pas retardé, avec toute cette pluie ! Normalement, ils décollent dans une demi-heure, ajouta-t-il en consultant sa montre.

— Mais je pensais que..., dit Jackie, avant de s'interrompre, le cœur battant la chamade.

— Ils voulaient emmener Deborah avec eux, expliqua Ivana. Mais, au dernier moment, ils ont décidé que le voyage serait beaucoup trop fatigant pour la petite. Zan nous l'a amenée hier soir.

La bouche sèche, les paumes moites, Jackie fixa le vieux couple quelques instants encore. Mais oui, bien sûr ! Le détail essentiel qu'elle avait en vain cherché lui revenait soudain à la mémoire, net, précis, parfaitement limpide... La lumière jaillit dans son esprit, et toute la monstrueuse vérité apparut devant elle, ne laissant désormais place à aucun doute.

Elle repoussa son siège et bondit sur ses pieds.

— Excusez-moi, il faut que je parte, balbutia-t-elle.

Et, sortant au pas de course, elle enfila ses chaussures avant de se précipiter sous la pluie vers sa voiture.

Elle eut encore le temps d'apercevoir les silhouettes de Miroslav et d'Ivana qui se profilaient à travers la brume dans l'encadrement de la porte, mais déjà elle démarrait sur les chapeaux de roues dans une grande gerbe d'eau, quittant le sentier boueux et appuyant sur l'accélérateur dès qu'elle eut débouché sur l'autoroute.

⁂

Elle avait l'impression que son esprit fonctionnait maintenant à la vitesse de la lumière, assemblant les fragments de visions arrachés à sa mémoire tels les morceaux d'un puzzle. Elle revit Zan, installé sous la véranda ombragée de la ferme, en train de lui raconter son projet de voyage en Croatie et son désir de présenter la petite Deborah à tous les parents de Mila habitant à Dubrovnik... C'était cette image qui l'avait hantée pendant plus d'une semaine, nichée dans un coin enfoui de son cerveau et refusant de refaire surface, comme pour la narguer... Mais à présent, elle y voyait clair, elle saisissait chaque détail de cette machination soigneusement élaborée. Elle se demandait avec fureur comment elle avait pu rester aveugle pendant si longtemps !

Sans détacher les yeux de la chaussée, elle sortit à tâtons son portable et appuya sur la touche correspondant au numéro du commissariat.

— Alice, où est Brian ? demanda-t-elle sans préambule.

— Il n'est pas encore rentré du centre-ville.

— Trouvez-le, et dites-lui de garder son portable sous la main. Je vais avoir besoin de lui d'ici peu. Vous, transmetez aux dispatcheurs un message urgent de ma part : il faut qu'ils envoient un véhicule avec deux ou trois hommes à l'aéroport. Qu'ils prennent le premier véhicule disponible !

— Compris. Autre chose ?

— Oui. Trouvez-moi le numéro de la direction de l'aéroport. Dépêchez-vous ! J'en ai besoin tout de suite.

Après avoir raccroché, Jackie composa d'une seule main le numéro qu'Alice lui avait communiqué. En même temps, elle continuait à accélérer, passant de quatre-vingt à cent, puis à cent vingt kilomètres-heure, fonçant sur l'autoroute déserte à travers l'épais rideau de pluie.

— Je voudrais parler à John Shepherd, fit-elle dès qu'elle eut en ligne l'aéroport. Police, c'est très urgent. Dites-lui que l'inspecteur Kaminski le demande.

La main nerveusement crispée sur le téléphone, elle pria pour que Shepherd fût dans son bureau. C'était le directeur adjoint de l'aéroport, et il la connaissait bien, car Jackie avait tiré son fils d'un mauvais pas un an plus tôt.

— Jackie ? dit enfin la voix de John Shepherd. Que se passe-t-il ?

— Vous êtes là, Dieu merci ! s'exclama Jackie, tout en ralentissant pour laisser passer un camion. Je suis en route pour l'aéroport. J'ai besoin de quelques informations concernant le prochain vol à destination de Londres. J'espère qu'il a été retardé !

— C'est un vol United Airlines, répondit Shepherd après un silence. Il est à l'heure. L'avion doit décoller à 11 h 45.

— Mon Dieu, murmura-t-elle en regardant sa montre. C'est dans quelques minutes !

Elle prit la file de gauche, plaça le gyrophare sur le capot de sa voiture et brancha la sirène, dont le hurlement sinistre déchira le bruissement de la pluie.

— Vérifiez la liste des passagers, John. Je veux savoir si un certain Zan Panesivic et sa femme Mila sont à bord.

— Oui, confirma-t-il après un autre bref silence. Ils voyagent avec leur fille.

— Pouvez-vous retarder le vol ?

Elle quitta l'autoroute et prit sans ralentir la bretelle de sortie vers l'aéroport.

— Voyons, Jackie, répondit-il. Vous savez aussi bien que moi que c'est impossible !

— Pour l'amour du ciel, faites quelque chose ! supplia-t-elle. Accordez-moi juste cinq minutes. Vous pouvez trouver un prétexte pour retarder le décollage !

— Pas question, répliqua-t-il fermement. Pas même pour vous, Jackie. L'embarquement est terminé, et l'avion a été autorisé à décoller. C'est dans... six minutes exactement, ajouta-t-il.

— Zut, zut et zut ! marmonna-t-elle rageusement, s'agrippant au volant et appuyant sur l'accélérateur.

Si seulement la police disposait de ce pouvoir suprême que l'opinion publique lui prêtait ! Hélas, elle n'avait aucune possibilité de retarder le vol. De plus, elle savait qu'elle risquait de s'attirer des ennuis si elle essayait, avec le peu de preuves qu'elle possédait, de faire intervenir le service de sécurité afin d'intercepter l'avion à Londres...

— John, je vais raccrocher. J'arrive au terminal dans trois ou quatre minutes. Tenez-vous prêt à m'indiquer la porte d'embarquement, et faites dégager un passage pour moi.

— Vu.

Elle jeta le portable sur le siège, scrutant la silhouette imposante du terminal qui se détachait à travers la brume, ses tours projetant de puissants faisceaux de lumière qui striaient le ciel couleur de plomb.

Après avoir arrêté sa voiture devant l'entrée principale, elle claqua la portière et se précipita à l'intérieur. Shepherd l'attendait de l'autre côté des grandes baies vitrées.

— Porte vingt-six, lui cria-t-il, tandis qu'elle passait en courant. Vous avez deux minutes !

Elle fonça vers la zone de départ, dépassa la douane et le service de sécurité en montrant sa plaque, traversa la porte d'embarquement et, sans ralentir l'allure, longea la passerelle conduisant à l'avion.

Le steward était en train de bloquer la porte lorsque, essoufflée, elle apparut devant lui.

— Police, articula-t-elle. Je dois monter à bord. Donnez-moi juste deux minutes, d'accord ?

Il déverrouilla la porte et s'écarta d'un air ahuri pour la laisser passer. Jackie fit son entrée dans la carlingue de première classe, isolée par un rideau du reste de l'avion. Comme les passagers la dévisageaient avec étonnement, elle s'arrêta un instant pour reprendre son souffle puis longea les sièges et tira le rideau.

Elle aperçut tout de suite Zan qui dépassait d'une tête les autres passagers. Visiblement tendu, l'homme était assis près de sa femme. A côté d'eux, il y avait un siège vide.

N'en croyant pas ses yeux, Jackie fixa le siège inoccupé, en proie à une immense déception. Machinalement, elle fit encore quelques pas vers eux... Et soudain, elle sentit son cœur bondir dans sa poitrine.

Mila Panesivic tenait un enfant serré dans ses bras. L'enfant était enveloppé d'une grosse couverture qui lui cachait le visage, et il avait l'air de dormir...

25.

Zan Panesivic entoura les épaules de sa femme d'un geste protecteur, tandis que Mila pressait contre sa poitrine le petit paquet emmailloté, tout en lançant à Jackie un regard de défi mêlé de peur.

— Levez-vous et suivez-moi, leur dit-elle doucement. Evitons de faire un scandale, d'accord ?

Cependant, le copilote s'approcha rapidement d'elle, contenant difficilement sa colère.

— Madame, lui dit-il, il faut que vous descendiez immédiatement ! Le décollage a été autorisé, et...

— Ce couple descend avec moi, interrompit Jackie en lui présentant discrètement sa plaque. Cela ne prendra que deux minutes, je n'ai pas l'intention de vous retarder.

— Vous ne pouvez pas nous forcer à vous suivre, déclara Mila. Vous n'avez pas le droit !

— Et vous, en tant que citoyenne américaine, vous avez des tas de droits, rétorqua Jackie avec un sombre sourire. Voulez-vous que je vous les énonce devant tout le monde, Mila ? Vous avez le droit de garder le silence. Vous avez le droit de ne parler qu'en présence de votre avocat...

— Etes-vous en train de m'arrêter ? demanda Mila en pâlissant.

— J'en ai l'intention.

— Inspecteur, ne pourriez-vous pas... ? commença le copilote avec impatience.

Mila l'interrompit :

— De quoi nous accusez-vous ?

— D'abord, de kidnapping d'enfant. Mais la liste peut être longue, vous savez !

— C'est absurde ! Je voyage avec ma fille, déclara Mila en serrant contre elle l'enfant enveloppé de couvertures. Le passeport de Deborah a été contrôlé. J'emmène ma fille en Europe pour la présenter à ma famille.

— J'admire votre culot, Mila. Il se trouve que j'ai quitté la ferme il y a à peine vingt minutes. Votre fille est dans la cuisine, en train de manger des biscuits et de construire une maison en carton pour son chat.

Les épaules de Zan s'affaissèrent, comme s'il reconnaissait sa défaite. Il se leva et sortit leurs bagages à main du compartiment situé au-dessus de leurs sièges, tandis que sa femme l'observait d'un air furieux.

— Viens, Mila, lui dit-il, inutile de faire attendre tout le monde !

Elle se leva à son tour et, sans relâcher son étreinte sur l'enfant, se dirigea vers la sortie, le menton dressé, le regard fixé droit devant elle.

— Ils ne pourront pas récupérer leurs bagages qui sont dans la soute, dit le copilote à Jackie. Il est trop tard pour les faire enlever !

— Ce n'est pas grave, répondit-elle. Nous les ferons réexpédier de Londres. Je vous remercie de votre patience.

Ils sortirent de l'avion et longèrent en silence la passerelle déserte. A mi-chemin, Jackie s'arrêta et se planta devant Mila. La femme tenta de s'écarter d'un air têtu, puis céda, laissant Jackie soulever un coin de la couverture.

Michael Panesivic, les joues en feu, le front couvert de sueur, dormait profondément, blotti dans les bras de sa tante. Ses boucles couleur de bronze étaient plaquées contre sa peau moite. C'était un beau petit garçon, qui avait l'air en bonne santé malgré le cauchemar qu'il venait de vivre. Jackie l'observa pendant ce qui lui parut une éternité. Enfin, s'arrachant à la contemplation de l'enfant, elle déglutit péniblement et fixa le couple.

— C'est bon, dit-elle d'un ton brusque. Continuez à marcher devant moi, je vous suis.

A part John Shepherd qui les attendait à la porte d'embarquement, personne ne sembla leur prêter la moindre attention tandis qu'ils traversaient le hall pour se diriger vers le bureau du directeur adjoint. Tout en marchant, Jackie continuait à fixer le petit paquet vivant enveloppé de couvertures... Une étrange impression de vide l'envahit. Elle aurait dû jubiler, éprouver un sentiment de triomphe. Et tout ce qui lui venait à l'esprit, c'était la catastrophe qu'ils avaient frôlée ! En vérité, il s'en était fallu de quelques secondes pour que Michael soit perdu à jamais. Le hasard, un simple coup de chance, avait épargné à la famille de cet enfant des années d'agonie, toute une vie de souffrance... Un coup de chance ? Oui, mais aussi Paul Arnussen, se rappela-t-elle.

Le petit groupe s'engouffra dans le bureau de John Shepherd.

— Il y a du soda et des jus de fruits dans le frigo, lui dit-il. Si vous avez besoin de quoi que ce soit, voici le bouton pour appeler ma secrétaire.

— Merci, répondit Jackie en l'accompagnant jusqu'à la porte. Mes collègues vont arriver d'un moment à l'autre. Pourriez-vous leur demander d'attendre dans le couloir, et de se tenir à ma disposition ? Et puis, je voudrais utiliser votre téléphone, si vous le permettez.

— Tout ce qui peut vous rendre service, Jackie.

Après qu'il fut sorti, elle referma la porte et se tourna vers le couple. Elle vit que Mila avait installé l'enfant sur le canapé de cuir. Son canard jaune serré contre lui, Michael paraissait toujours profondément endormi.

— Il n'est pas malade? demanda Jackie. Pourquoi dort-il encore?

Le visage hostile, Mila gardait un silence buté.

— Nous lui avons donné un calmant, expliqua Zan. Nous pensions qu'il supporterait mieux ce long vol.

— Vous pensiez surtout que cela vous faciliterait la tâche, remarqua froidement Jackie, alors que Zan baissait les yeux d'un air coupable. Ainsi, Michael ne pouvait révéler son vrai nom à personne pendant le voyage! Alors, comment ça c'est passé? L'un de vous était occupé à surveiller Leigh, tandis que l'autre enlevait Michael dans le magasin de jouets?

— Oh non, répliqua Zan. Nous n'y sommes pour rien. Nous étions aussi bouleversés que les autres quand il a disparu, et pendant tout le temps des recherches!

— Nous étions sûrs que c'étaient les Mellon, dit enfin Mila. Nous nous faisions un sang d'encre pour Stefan et pour les grands-parents.

— Alors, comment se fait-il que vous vous soyez retrouvés dans cet avion avec Michael? Le hasard, peut-être?

— D'une certaine manière, ç'a été le hasard, acquiesça Mila, échangeant un regard embarrassé avec Zan. Nous avions prévu depuis le début d'emmener Deborah avec nous. On lui a même acheté des vêtements neufs et des jouets, pour qu'elle ne s'ennuie pas pendant le voyage. Et puis, hier...

— C'était tard dans l'après-midi, poursuivit Zan. Stefan est arrivé chez nous, déclarant qu'il avait de gros ennuis. Il nous a expliqué qu'il avait récupéré Michael, mais qu'il devait à tout prix lui faire quitter le pays. Sachant que nous partions pour la Croatie le lendemain, il nous a demandé d'emmener Michael avec le passeport de Deborah.

Jackie hocha la tête d'un air songeur. C'était, évidemment, le détail qui lui avait échappé pendant si longtemps, la tourmentant nuit et jour. Les deux enfants Panesivic se ressemblaient beaucoup, avec leurs yeux noirs et leurs boucles bronze. A trois ans, garçon ou fille, un enfant a plus ou moins la même tête. Et le service de sécurité ne risquait pas de vérifier son sexe, puisque ses parents l'accompagnaient.

— Et qu'avez-vous répondu à Stefan ?

— Je n'étais absolument pas d'accord, déclara fermement Zan.

Jackie croisa le regard bleu, franc et direct, de l'homme. A sa propre surprise, elle sentit qu'elle pouvait le croire.

— Je savais que c'était parfaitement illégal, reprit Zan. Mais Stefan semblait si désespéré... Il a dit qu'il s'agissait d'une affaire vitale, qu'il risquait de perdre son fils à jamais !

— Il était vraiment au désespoir, insista Mila. Il a affirmé que les Mellon cherchaient à le compromettre aux yeux de la police en l'accusant d'un crime très grave, et qu'il fallait sauter sur l'occasion pour emmener Michael... Il a ajouté que Michael serait en sécurité dès que l'avion quitterait le territoire américain. Lui-même devait nous rejoindre à Zagreb quelques jours plus tard. Zan vous a dit la vérité, ajouta-t-elle en fixant tour à tour son mari et Jackie. Il s'y est opposé fermement, et ils se sont sérieusement disputés tous les deux. C'est moi qui l'ai convaincu d'aider Stefan... Au nom de la famille.

— Stefan vous a-t-il dit quel genre d'ennuis il avait ? demanda Jackie après un instant de réflexion.

— Nous n'avons pas eu le temps d'en discuter. Il fallait qu'on s'occupe d'un tas de choses au dernier moment, qu'on conduise Deborah chez les grands-parents sans éveiller leurs soupçons, et ainsi de suite.

— Vous ne savez donc pas où Michael a été caché pendant presque dix jours ?

— Nous ignorons tout. Nous n'avons rien demandé, et Stefan n'en a pas parlé, affirma Zan.

Jackie scruta le visage de l'homme et, de nouveau, elle le crut. Stefan avait manipulé ce couple comme il l'avait fait avec tout le monde. Pour mener à bien son sinistre projet, il avait utilisé sans scrupules leurs sentiments et leur sens de la famille, ainsi que la haine de Mila pour les Mellon. Désormais, elle ne doutait plus un instant qu'il eût prévu de longue date la substitution des deux enfants, afin de pouvoir emmener Michael en Croatie. Et il avait failli réussir sur toute la ligne...

— Michael se trouvait dans une citerne vide sous la cave de la maison de sa baby-sitter, déclara Jackie. Cet enfant a passé plus d'une semaine dans un sombre puits souterrain, comme une bête !

Zan et Mila échangèrent un regard troublé, puis contemplèrent le visage endormi de Michael, sa peluche jaune serrée contre sa joue.

— Dans la nuit de samedi à dimanche, la baby-sitter et sa mère ont été assassinées, tandis que l'enfant était retiré de sa cachette, poursuivit Jackie. Stefan vous a confié qu'il avait des ennuis. Il n'a pas exagéré ! Il est très certainement coupable d'un double meurtre.

Choqués, horrifiés même, Zan et Mila considéraient Jackie avec une expression dont la sincérité ne faisait aucun doute. Mila finit par baisser la tête, et fixa ses mains d'un air éperdu.

— Pauvre maman ! murmura Zan, les yeux embués de larmes. Comment mes parents vont-ils survivre à cela ?

Jackie décrocha le téléphone et appela le commissariat, demandant à parler à Wardlow.

— Que se passe-t-il ? répondit-il immédiatement. J'attendais ton appel.

— Il faut que Michelson et toi vous occupiez tout de suite d'un certain nombre de choses.

— Lesquelles ?

— La première consiste à retrouver Leigh Mellon. Essayez la résidence d'Adrienne Calder et celle des parents de Leigh. Si elle n'y est pas, appelez le bureau de Harlan Calder. Que Leigh vienne au commissariat ; j'arriverai aussi vite que possible. Et dis à Michelson que j'ai de bonnes nouvelles à lui annoncer.

— De bonnes nouvelles ?

— Les meilleures que tu puisses imaginer, répondit Jackie en posant un regard tendre sur l'enfant endormi. Oh, Brian... Dis aussi à Kellerman et à Leiter que Stefan Panesivic est leur homme. Son ancienne adresse est dans l'ordinateur, de même que celle où il s'apprêtait à déménager. Presse-les, car il a réservé un vol pour l'Europe et doit partir dans les jours qui viennent... Peut-être même aujourd'hui. En fait, ils devraient contrôler sans délai tous les aéroports de la région.

— D'ac. Ecoute, Kaminski, moi aussi j'ai du nouveau. Kellerman vient de recevoir un rapport du FBI. Les empreintes d'Arnussen ont été vérifiées par tous les ordinateurs du pays. On n'a rien à lui reprocher. Pas même un excès de vitesse...

Jackie éprouva une bouffée de joie, une vague de bonheur intense qui l'étonna elle-même.

— Je sais, murmura-t-elle doucement. J'aurais dû le savoir depuis le début... Maintenant, dépêche-toi, Brian. Et fais un rapport à Michelson de ma part. Je vais essayer d'être là dans une heure ou deux.

— Excellent travail, Kaminski. Tu es la meilleure !

Elle raccrocha en souriant, puis sortit dans le couloir où deux policiers en tenue l'attendaient, assis sur une banquette de cuir.

— Vous trouverez deux personnes dans ce bureau, leur dit-elle. Arrêtez-les pour complicité de kidnapping d'enfant.

Les policiers sur ses talons, elle regagna la pièce où Zan et Mila se tenaient recroquevillés sur leurs sièges d'un air malheureux.

— Que fait-on du gosse ? demanda l'un des agents. On l'amène aussi au commissariat ?

— Pas question, répondit Jackie en prenant l'enfant dans ses bras. Je vais m'occuper moi-même de ce petit bonhomme. Et j'ai l'intention de le garder tant que je ne l'aurai pas rendu à sa mère !

Le doux murmure de la pluie berçait la ville quand Jackie s'arrêta devant le commissariat. Elle descendit de la voiture et ouvrit la portière arrière pour détacher la ceinture de sécurité qui maintenait Michael, toujours profondément endormi. Elle prit l'enfant dans ses bras, s'assurant que son canard en peluche n'avait pas glissé par terre, puis elle le porta au commissariat.

Alice Polson bondit aussitôt de son bureau et se précipita vers elle, son visage rond mouillé de larmes. Comme Jackie s'installait dans un coin de la salle, sur une banquette usée près d'un distributeur de boissons, Alice se pencha vers l'enfant.

— Le pauvre petit, murmura-t-elle en écartant la couverture pour regarder Michael. Est-ce qu'il va bien ? Il a les joues en feu !

— On lui a administré je ne sais quel calmant, répondit Jackie. Mais il respire normalement... Alice, pouvez-vous retrouver le numéro de son pédiatre dans le dossier ? Appelez-le, et dites-lui de passer ici dès que possible. Je voudrais être rassurée sur son état de santé, mais je préfère avoir affaire à son médecin traitant. A propos, sa mère a-t-elle été avertie ?

— Pas que je sache, répondit Alice par-dessus son épaule, se dirigeant vers sa table de travail où les dossiers s'empilaient. Ils n'ont pas réussi à lui mettre la main dessus.

— Comment cela ? demanda Jackie, inquiète.

— Le commissaire te l'expliquera. Il t'attend dans son bureau.

L'enfant dans les bras, Jackie longea le couloir et pénétra chez Michelson. Elle posa son précieux fardeau sur la banquette près de l'étagère chargée de livres, et s'installa à côté.

Le commissaire s'approcha de l'enfant pour caresser ses boucles emmêlées.

— Bon travail, Kaminski, déclara-t-il avec un large sourire qui lui plissait les joues. A vrai dire, je ne pensais pas qu'on avait la moindre chance de revoir ce petit bonhomme !

— Moi non plus. Où est sa mère, commissaire ?

— Apparemment, elle est partie faire une promenade en voiture avec sa sœur. Nous avons pu contacter son beau-frère, l'avocat, qui veut te parler. Wardlow est allé le chercher.

— Bien. D'autres nouvelles ?

— Les médias viennent d'annoncer le meurtre Philps. Ils l'ont décrit comme un assassinat d'une sauvagerie inouïe et, bien sûr, ils affirment qu'il est lié à la disparition de Michael.

— J'espère qu'ils n'ont pas évoqué la citerne !

— Pas pour l'instant. Mais nous ne pouvons pas être certains qu'il n'y aura pas de fuite, ajouta Michelson d'un air sombre. Il faut à tout prix joindre la mère avant qu'elle ne l'apprenne.

— Les gars de la criminelle ont-ils pincé Stefan Panesivic ?

— Pas encore. Mais le FBI est sur le coup, et des barrages de police ont été établis dans tous les Etats voisins. Il ne s'en tirera pas !

— J'espère que non...

La porte s'ouvrit, et Wardlow entra, accompagné de Harlan Calder. S'arrêtant devant la banquette, l'avocat contempla l'enfant. Ses yeux s'embuèrent de larmes, et il les essuya machinalement d'un revers de la main. Puis il caressa la joue ronde de Michael d'un mouvement plein de douceur, tandis que Jackie l'observait, elle-même profondément émue.

— Merci, inspecteur Kaminski, dit-il d'un ton grave en se tournant vers elle.

— Il y a des tas d'autres personnes qu'il faudrait remercier, répliqua Jackie. Nous étions plusieurs... Et puis, nous avons eu une sacrée chance.

— Nous n'arrivons pas à retrouver Leigh, intervint Wardlow. Elle n'est pas en ville.

— C'est vrai, confirma Calder. Leigh a sombré dans une véritable dépression, et Adrienne était terriblement inquiète à son sujet. Ma femme a pensé qu'une promenade à la campagne pourrait la distraire un peu. Elles sont parties pour l'Idaho, avec l'intention de rentrer vers 4 heures.

— C'est dans deux heures, remarqua Jackie en consultant sa montre. Avez-vous un moyen de les joindre ?

— Adrienne déteste les portables, répondit Calder en secouant la tête. Nous devons nous armer de patience et attendre qu'elles rentrent.

— En espérant qu'elles n'écoutent pas la radio, ajouta gravement Michelson.

— Pourquoi ? s'enquit l'avocat, surpris. Qu'est-ce qu'on dit à la radio ?

Echangeant un coup d'œil avec Jackie, Michelson soupira, puis raconta brièvement les derniers événements, depuis la découverte du double meurtre et de la citerne vide au sous-sol de la maison des Philps, jusqu'à la chasse à l'homme lancée contre Stefan Panesivic.

— Seigneur, murmura Calder, pâle comme un mort.

Il se laissa tomber sur le siège le plus proche, se passa la main sur le visage et leva les yeux vers Jackie. Elle croisa fermement son regard, sachant pertinemment les tourments que Calder vivait à cet instant. L'épouse de cet homme, la femme qu'il adorait, avait été la maîtresse de Stefan Panesivic ; elle avait fait l'amour avec un monstre capable d'assassiner sauvagement, de sang-froid, deux femmes, et de séquestrer dans des conditions inhumaines son propre enfant...

Jackie scruta avec sympathie le visage de l'avocat et lui adressa un sourire encourageant. Calder détourna les yeux, secoua la tête comme pour chasser une vision de cauchemar, puis se tourna vers le commissaire.

— Pensez-vous le retrouver avant qu'il puisse s'enfuir ?

— Nous faisons de notre mieux.

Michelson s'interrompit pour décrocher le téléphone. Après un bref silence, il répondit par monosyllabes et reposa le combiné.

— Le médecin est arrivé, annonça-t-il.

— Déjà ? s'étonna Jackie.

— Apparemment, il travaille dans une clinique toute proche. Alice dit qu'il était dans tous ses états quand elle lui a appris la nouvelle. Il a tout laissé tomber pour venir ici.

On frappa à la porte, et un grand jeune homme vêtu d'un jean et d'une veste de tweed, une sacoche de cuir noir à la main, apparut sur le seuil. Après avoir marmonné les salutations d'usage, il se précipita vers l'enfant couché sur la banquette.

— Bon, bon, murmura-t-il, tout excité, en déroulant la couverture. C'est bien notre Michael, c'est bien lui !

Il ouvrit sa sacoche, sortit un stéthoscope et un tensiomètre, puis déboutonna la chemise de Michael. Après l'avoir ausculté, il lui examina les yeux et les oreilles.

— Le petit se trouve toujours sous l'effet du sédatif puissant qu'on lui a administré, déclara-t-il enfin. Par ailleurs, il a perdu du poids. On a dû le droguer systématiquement depuis qu'il a été enlevé.

Jackie songea au trou noir et fétide où il avait été détenu. Malgré l'isolation acoustique, ses ravisseurs avaient pu craindre qu'il trahisse sa présence en faisant du bruit ou en pleurant. Ce n'était pas par hasard que Grace Philps, qui pourtant n'était au courant de rien, soupçonnait que « des choses terribles » se tramaient dans la maison... Mais qui aurait pu imaginer toute la diabolique machination mise au point par Stefan ? Comment Jackie aurait-elle pu deviner, la première fois qu'elle s'était rendue chez Helen Philps, que Michael se trouvait juste sous ses pieds, alors qu'elle-même était tranquillement installée dans la cuisine en train de déguster les biscuits préparés par Helen ? La voix de Michelson la tira de ses pensées.

— Est-ce qu'il va récupérer ? demanda le commissaire.

— Je pense que oui, répondit le médecin, qui poursuivait son examen. A cause du sédatif, il peut avoir des nausées à son réveil, et il aura une faim de loup pendant deux ou trois jours, mais il sera vite remis sur pied.

— Et en ce qui concerne son état psychique ?

— Ça, c'est une autre paire de manches, dit le médecin. Le meilleur traitement consiste à le replacer dans son environnement habituel. Nous ne pouvons pas grand-chose à part attendre, et espérer qu'il s'en tirera sans trop de séquelles.

— On peut donc le laisser avec sa mère ?

— Certainement, déclara le médecin en souriant. Ce sera d'ailleurs la meilleure thérapie pour les deux !

Il rajusta les vêtements de Michael, remonta la couverture sur ses épaules et quitta le bureau.

Le téléphone sonna de nouveau. Sous le regard attentif de Jackie et Wardlow, Michelson écouta longuement son interlocuteur, puis reposa le combiné avec une expression de sombre satisfaction sur le visage.

— La patrouille de l'autoroute a intercepté Stefan Panesivic dans sa Mercedes, à soixante kilomètres de la ville. Il se dirigeait vers Seattle, où il avait réservé une place sur l'avion de 19 heures pour Paris.

— Dieu merci, murmura Jackie, dont le soulagement était si intense que la tête lui en tournait.

— On l'emmène au commissariat du centre-ville,

poursuivit Michelson en se tournant vers Wardlow. Allez-y, inspecteur ! Les agents affirment que Panesivic est prêt à faire une déclaration.

— Mais... c'est Kaminski qui devrait y aller ! répondit Wardlow qui s'était levé d'un bond.

— En ce moment, je préfère le baby-sitting, lui dit Jackie en tapotant le petit pied de Michael. De plus, Panesivic appartient à Leiter et Kellerman. Pour consigner la déposition, ils ont besoin de la présence d'un seul d'entre nous. Vas-y, Brian. Et s'ils souhaitent me parler personnellement, ils peuvent me joindre ici.

Wardlow hocha la tête et lui lança un bref regard reconnaissant. Pour la première fois depuis des jours, Jackie s'aperçut qu'il allait mieux. De fait, son coéquipier semblait moins énervé, moins découragé ; incontestablement, il avait repris confiance en lui. Les gens étaient vraiment incroyables, songea Jackie. Ils possédaient une force de résistance illimitée, et une capacité d'adaptation et de survie étonnante, pour peu qu'ils acceptent de regarder la réalité en face. Simplement, cela demandait du temps. Du courage aussi, soupira-t-elle. Oui, la vie exigeait beaucoup de courage.

— Brian ? appela-t-elle.

Son coéquipier s'arrêta sur le seuil et la regarda d'un air interrogateur.

— Je sais qu'on doit libérer Paul Arnussen aujourd'hui. Si par hasard il n'a pas encore quitté le commissariat, pourrais-tu lui dire... ?

Embarrassée, elle se tut, tandis que les deux policiers l'observaient avec étonnement.

— Non, rien, reprit-elle. Cela n'a pas d'importance.

— Moi, j'ai un mot à dire à l'inspecteur Wardlow, déclara Michelson en se levant. Je reviens dans une minute.

Quand la porte se fut refermée sur les deux policiers, Harlan Calder se tourna vers Jackie.

— Je n'ai jamais porté Stefan Panesivic dans mon cœur, murmura l'avocat. Mais de là à imaginer... C'est un véritable monstre !

— Moi aussi, je tombe de haut. Cela aurait épargné bien des tourments à des tas de gens si j'avais deviné depuis le début de quoi il était capable. Leigh essayait de me le faire comprendre..., ajouta-t-elle avec un regard vers l'enfant endormi. Mais je refusais de la croire.

Il y eut un silence.

— Pauvre femme, reprit Jackie à mi-voix. Je ne suis pas étonnée qu'elle ait tenté de combiner un faux enlèvement. Connaissant son ex-mari, elle devait être folle d'inquiétude à l'idée de ce dont il était capable !

— Dès que Leigh et Adrienne seront de retour, je vous appellerai, déclara Calder en se levant et en contemplant une dernière fois Michael. Est-ce que ça ira ? Ou vous préférez que je l'emmène avec moi...

— Ça ira très bien, répondit-elle en souriant. Je suis heureuse de passer une heure ou deux en sa compagnie. Croyez-moi, c'est plus reposant de s'occuper de lui que de le chercher !

— Merci encore, inspecteur Kaminski, dit Calder en lui serrant chaleureusement la main. Au nom de toute notre famille, merci du fond du cœur !

Elle le raccompagna jusqu'à la porte, puis s'immobilisa. Une pensée soudaine venait de lui traverser l'esprit.

— Monsieur Calder, dit-elle après une brève hésitation, vous serez là ce soir, Adrienne et vous ?

— Bien sûr. Nous allons fêter cet heureux dénouement !

— Je ne vous gênerais pas trop si je passais vous voir rapidement ? Je voudrais discuter avec vous deux... un point qui reste à régler.

— Aucun problème. Nous serons heureux de vous recevoir à tout moment.

— Merci. Je passerai, disons, vers 20 heures.

La haute silhouette droite de Calder s'éloigna dans le couloir, et Jackie la suivit des yeux jusqu'à ce qu'elle eût disparu. Alors seulement elle regagna le bureau du commissaire et se laissa glisser sur la banquette, à côté de Michael. Elle se sentait soudain gagnée par l'épuisement, accusant le contrecoup de la tension nerveuse accumulée depuis plus d'une semaine. Le fait même de respirer lui coûtait un certain effort. Fermant les yeux, elle posa la main sur le petit chausson de Michael et se renversa contre le dossier de la banquette.

26.

Adrienne regardait la pluie tomber sur le pare-brise. De crachin fin et serré, celle-ci se transformait en averse glaciale qui striait les vitres et masquait d'un rideau gris les abords de la route.

— Désolée pour le temps, ma chérie, dit-elle en se dirigeant vers la ville. J'espérais une belle promenade à la campagne pour admirer le paysage, et on n'a vu que le ballet des essuie-glaces sur le pare-brise. Quel temps pourri !

— Ce n'est pas grave, répondit Leigh, qui fixait la vitre sur laquelle les gouttes d'eau coulaient telles des larmes. Je me fiche du paysage, mais ça m'a fait du bien de partir un peu.

— Vraiment ? demanda Adrienne. Tu te sens mieux ?

— Oui, répondit Leigh d'un air absent, l'ourson de Michael serré contre sa poitrine. En fait, j'ai peur de rentrer... Rester assise à côté du téléphone en attendant un appel qui ne vient jamais. Attendre, heure après heure, jour après jour... Non, vraiment, je n'en peux plus !

— Ne perds pas espoir, chérie. Ils peuvent encore le retrouver à tout moment ! Peut-être Jackie aura-t-elle de bonnes nouvelles à nous annoncer, à notre retour.

Poussant un soupir, Leigh ferma les yeux et laissa

retomber sa tête contre le dossier de son siège de cuir souple.

— Es-tu sûre de ta décision ? demanda Adrienne avec inquiétude.

— Quelle décision ?

— De rester chez toi. Tu ferais mieux de passer quelques jours encore avec moi !

— Il est temps que je rentre, répondit Leigh sans ouvrir les yeux. Je dois reprendre ma vie en main. Je ne peux plus faire l'autruche. Je me cache chez toi depuis six jours, Rennie.

— Tu ne te caches pas, tu te reposes, corrigea doucement Adrienne. Tu es en vacances, alors pourquoi ne pas prolonger ton séjour chez nous ? Tu sais, Harlan et moi ne tenons pas à ce que tu restes seule en ce moment.

— Ça ira très bien. Vous avez été merveilleux, mais je dois me ressaisir et affronter la réalité.

— Tu préfères peut-être aller passer quelques jours avec maman et Monica ? Tu pourrais aider papa à s'occuper de ses orchidées. Il serait si content !

— Maman est dans un état pire que le mien, dit Leigh en secouant la tête. Si je lui infligeais ma présence, elle tomberait encore plus bas.

Adrienne renonça à poursuivre la discussion, mais jeta un regard préoccupé sur le visage livide et les mains tremblantes de sa sœur.

A présent, c'était la banlieue qui défilait, les silhouettes grises des immeubles se profilant à travers la pluie comme des fantômes surgis du brouillard.

— Bon, nous sommes presque arrivées, annonça Adrienne avec une gaieté feinte. J'ai promis à Harlan que nous serions de retour vers 4 heures, et nous avons tenu parole ! Veux-tu repasser chez nous pour prendre tes affaires ?

— Non, merci. Il n'y a que ma robe et ma brosse à dents. Tu pourras me les déposer demain. Je veux juste rentrer...

Les sourcils froncés, Adrienne se dirigea vers le nord de la ville et s'arrêta devant la maison de Leigh.

— Tu veux que je vienne prendre une tasse de café avec toi ? demanda-t-elle. Je peux téléphoner à Harlan et le prévenir que je serai en retard.

— Merci, Rennie, dit Leigh en lui touchant le bras avec reconnaissance. Je préfère rester seule. Tu me comprends, n'est-ce pas ? J'apprécie tout ce que tu as fait pour moi, mais...

Adrienne l'interrompit, la prenant dans ses bras et la serrant contre elle jusqu'à ce que Leigh se libérât doucement.

— Je t'appellerai, promit Leigh. Ce soir au plus tard. Merci pour la promenade.

Comme Adrienne lui adressait un autre regard inquiet, Leigh détourna la tête, saisit son sac et l'ours en peluche, descendit de la voiture et courut vers la maison.

Adrienne attendit qu'elle eût disparu derrière la porte, puis remit en marche le moteur et démarra en trombe.

Une fois seule, Leigh s'abandonna à sa détresse. La douleur était devenue insupportable ; elle la submergea comme une vague, lui emplissant la tête et les poumons, chassant la moindre pensée, coupant le moindre souffle d'air. Pendant quelques instants, Leigh eut l'impression de ne plus pouvoir réfléchir ni même respirer. Elle demeura immobile, craignant à tout instant de s'effondrer complètement, de sentir la souffrance lui faire exploser la cervelle et lui briser le corps, pour ne laisser qu'un pauvre pantin désarticulé.

Petit à petit, elle s'habitua au silence et se mit à bouger comme un automate. Elle traversa lentement la maison, atteignit la cuisine, se prépara une tasse de café. Puis elle entreprit d'arroser les plantes, délaissées depuis qu'elle se trouvait chez Adrienne. Elle erra dans le salon, déplaçant les livres, promenant sa main sur le dossier des fauteuils, dont elle affectionnait tant le tissu brodé autrefois... Finalement, l'ourson en peluche sous le bras, elle se força à monter l'escalier et entra dans sa chambre, propre et solennelle comme une chambre mortuaire. Non, c'était pire encore : dans la lumière blafarde provenant de la fenêtre, la pièce lui faisait penser à un sinistre caveau.

Elle ôta son pull et son jean, les rangea dans l'armoire et enfila un jogging. Elle peignit sa longue chevelure blonde et l'attacha en une queue-de-cheval, fixant d'un air absent l'inconnue aux yeux cernés et aux joues creuses qui se reflétait dans la glace.

Enfin, elle eut le courage de pénétrer dans la chambre de Michael. Elle s'assit sur le petit lit, l'ourson sur les genoux, et les larmes coulèrent de nouveau sur ses joues, jaillissant des profondeurs de son corps comme d'une source intarissable, le puits noir et insondable de son chagrin.

En proie au besoin irrépressible, physique, de serrer son fils dans ses bras, elle se leva sans relâcher son étreinte sur la peluche, fouilla rapidement dans un tiroir et en sortit une combinaison de Michael. Ses mains bougeaient toutes seules, habillant rapidement l'ourson, tirant sur la fermeture Eclair... Elle le serra contre elle et éclata en sanglots, le visage caché dans les plis du vêtement.

— Michael, mon chéri...

Et soudain, un son strident brisa le morne silence de la maison. Levant la tête, elle essuya ses larmes, l'oreille tendue. Le son retentit de nouveau, et elle se rendit compte que c'était le téléphone. Elle regagna lentement sa chambre, hésitant à décrocher, comme si elle se trouvait dans une maison inconnue.

— Allô ? dit-elle enfin.

— Leigh ? Ici l'inspecteur Kaminski. Nous l'avons retrouvé. Je...

— Quoi ?

Elle s'agrippait au téléphone comme à une bouée de sauvetage.

— Nous avons retrouvé Michael, reprit Jackie. Ecoutez, je suis dans ma voiture et je me rends chez vous. J'arrive dans quelques minutes, d'accord ?

Leigh sentit des vagues d'émotion déferler en elle, si puissantes que, l'espace d'un instant, elle demeura muette. Avait-elle bien entendu ? Avaient-ils vraiment retrouvé Michael ?... A l'autre bout du fil, Jackie Kaminski continuait à parler, mais Leigh ne distinguait plus un mot car la communication était mauvaise.

— Jackie ! cria-t-elle, secouant désespérément le combiné.

Mais la ligne était coupée.

Leigh raccrocha et dévala l'escalier. Quant elle atteignit le salon, elle tremblait tellement qu'elle pouvait à peine tenir debout. Elle s'approcha de la fenêtre d'un pas mal assuré et attendit...

Une voiture de police s'arrêta devant la maison. Jackie Kaminski, vêtue d'un long ciré au capuchon relevé, en descendit et se précipita aussitôt vers la portière arrière. Elle l'ouvrit et, se penchant vers la banquette, sortit de la voiture un paquet enveloppé de couvertures. Les yeux agrandis, Leigh eut l'impression que son cœur s'arrêtait de battre. Puis elle frotta frénétiquement la vitre embuée et regarda de nouveau, ne sachant si elle pouvait encore se fier à ses sens, si elle pouvait en croire ses yeux...

Dehors, la femme en ciré s'approchait de la maison, le petit paquet emmailloté dans ses bras... Un enfant. Elle portait un enfant.

Leigh poussa un cri qu'elle entendit à peine. Elle se précipita vers la porte, l'ouvrit à la volée et sortit en courant sous la pluie.

Le visage encadré par le capuchon, Jackie lui sourit. Leigh n'aurait su dire si les joues de la jeune femme étaient mouillées par la pluie, ou par les larmes.

— Je vous l'ai amené, dit Jackie simplement. J'ai ramené Michael à la maison.

Leigh se rapprocha d'elle et écarta les couvertures. Quand elle vit le visage de son fils, elle eut un sanglot.

— Mon bébé, murmura-t-elle en lui caressant le front. Mon chéri...

— Allons nous mettre à l'abri, dit Jackie. Sinon, vous allez attraper un bon rhume.

Dans la maison, Jackie lui remit sa précieuse charge. Leigh prit Michael et, tout en le serrant contre elle, continua à le fixer, émerveillée et incrédule.

— Comment ? demanda-t-elle à Jackie, qui s'était débarrassée de son imperméable et entrait dans le salon en souriant. Comment l'avez-vous retrouvé ?

Jackie évoqua la citerne vide dans la maison d'Helen Philps et raconta le plan de Stefan, qui consistait à cacher Michael jusqu'à ce qu'il pût faire quitter le pays à l'enfant. Leigh l'écoutait attentivement, mais le sens des mots lui échappait, tant elle était heureuse de serrer Michael dans ses bras et de sentir le poids délicieux de son petit corps...

Elle savait que, plus tard, elle serait capable de comprendre tout ce qui était arrivé, qu'elle connaîtrait l'histoire dans ses moindres détails, qu'elle devrait faire face à la terrible vérité... Oui, Jackie lui raconterait tout cela plus tard, quand elle serait en état de l'entendre. Pour l'instant, tout ce qu'elle voulait, c'était rester assise dans son vieux rocking-chair, à embrasser Michael et à respirer le parfum familier de sa peau.

— Comment se fait-il qu'il dorme si profondément ? demanda-t-elle, soudain inquiète, comme elle déroulait la couverture.

— On lui a administré un sédatif puissant avant de monter en avion. Mais l'effet commence à passer. Depuis une demi-heure, Michael se réveille toutes les cinq minutes pour demander où il est.

Leigh scrutait le visage de l'enfant, qui semblait dormir comme un petit ange. Et soudain, il ouvrit les yeux — ses grands yeux noirs et profonds. D'abord confus, son regard finit par se fixer sur Leigh avec incrédulité.

— M'man ? murmura-t-il d'une voix encore endormie. M'man... c'est toi ?

— Oui, mon chéri, c'est maman, répondit Leigh en sanglotant de joie. C'est maman qui te tient dans ses bras, et elle ne te quittera jamais plus !

Michael l'observa encore un instant, puis se releva et, l'enlaçant des deux bras, se blottit contre elle. Sans essuyer ses larmes, Leigh le berçait en lui murmurant des mots tendres.

Jackie les contempla quelques minutes. Puis elle fouilla dans sa poche, en sortit un Kleenex, se moucha bruyamment, et se dirigea vers la cuisine. Bientôt, le bruit de la bouilloire qu'on remplissait parvint à Leigh, suivi par celui des tasses qu'on disposait sur la table. Un peu plus tard, elle entendit Jackie fredonner joyeusement et, serrant son fils très fort contre elle, continua de le bercer.

La patience d'Alex était rudement mise à l'épreuve. Ses talents culinaires s'épuisaient dans la corvée des repas qu'elle préparait tous les soirs. Cette fois, elle avait prévu des saucisses de Francfort garnies de pâtes au fromage. Elle servit le plat, tout en marmonnant des excuses pour les spaghettis brûlés au fond de la casserole.

— Ça a l'air délicieux, l'encouragea Jackie.

Alex lui adressa un sourire gêné, ôta son tablier et s'installa sur le siège en face d'elle. Inquiète, Jackie scruta le visage livide de la jeune fille.

— Qu'as-tu fait aujourd'hui ? lui demanda-t-elle. Je sais qu'il a plu des cordes, mais tu n'es pas sortie du tout ?

— Si. La pluie s'est arrêtée au milieu de l'après-midi,

alors Tiffany et moi sommes allées faire un tour au parc. Elle adore les balançoires !

— Pourquoi Carmen est-elle restée à la maison ?

— Elle ne travaille pas aujourd'hui, rappela Alex patiemment. Le salon de coiffure est fermé.

— C'est vrai, nous sommes seulement lundi ! marmonna Jackie. J'avais oublié...

— Carmen nous a invitées chez elle ce soir après dîner. Tony doit apporter un nouveau jeu de société.

— C'est gentil à eux, mais il faudra que tu y ailles sans moi, Alex. J'ai un rendez-vous... Zut ! Je dois me dépêcher, ajouta-t-elle en consultant sa montre, sinon je serai en retard.

— Vous travaillez ce soir ? dit Alex avec une moue dépitée. Je pensais que, maintenant que le petit garçon est retrouvé, vous auriez un peu plus de temps libre !

— Je n'ai presque jamais de temps libre, ma chérie, répondit Jackie. Je t'ai d'ailleurs prévenue... En fait, ça va être une semaine vraiment infernale, car des dossiers urgents se sont accumulés pendant que je m'occupais de l'affaire Panesivic.

— Vous ne prenez donc *jamais* de vacances ? demanda Alex, piquant ses spaghettis avec sa fourchette d'un air déçu.

— J'ai droit à quatre semaines par an. J'ai l'intention de prendre une dizaine de jours à partir de la semaine prochaine.

— Génial ! s'exclama Alex, le visage illuminé. Nous pourrions peut-être...

— Je dois me rendre à Los Angeles, l'interrompit doucement Jackie en posant une main sur son bras. J'y vais tous les ans, Alex, pour m'assurer que ma grand-mère se porte bien.

— Eh bien... Tant pis, je resterai ici ; comme ça, je pourrai arroser les plantes, dit enfin Alex avec bonne humeur. Vous pouvez partir tranquille !

Jackie sentit son cœur se serrer, mais elle se força à ne faire aucun commentaire. Après avoir fini à la hâte son dîner, elle courut se changer et, vêtue d'un jean et d'un sweat-shirt, se rendit chez les Calder.

Installés dans leur salon, Harlan et Adrienne passaient une soirée tranquille à lire et à écouter de la musique. Quand Harlan introduisit Jackie, Adrienne se leva de son fauteuil près de la cheminée et se précipita pour la serrer dans ses bras. Un peu étonnée par autant d'effusion de la part d'Adrienne, Jackie lui tapota gentiment le dos puis s'écarta pour scruter le visage rose d'émotion et les yeux rougis de la jeune femme.

— Tiens, tiens, remarqua Jackie en souriant, si je ne vous connaissais pas, je dirais que vous avez pleuré !

— Je ne trouve pas de mots pour exprimer ce que je ressens, répondit Adrienne en la conduisant vers le sofa. Quant à Leigh, elle plane complètement. C'est le septième ciel, l'euphorie totale !... Moi aussi, quand je pense à ce qui est arrivé aujourd'hui, j'ai envie de sangloter de joie.

— Vous y êtes allée ?

— Non, répondit Adrienne en secouant la tête. Michael est toujours un peu groggy, il a des nausées à cause du sédatif. Ce soir, Leigh préfère rester seule avec lui, mais demain il y aura une fête gigantesque chez maman. Monica a déjà commencé à faire la cuisine !

— Je suis si heureuse pour vous tous ! s'exclama Jackie, s'installant sur le sofa et étirant ses jambes fatiguées.

— Vous boirez quelque chose, Jackie ? demanda Harlan.

— Volontiers. Du vin blanc si vous en avez.

— Chablis ou chardonnay ?

— Du blanc, tout simplement, dit-elle avec un petit sourire.

Harlan lui rendit son sourire et sortit de la pièce.

— Pensez-vous que Leigh ait commencé à prendre

conscience de tout ce que Michael a subi ? demanda Jackie.

— Non, pas encore, répondit Adrienne en redevenant grave. Mon Dieu, quel cauchemar !

— J'ai du mal à me l'imaginer moi-même... Pauvre petit ! Grace Philps essayait de me prévenir que quelque chose se tramait dans leur maison, mais son discours était tellement décousu que je n'ai pas compris un traître mot à son histoire.

— Quand Stefan se mettait en tête de séduire quelqu'un... il fallait être une sainte pour lui résister ! murmura Adrienne, fixant le feu d'un regard sombre. Je comprends pourquoi cette pauvre femme lui a succombé !

— Il a fait des aveux complets cet après-midi, déclara Jackie. Il a tout calculé de sang-froid. D'après lui, il avait besoin d'Helen pour réussir son plan, et il l'a attirée dans le piège il y a des mois.

— Comment s'y est-il pris ?

— Après que Leigh lui eut refusé le droit de visite, il a débarqué un beau jour chez Helen, la suppliant de lui permettre de voir Michael. Elle a eu pitié, et l'a autorisé à venir pendant que Leigh était à l'école. Apparemment, il n'a eu aucun mal à la convaincre par la suite que le droit était de son côté.

— Mais comment a-t-il réussi à l'entraîner dans son projet d'enlèvement ?

— Il a commencé par la séduire, dit Jackie. La pauvre femme s'est complètement entichée de lui. Ensuite, il lui a promis de l'emmener vivre avec lui en Europe. Helen en avait assez de s'occuper de sa mère ; d'un autre côté, elle tenait plus que tout au monde à Stefan... Dès lors, il n'a eu aucune difficulté à en faire sa complice.

— Mais alors, pourquoi l'a-t-il tuée ?

— Quand Stefan lui a annoncé que, finalement, il n'avait pas la moindre intention de l'emmener en Europe, Helen a eu une crise d'hystérie, menaçant de tout raconter à la police. D'après les propres aveux de Stefan, il n'avait pas d'autre choix. En fait, assassiner ces deux femmes n'avait pas plus d'importance à ses yeux que d'écraser un moustique.

Adrienne fixa ses mains en frémissant.

— Harlan vous a mise au courant, n'est-ce pas ? murmura-t-elle.

— Au courant de quoi ? demanda Jackie prudemment.

— De moi et Stefan... Ne prenez pas cet air innocent, car je sais que mon mari vous a tout révélé. Le pauvre homme ! Il m'aime tellement qu'il ne peut rien me cacher.

Embarrassée, Jackie regardait les flammes orange lécher les bûches dans la cheminée. Que pouvait-elle répondre à Adrienne ? De toute façon, ce n'était pas à elle de la juger...

— Ce n'est pas grave que vous le sachiez, dit enfin Adrienne d'un air songeur, en enlaçant ses genoux. Je suis sûre que vous ne le direz à personne... Mon Dieu, comment ai-je pu être idiote à ce point ? Il faut dire que cet homme possédait une sorte de magnétisme animal, proprement envoûtant et irrésistible... et moi, j'étais si malheureuse de ne pas avoir d'enfant ! Essayez de comprendre, Jackie. J'étais devenue comme folle pendant ces quelques mois... J'en ai horreur toutes les fois que j'y pense !

Sa bouche se mit à trembler, et sa tête tomba, inerte, sur sa poitrine. Jackie lui enlaça les épaules d'un geste rassurant.

— Vous l'avez avoué à votre mari, chuchota-t-elle, et vous avez mis un terme à cette histoire, n'est-ce pas ? Tout le monde a le droit de se tromper. Nous ne sommes tous que des êtres humains, après tout !

— Vous êtes vraiment quelqu'un de formidable, Kaminski ! marmonna Adrienne en secouant la tête. Vous le savez ?

Jackie s'écarta doucement, tandis que Harlan revenait dans la pièce avec un plateau chargé d'une bouteille et de trois verres à vin. Elle accepta son verre avec un sourire de remerciement, puis regarda d'un air songeur le salon luxueux, les flammes qui brillaient dans la cheminée et le couple détendu et heureux qui lui faisait face. Oui, cette maison de rêve était aussi un foyer chaleureux, accueillant...

— Prenez un peu de pop-corn, dit Adrienne, interrompant le cours de ses pensées. Harlan en a préparé juste avant votre arrivée.

Jackie en saisit une poignée tout en écoutant la musique, qui la rendait un peu nostalgique.

— J'adore cet air de flûte, murmura-t-elle, les yeux mi-clos. Ecoutez, n'est-il pas merveilleux ?

— Et moi, j'adore cette femme ! s'exclama Adrienne en riant. Je l'aime vraiment, pas toi ? ajouta-t-elle à l'adresse de son mari, qui hocha la tête en souriant.

— Eh bien, tant mieux, dit Jackie. Car j'ai un service à vous demander à tous les deux. Il s'agit de quelque chose de très important, du moins pour moi.

— Allez-y, l'encouragea Harlan. Nous serons ravis de vous aider.

— Vous serez peut-être moins ravis une fois que vous aurez su de quoi il s'agit, glissa Jackie avec hésitation.

— Allez-y, confirma Adrienne en mâchant son pop-corn. Nous sommes tout ouïe !

Tandis qu'ils l'écoutaient avec une attention croissante, Jackie leur raconta toute l'histoire d'Alexandra Gerard. Elle n'omit rien, ni sa première rencontre avec la jeune fille au cœur du quartier chaud de la ville, ni la façon dont elle avait découvert l'identité d'Alex, ni l'entretien téléphonique avec sa mère, ni les efforts si touchants d'Alex pour lui faire plaisir par tous les moyens.

Tout en parlant, Jackie se demandait si elle avait raison de révéler ainsi l'existence de sa protégée. Puis, au moment où elle évoquait sa conversation avec la mère d'Alex, elle vit Adrienne serrer les poings, et son visage exprimer une colère mêlée de douleur... Alors, avant même qu'elle n'ait vu le regard compatissant que Harlan lançait à sa femme, Jackie sut que ses efforts n'avaient pas été vains.

— Et voilà où en sont les choses, conclut-elle. La semaine prochaine, je dois aller à Los Angeles voir ma famille. Je ne peux pas me permettre d'emmener Alex avec moi... Mais je ne peux pas non plus la laisser seule. Elle passe déjà trop de temps livrée à elle-même.

— Voulez-vous qu'elle reste avec nous pendant que vous serez absente ? demanda Harlan.

— En fait, dit Jackie calmement, je voudrais que vous l'adoptiez légalement. En bonne et due forme.

— L'adopter ? souffla Adrienne, les yeux grands ouverts. Allons, Jackie ! Je ne connais rien aux problèmes des ados...

— Vous avez été une ado vous-même, répliqua Jackie. Une ado difficile, qui plus est. Vous vous rappelez ce que vous ressentiez à l'époque, n'est-ce pas ?

— Je me rappelle surtout l'effet que ça fait de voir sa mère s'occuper de tout et de n'importe quoi, mais ne jamais accorder un instant à sa fille ! maugréa Adrienne.

— Je l'imagine très bien... C'est pourquoi je pense que vous saurez parfaitement comprendre Alex. Elle est si gentille et douce, ajouta Jackie en se tournant vers Harlan. Elle ne se plaint jamais, elle se met en quatre pour se rendre agréable. Vous allez fondre dès que vous la verrez.

— Mais elle a vécu de vrais drames ! s'écria Adrienne. Toute cette gentillesse ne témoigne peut-être que de l'instinct de survie. Tôt ou tard, le côté négatif de son vécu peut affluer à la surface. Elle devrait sans doute être suivie par un psy dès maintenant et lui parler de tout ce qu'elle a enduré et de tout ce qu'elle éprouve...

— Vous voyez ? remarqua Jackie. Vous savez déjà ce qu'il lui faut.

Adrienne se tourna vers son mari, qui l'observait d'un regard calme et compréhensif.

— Voyons, Harlan, tu ne penses tout de même pas que nous...

— Je pense que tu seras formidable, interrompit-il. Tu sauras très bien t'occuper d'elle, et tu pourras apporter à cette pauvre petite tout ce qu'elle mérite et ce qu'elle n'a jamais eu.

Adrienne leva les mains, puis les laissa retomber d'un air impuissant sur ses genoux.

— J'ai toujours désiré un enfant, marmonna-t-elle. Mais de là à jouer les mères de substitution pour une adolescente fugueuse...

Jackie vit un flot d'émotions contradictoires assaillir la jeune femme et se refléter tour à tour sur son visage, qui finit par s'illuminer.

— Il faudra que tu m'aides, Harlan, dit Adrienne. Tu devras déjeuner et dîner à la maison beaucoup plus souvent, rester là tous les soirs... Il nous faudra mener une vraie vie de famille, organiser des barbecues, des promenades à la campagne, des week-ends au bord du lac...

— Ce sera merveilleux, répliqua Harlan. La perspective d'une vie de famille m'enchante !

— Je ne fais pas le poids devant vous deux, vous avez gagné ! gémit Adrienne. C'est à croire que vous avez conspiré derrière mon dos !

Jackie éclata de rire et lui serra cordialement la main.

— Je vous l'amènerai demain matin en allant à mon travail. Soyez debout de bonne heure.

— Dois-je préparer quelque chose ? s'exclama Adrienne en pâlissant. Mon Dieu, comment vais-je...

— Restez vous-même, tout simplement, dit Jackie. Je crois que vous allez vous entendre à merveille avec Alex.

— Il faut que je pense à faire une demande officielle d'adoption, remarqua Harlan.

— Pour l'instant, comportez-vous comme si vous

l'aviez simplement invitée à passer quelque temps à la maison, déclara Jackie. Voyez comment ça marche. Si tout se passe comme je l'espère, vous vous occuperez de l'aspect formel plus tard. Tout d'abord, il faudra l'inscrire dans un collège pour la rentrée... Mais ne vous inquiétez pas : le moment venu, je vous donnerai les numéros de téléphone des assistantes sociales qui pourront vous aider. Chaque chose en son temps !

— Seigneur, gémit Adrienne d'une toute petite voix, je n'arrive pas à y croire ! Dans quelle aventure me suis-je embarquée ?

— Calmez-vous, dit Jackie avec un sourire en lui tapotant l'épaule. Je sais que vous serez à la hauteur !

27.

Pendant la semaine qui suivit l'installation d'Alex chez les Calder, Jackie travailla tard tous les soirs. Elle compléta une douzaine de dossiers, passa un nombre incalculable de coups de fil, et réussit à boucler quelques affaires, en souffrance depuis des semaines. Enfin, elle prit ses dix jours de congé et partit en début de week-end pour Los Angeles, prévoyant de passer toutes ses vacances avec sa grand-mère.

Mais au bout de six jours en Californie, elle sautait dans le premier avion pour Spokane, se disant sombrement que tous les nobles projets qu'on pouvait élaborer tombaient toujours à l'eau — surtout quand il s'agissait de sa famille. A présent, elle avait presque une semaine à passer dans son appartement, à méditer sur sa solitude...

C'était lundi, sa première matinée à la maison. Elle réussit à tuer deux heures en rangeant son appartement qui n'en avait nul besoin, puis, ne supportant plus de rester enfermée par un si beau temps, elle prit sa voiture et se rendit au commissariat, afin de voir s'il y avait du nouveau. Elle trouva l'antenne de police fourmillant d'activité, comme à l'ordinaire, mais son propre bureau était calme et silencieux. Seuls deux messages l'attendaient sur sa table de travail.

Comme elle en prenait connaissance, un mauvais pressentiment s'empara d'elle. Adrienne Calder cherchait désespérément à la joindre... Il s'agissait sûrement d'un problème concernant Alex ! En proie à une terrible appréhension, elle composa le numéro des Calder, et Adrienne répondit au bout de la deuxième sonnerie.

— Ici Jackie Kaminski. Comment ça va, Adrienne ? demanda-t-elle avec une feinte insouciance.

— Jackie ! On ne vous attendait pas si tôt ! J'ai laissé des messages en espérant que vous appelleriez au bureau.

— En effet, je pensais rester plus longtemps à Los Angeles, mais j'ai changé d'avis.

— Jackie..., poursuivit la femme d'une voix tendue. Pourriez-vous passer ce soir à la maison ? J'ai besoin de vous parler d'urgence.

— C'est au sujet d'Alex, n'est-ce pas ? demanda Jackie, s'efforçant de cacher le désespoir qui l'envahissait.

— Oui, on peut dire que c'est en rapport avec elle.

— Qu'est-il arrivé ? J'espère qu'elle n'a pas fait une nouvelle fugue !

— Ecoutez, Jackie, nous en parlerons plus tard. Pourriez-vous venir à l'heure du dîner ? Leigh va sans doute passer également, elle aimerait vous dire bonjour.

— Bien sûr, acquiesça Jackie. Ça me fera plaisir de la revoir. A quelle heure ?

— Vers 18 heures, si ce n'est pas trop tôt pour vous. Nous vous attendrons dehors près de la piscine. Mettez un short et apportez votre maillot de bain si le cœur vous en dit.

Jackie avait à peine raccroché que la porte s'ouvrit. Wardlow, les bras chargés de dossiers, apparut sur le seuil. Il la contempla, éberlué.

— Kaminski ? Je pensais que tu serais absente pendant une semaine encore !

— Je suis toujours en congé. Je suis simplement rentrée de Los Angeles plus tôt que prévu.

— Pourquoi ? Le soleil de la Californie ne te convient plus ?

Puis, comme Jackie baissait les yeux, il ajouta :

— Ou est-ce encore une dispute avec ta grand-mère ?

En guise de réponse, elle fit une moue dépitée et détourna la tête. S'approchant d'elle, Wardlow lui enlaça les épaules dans un geste d'affection bourrue. Elle finit par se ressaisir et lui sourit d'un air las.

— Et toi, Brian ? Tu as l'air d'aller beaucoup mieux.

— J'ai loué un petit appartement au centre-ville. J'ai emménagé hier... Oui, on peut dire que ça va mieux.

— Tu as moins de chagrin ?

— C'est plus complexe que cela, répondit-il en disposant distraitement les dossiers sur son bureau. J'ai enfin compris que Sarah ne m'avait jamais aimé. J'espérais que ça allait changer, mais les gens ne changent pas, Kaminski. Quels que soient nos efforts, les gens restent ce qu'ils ont toujours été.

— Tu dois avoir raison, dit Jackie d'un air sombre. C'est quand même triste de le constater... Quoi de neuf, sinon ? Je veux dire ici, au bureau.

— La routine. Délices et délits de saison ! Nous n'avons pas chômé pendant ton absence.

— Et l'affaire Panesivic ?

— Le juge a refusé à Stefan sa libération sous caution. Il a été écroué dans une prison d'Etat en attendant le procès. Il plaide coupable en ce qui concerne le kidnapping, mais non coupable pour les meurtres Philps.

— Comment est-ce possible ? s'étonna Jackie. Il n'a pourtant aucune chance ! Toutes les preuves sont contre lui, y compris l'ADN, sans parler de ses propres aveux ! Comment peut-il plaider non coupable après ça ?

— Il prétend avoir succombé à un accès de démence, car Helen l'empêchait de récupérer Michael. Il affirme que son fils compte pour lui plus que tout au monde ; ainsi, quand Helen a menacé de le dénoncer à la police et de faire échouer son projet, il aurait eu un coup de folie et, pendant quelques minutes, il n'aurait pas été responsable de ses actes.

— Quel culot ! Eh bien, il faudra attendre l'avis des jurés au sujet de cette brillante défense. Et qu'en est-il de Zan et de Mila ?

— Libérés sous caution. Ils coopèrent avec la police, et leur témoignage s'est révélé très utile. On finira peut-être par leur accorder la liberté surveillée.

— Parfait.

— Tu plaisantes ? demanda-t-il, surpris.

— Ça me ferait de la peine pour Miroslav et Ivana si toute la famille se retrouvait impliquée dans cette sordide affaire, répondit gravement Jackie. Ils souffrent assez sans cela. Et puis, Zan et Mila n'ont pas trempé dans la combine de Stefan. C'est malgré eux qu'ils ont été entraînés dans la folie de cet homme. D'ailleurs, ils ne sont pas les seuls ! ajouta-t-elle, songeant à Leigh Mellon, aux époux Calder, ainsi qu'à Helen Philps et à sa mère.

— Je suis d'accord, répliqua Wardlow. Ce type est imbattable quand il s'agit d'exploiter les faiblesses de ses semblables !

— As-tu aussi des nouvelles... de Paul Arnussen ? demanda-t-elle d'un air embarrassé. L'as-tu rencontré depuis qu'il a été libéré ?

— Figure-toi que j'ai même essayé de le voir. Il y a quelques jours, je suis passé devant chez lui. Je sortais du bureau, j'avais le cafard, je n'avais pas envie de rester seul. Alors, j'ai voulu l'inviter à boire une bière. Mais il était parti.

— Parti ?

— La propriétaire m'a dit qu'il n'habitait plus à cette adresse. J'ai l'impression que cette bonne femme nous tient pour responsables de tous les ennuis d'Arnussen. Elle a été aimable comme une porte de prison. Elle m'a pratiquement jeté dehors.

— Où s'est-il installé ?

— Tout le monde l'ignore... Je suppose, ajouta Wardlow avec un petit sourire, qu'il s'est trouvé une ville où l'on a besoin d'un charpentier médium !

Pendant quelques instants, Jackie contempla en silence la surface dénudée de son bureau. Enfin, elle se leva en secouant la tête, comme pour chasser une pensée confuse et importune.

— Bon, j'ai intérêt à profiter des vacances qui me restent. A lundi prochain, Brian.

— Allez, haut les cœurs, Kaminski ! dit Wardlow en lui tapotant affectueusement le bras. La vie n'est pas si triste !

— Je sais... Simplement, on s'y sent toujours seul. Salut ! Et prends soin de toi.

En arrivant chez Adrienne, Jackie s'attendait à rencontrer Leigh, et, peut-être, Harlan. Or, quand elle pénétra dans la propriété, une bouteille de vin blanc sous le bras, elle fut étonnée d'entendre un bourdonnement de conversations ponctué d'éclats de rire. Manifestement on discutait derrière la maison. Elle prit l'allée conduisant vers la piscine... et s'arrêta, stupéfaite.

Une incroyable scène s'offrait à ses yeux. Harlan Calder, coiffé de la casquette de son yacht-club, un tablier rouge noué autour de la taille, s'affairait devant un barbecue à gaz, à côté duquel se dressait une table de bois chargée de toutes sortes de plats. L'avocat était occupé à faire cuire d'énormes steaks sous l'œil paisible et vigilant de Monica.

De plus en plus surprise, Jackie contempla la gouvernante de Barbara. Pour une fois, elle ne portait pas sa robe grise à col blanc qui avait des allures d'uniforme. Ce soir, elle était vêtue d'un pantalon de coton orange et d'un chemisier jaune à fleurs ; un chapeau de paille orné de quelques œillets était fièrement juché sur sa tête.

Barbara Mellon, elle, affichait une tenue plus discrète, composée d'une jupe kaki et d'un chemisier à carreaux. Installée sous l'un des parasols, elle tricotait tranquillement, tandis que son mari, qui occupait une chaise longue à son côté, regardait en souriant les enfants jouer au bord de la piscine.

Bronzée, en pleine forme, Alex avait les cheveux nattés et les jambes dévoilées par un short en jean. Elle s'apprêtait à lancer un grand ballon de plage à Michael, qui semblait complètement remis du martyre qu'il avait subi. Son maillot de bain laissait voir sa peau toute dorée par le soleil. Quand Alex lui lança le ballon, il se précipita à sa poursuite avec un rire enjoué.

Quant à Leigh et à Adrienne, elles faisaient toutes deux la navette entre le barbecue et la maison, les bras chargés d'assiettes et d'ustensiles divers.

Leigh fut la première à remarquer Jackie. Elle posa sur la table le plat qu'elle portait et se précipita à sa rencontre.

— Je suis heureuse que vous ayez pu venir, lui dit-elle en l'embrassant. Hé, tout le monde ! cria-t-elle. Jackie est là !

Cette dernière entendit alors s'élever un chœur de joyeuses salutations. Même Alden Mellon leva la tête pour lui adresser un sourire béat, avant de s'absorber de nouveau dans la contemplation de son petit-fils.

— Venez près de moi, Jackie, s'écria Barbara en tapotant un siège à sa droite. Restez un moment avec moi !

Posant la bouteille de vin sur la table, Jackie sourit aux autres et rejoignit Barbara et Alden sous le parasol.

— Je n'ai pas encore eu l'occasion de vous remercier, lui dit la vieille dame, les larmes aux yeux. Notre famille a une dette envers vous... une dette dont elle ne pourra jamais s'acquitter !

Gênée, Jackie haussa les épaules.

— Je n'ai fait que mon travail, madame Mellon !

— Jamais, jamais nous ne saurons assez vous remercier !

Jackie leva les sourcils en voyant Alden se pencher vers elle.

— J'ai cueilli pour vous mes meilleures orchidées, dit-il timidement. Elles sont dans le réfrigérateur.

— Merci, répondit-elle, touchée. C'est très gentil à vous.

Elle se leva et alla aider les autres à transporter les assiettes de la cuisine dans le jardin. Enfin, tout le monde s'installa autour de la table et le dîner commença, agrémenté de rires joyeux et de propos animés. On plaisanta beaucoup au sujet des talents culinaires d'Harlan, ce qu'il supporta avec patience et bonne humeur.

A la fin du repas, Alex s'approcha de Jackie en tenant le petit Michael par la main.

— Alors ? murmura-t-elle après l'avoir embrassée. Comment c'était, Los Angeles ?

— Une chaleur infernale, et une pollution insupportable. On ne respirait que des gaz d'échappement. Je suis contente d'être rentrée. Et toi, ma chérie ? Comment vas-tu ?

— Très bien, répondit Alex avec un sourire radieux. Je me plais beaucoup ici ! lui chuchota-t-elle à l'oreille. C'est vraiment génial !

Comme Michael gigotait de froid, Alex alla ramasser un T-shirt rouge sur un des transats et le lui enfila. De plus en plus perplexe, Jackie continua d'observer Alex et Michael. Quel était donc le problème auquel Adrienne avait fait allusion ? Alex semblait tout à fait épanouie. Se pouvait-il qu'Adrienne ait trouvé cette nouvelle responsabilité trop écrasante ? Dans ce cas, songea Jackie en soupirant, il faudrait chercher une autre maison pour la jeune fille.

A cet instant, Leigh vint s'installer près d'elle.

— Je voulais bavarder un peu avec vous, avant que les autres ne vous monopolisent, dit la jeune femme blonde avec douceur. Je vous suis tellement reconnaissante, Jackie !

— Ecoutez, laissons tomber, Leigh. Tout cela me met mal à l'aise...

D'autant que, pensa-t-elle, c'était à Paul Arnussen que revenait tout le mérite dans cette ténébreuse affaire. Sans l'intervention du charpentier au don si rare, le petit Michael Panesivic aurait été irrémédiablement perdu ; son père se serait enfui avec lui au-delà des frontières, dans un lointain pays étranger. Et l'affaire Philps aurait été classée sans que justice soit faite.

Car il ne fallait pas rêver : compte tenu de la situation instable dans l'ex-Yougoslavie, les procédures d'extradition de Stefan Panesivic et de rapatriement du petit Michael auraient duré des années, sans aucune garantie de succès. Jackie se sentit frissonner et serra nerveusement les mains, horrifiée par cette certitude glaciale : jamais, de toute sa vie, l'enjeu n'avait été si grave... et elle n'avait jamais été si près de perdre.

— Vous avez froid, Jackie ? demanda Leigh, qui s'était méprise sur la signification de ce frisson. Voulez-vous que je vous passe un pull ?

— Non, merci. Comment va Michael ?

— Il a presque récupéré, répondit Leigh avec un sourire heureux. Il lui arrive encore de faire des cauchemars, et il ne supporte pas d'être séparé de moi, même pour dormir. Mais autrement, il va très bien.

— Comment ferez-vous cet automne, quand les cours reprendront ?

— J'ai décidé d'abandonner l'enseignement pour deux ans, jusqu'à ce qu'il aille lui-même à l'école. Alors nos emplois du temps correspondront.

— Mais..., demanda Jackie d'un ton embarrassé, comment allez-vous vous en sortir sur le plan financier ?

Elle se rendit aussitôt compte de sa sottise : elle était bien placée pour savoir que Leigh Mellon appartenait à une des familles les plus riches de l'Etat. La mère de Michael pouvait donc s'en sortir dans n'importe quelle situation, et il était ridicule de s'en préoccuper. Cependant, elle se souvenait aussi que Leigh avait toujours farouchement tenu à son indépendance...

— En fait, répondit la jeune femme en souriant, j'ai trouvé un autre job. Il est loin d'être aussi bien payé que le précédent mais au moins, il me permet de rester avec Michael.

— Qu'est-ce que c'est? s'enquit Jackie, surprise.

— Miroslav et Ivana vont m'employer en qualité d'ouvrière agricole, Jackie. Michael et moi irons tous les jours à la ferme pour les aider dans leurs différentes activités. En échange, ils nous proposent des tas de produits frais, d'excellents repas quotidiens et un petit salaire qui me permettra de continuer à rembourser le crédit pour ma maison. Nous sommes tous ravis de cette solution!

— Vous êtes vraiment quelqu'un de bien, Leigh, approuva Jackie en tapotant la main fine de la jeune femme.

— Vous aussi, Jackie Kaminski, répliqua Leigh.

Elles se turent toutes deux, embarrassées.

— Comment les parents de Stefan ont-ils réagi en apprenant ce qui s'est passé? demanda enfin Jackie. Ça a dû être affreux!

— Oui, ce fut très dur. Mais ils viennent d'un pays dont le peuple a toujours côtoyé le tragique. Ils croient très fort aux valeurs de la famille; pour eux, les gens doivent continuer à vivre ensemble, quoi qu'il arrive... Si vous saviez comme Ivana était heureuse que je ne me sois pas détournée d'eux. Ainsi, ils pouvaient continuer à voir Michael!

— Que pensent-ils de Stefan?

— Ce que vous imaginez. Ils ont été horrifiés par ses crimes, mais ils l'aiment toujours. Ils ne le laisseront jamais tomber. Ivana viendra scrupuleusement le voir en prison tous les mois... et cela durera autant d'années qu'il y restera.

— J'aurais dû vous croire dès le début, Leigh, quand vous m'avez dit que c'était un monstre! Mais il semblait tellement...

— Je sais l'impression qu'il peut donner. Il est capable d'embobiner n'importe qui. Ne vous accusez pas en vain.

— Avez-vous envisagé d'emmener Michael voir son père ? demanda Jackie avec curiosité.

— Je ne crois pas que je le supporterais, murmura Leigh en se mordant la lèvre. Quand je songe à ces pauvres femmes et à ce qu'il leur a fait... Mais je laisserai sans doute Miroslav et Ivana y conduire Michael après le procès. Michael est tout pour Stefan. Ce serait cruel de ma part de le priver de ses visites, maintenant qu'il est...

Elle n'acheva pas sa phrase. Jackie lui enlaça les épaules, puis poursuivit :

— Et en ce qui concerne Zan et Mila ? Où en êtes-vous avec eux ?

— Je crois que Zan s'est retrouvé embarqué dans une affaire qui est contraire à sa véritable nature. Je ne lui en veux absolument pas. En revanche, ajouta-t-elle, le visage fermé, je mettrai plus longtemps à pardonner à Mila... Mais je suis persuadée qu'Ivana finira par nous réconcilier.

— Je me réjouis que vous n'ayez pas renié la famille Panesivic. Il s'agit des racines de Michael, d'une partie importante de son héritage culturel. Et la famille est un bien irremplaçable. Nous n'avons pas le droit de rejeter les personnes qui nous aiment. Dieu sait si elles sont peu nombreuses ! ajouta-t-elle en fixant la surface de l'eau, lisse comme un miroir.

— M'man ! cria Michael. Alex dit que c'est l'heure d'aller au lit. Tu viens me raconter une histoire ?

L'enfant tenait toujours Alex par la main, tout en agitant l'autre main pour attirer l'attention de sa mère. Leigh se leva en souriant.

— Merci encore, murmura-t-elle à Jackie.

Dès que Leigh se fut éloignée, Adrienne, très belle dans son short bariolé et son chemisier noué sur son ventre plat, se laissa tomber sur le siège vacant.

— Vous êtes aussi inaccessible qu'une vedette de cinéma, gémit-elle. On n'a pas pu échanger un mot depuis le début de la soirée !

— Alors, quel est ce problème que vous évoquiez ? s'enquit Jackie. Pourquoi teniez-vous tant à me voir ?

— Ecoutez, Kaminski, rétorqua Adrienne avec le sourire sarcastique que Jackie lui connaissait si bien. Si vous devez désormais traîner vos baskets dans la haute société, il faut que je vous apprenne l'art du bavardage futile. Commencez par me demander comment je vais.

— Comment allez-vous, Adrienne ?

— A merveille, très chère. Et vous-même ?

— Ça va bien.

— Et maintenant, parlez-moi de ma tenue !

— Ce short que vous portez est vraiment divin, dit Jackie du tac au tac. Ces petites taches noisette rappellent la nuance dorée de vos prunelles.

— Je vous adore, Kaminski ! s'exclama Adrienne en éclatant de rire. Comment s'est passé votre voyage ?

— Un désastre, avoua Jackie, renonçant au badinage. J'ai eu l'impression de revivre tout ce que j'ai cherché à fuir depuis mon enfance. Je me demande quelle pulsion masochiste m'amène à retourner là-bas... Bon, si nous abordions ce problème concernant Alex ? Pourquoi m'avez-vous laissé ces messages ?

Elles regardèrent toutes deux la jeune fille qui regagnait la maison, absorbée dans une conversation avec Harlan. Comme Adrienne demeurait silencieuse, Jackie reprit prudemment :

— Elle a l'air vraiment aux anges. Et elle m'a confié qu'elle est parfaitement heureuse chez vous !

— C'est vrai. Elle semble épanouie, reconnut Adrienne en baissant les yeux. Remarquez, nous avons eu quelques moments difficiles : depuis qu'elle vit chez nous, elle a craqué deux fois, pleurant toutes les larmes de son corps durant des heures... Harlan et moi l'avons consolée de notre mieux. Nous l'avons câlinée et dorlotée, et nous lui avons fait raconter sa vie. Elle semble un peu rassérénée maintenant, mais quand je pense à toutes ses tribulations... La gamine a vécu un véritable enfer, Jackie !

— C'est pourquoi ça me fend le cœur de penser qu'elle doit encore partir, alors qu'elle vient de s'installer ici.

— Et pourquoi partirait-elle d'ici ? s'enquit Adrienne en lui jetant un regard aigu.

— Mais... c'est vous qui avez évoqué un problème ! répondit Jackie, déconcertée.

— Ce problème n'a rien à voir avec Alex. Il s'agit de moi, et de moi seule.

Les luminaires discrets, fixés sous le toit de la terrasse, s'allumèrent, éclairant les arbustes argentés et l'eau miroitante de la piscine. Jackie posa la main sur le bras d'Adrienne, l'encourageant à poursuivre.

— J'ai une trouille bleue, avoua enfin la jeune femme. J'ai peur... de perdre Alex ! Que se passerait-il si sa mère réapparaissait avec l'intention de la récupérer ? Je ne pourrais pas le supporter. Je me suis tellement attachée à elle que je mourrais si je la perdais ! Et Harlan aussi.

— Cela n'arrivera pas, répondit Jackie avec un soupir de soulagement. Vous pouvez être tranquille, il n'y a pas le moindre risque que ça se produise.

— Mais je n'arrête pas de lire des articles au sujet de gens qui se sont occupés d'un gosse pendant des années, et qui voient un jour venir les parents biologiques pour récupérer l'enfant !

— Il s'agit là d'enfants en bas âge, Adrienne. Des enfants très jeunes, comme Michael. Alex a quatorze ans, elle est en âge de décider où elle veut vivre. Aucun juge au monde ne pourra l'obliger à retourner à Seattle si elle a choisi de rester avec vous... Harlan a d'ailleurs dû vous l'expliquer, non ?

— Il m'a effectivement parlé plus ou moins en ces termes, mais Harlan est spécialisé dans le droit des affaires, il ne connaît rien aux lois et aux formalités d'adoption. Je voulais donc l'entendre de votre bouche.

— C'est chose faite. Personne ne pourra vous reprendre Alex tant que vous serez tous heureux ensemble. Etes-vous rassurée ?

Jackie scruta le visage d'Adrienne, qui semblait encore troublée par quelque pensée secrète. A cet instant, Alex sortit de la maison, un étui de cuir à la main. Elle s'installa jambes croisées au bord de la piscine, tout en discutant à mi-voix avec Harlan. Puis elle ouvrit l'étui et en sortit une flûte d'argent. Après avoir assemblé l'instrument, elle se mit à jouer *Danny Boy*, à la grande joie de toute la famille qui l'écoutait attentivement.

La lumière tamisée provenant de la terrasse teintait d'or la peau hâlée et la chevelure blonde de la jeune fille, tandis que la douce mélodie de la flûte s'élevait lentement, portée par la chaude nuit d'été.

— De toute façon, elle va partir, articula Adrienne d'une voix malheureuse. Cette année, elle sera en seconde, on vient de l'inscrire... Et, bientôt, fini le collège ! Elle ira faire ses études à l'université.

— Et alors ?

— Harlan et moi serons de nouveau seuls. Que ferai-je alors ? dit Adrienne avec désespoir. Cette jeune fille a rempli ma vie. Quand elle partira, comment supporterai-je le vide qu'elle laissera ?

— Eh bien, vous en prendrez une autre, répondit calmement Jackie. Il existe des milliers de filles comme Alex... Et vous avez, Harlan et vous, assez de place dans votre maison et dans vos cœurs pour accueillir plus d'un enfant.

— Mais est-ce que je serai capable...

— Bien sûr que oui, la rassura Jackie. Ecoutez, dès que la chambre d'Alex sera vide, vous me ferez signe. Et je vous promets de vous trouver un nouveau locataire. En fait, je pourrai vous en proposer deux ou trois, si vous devenez une mère vraiment expérimentée.

Les yeux écarquillés, Adrienne dévisagea Jackie pendant quelques instants. Puis, renversant la tête sur le dossier de sa chaise longue, elle partit d'un éclat de rire tellement joyeux et irrésistible que tous les autres se tournèrent vers elle d'un air mi-perplexe, mi-amusé.

28.

Quand elle quitta la soirée, la nuit était complètement tombée, enveloppant la terre de son manteau bleu sombre. Sur le chemin du retour, Jackie regardait les lointaines étoiles scintillant par-dessus la silhouette noire des collines. La lune était à son dernier quartier; une semaine auparavant, c'était la pleine lune, et Jackie se souvenait d'avoir admiré l'astre majestueux trônant haut dans le ciel. Maintenant, le croissant semblait pâle et sans vie, mince et fragile comme une brindille de paille...

Un peu plus tard, dans son appartement, elle l'aperçut de nouveau par la fenêtre. Un sentiment de mélancolie lui étreignit le cœur. Elle erra sans but à travers les pièces silencieuses, déplaçant les objets, cherchant en vain une occupation qui lui permît de combattre son vague à l'âme.

Il était trop tôt pour se coucher, mais elle n'avait plus le courage de sortir. Un instant, elle songea à passer chez Carmen. Mais Tony se trouvait certainement là; ce n'était pas le moment de les déranger.

Elle finit par s'installer sur le canapé devant le téléviseur et se mit à zapper, jusqu'à ce qu'elle eût trouvé un documentaire sur le monde des animaux. Le film était consacré à la vie des tigres. Deux énormes félins se prélassaient à l'ombre des banians, se léchant l'un l'autre paresseusement.

Jackie croisa les jambes, prit un coussin et le serra contre elle, absorbée par l'image. La caméra se déplaça lentement vers un autre couple, à moitié caché par l'herbe haute et drue. Les tigres faisaient l'amour. Le mâle renversa la femelle d'un lourd coup de patte et la monta avec un sourd grognement. Sa compagne restait étendue sous le grand corps tout en muscles, les yeux mi-clos, l'air soumise. Le puissant tigre lui mordilla le cou pour la maintenir, puis relâcha son étreinte et entreprit de la caresser avec une tendresse étonnante. Elle se tordit de plaisir, battit l'herbe de sa patte, puis tourna la tête vers lui pour le regarder au moment même où leurs deux corps s'unissaient...

Rejetant le coussin, Jackie se leva d'un bond et se dirigea vers la cuisine. Après s'être préparé du pop-corn, elle passa un long moment à essuyer la table et à nettoyer l'évier, qui d'ailleurs brillait déjà comme un sou neuf. Enfin, elle revint dans le salon avec son bol de pop-corn, espérant que la scène d'accouplement était terminée. Comme elle s'installait de nouveau devant l'écran, son Interphone sonna. « Qui diable... ? » songea-t-elle, perplexe, avant d'aller répondre.

C'était Paul Arnussen. Il demanda s'il pouvait monter un instant. Muette de stupéfaction, elle appuya sur le bouton qui commandait la porte d'entrée.

— Bonjour, dit-il d'un air grave, quand il apparut sur le seuil. Ce n'est pas trop tard pour une visite ?

— Non, balbutia-t-elle, la main crispée sur la porte. J'étais en train de regarder la télé...

— En mangeant du pop-corn, n'est-ce pas ? Je reconnais l'odeur !

Elle hocha la tête, embarrassée comme une adolescente, incapable de parler, en proie à un étonnement mêlé d'anxiété. Il y avait aussi, nichée au creux de son estomac, une autre sensation qu'elle avait trop peur d'analyser, mais qui accélérait le rythme effréné de son cœur...

Seigneur, comme cet homme était beau ! Elle devinait son corps puissant sous la chemise blanche et le jean délavé. Ses cheveux blonds, qui semblaient doux comme de la soie, prenaient des teintes dorées sous la lumière tamisée de l'entrée.

— Qu'y a-t-il d'intéressant à la télé, ce soir ? demanda-t-il.

— Une émission sur les tigres.

— J'adore les tigres. Ils sont magnifiques.

— Ils... me font penser à vous.

— Pourquoi ? demanda-t-il, surpris.

Elle se sentit rougir violemment et fixa le plancher. Comment avait-elle pu lâcher une telle sottise ? Il allait la prendre pour une idiote, la mépriser même. Oh, elle mourait de honte, elle aurait voulu que la terre s'ouvrît sous ses pieds et l'engloutît...

— Etes-vous sûre que je ne vous dérange pas, Jackie ? s'enquit-il, alerté.

— Oh ! Non, pas du tout.

Elle le conduisit dans le salon, désigna un large fauteuil rembourré, puis se précipita dans la cuisine pour chercher un autre bol de pop-corn. Quand elle rejoignit son visiteur, elle le trouva concentré sur l'écran, où une tigresse enseignait à ses petits l'art de chasser. Les trois bêtes se glissaient à travers la broussaille, guettant un troupeau d'antilopes.

— Je pensais que vous aviez quitté la ville, dit Jackie en se rasseyant sur le canapé, les jambes repliées.

— Comment cela ?

— Brian a voulu vous inviter à prendre un verre, l'autre soir. Votre propriétaire lui a dit que vous aviez déménagé. Nous avons cru que vous étiez parti pour de bon.

— Je ne sais pas pourquoi elle vous a raconté ça. Peut-être parce qu'elle en a assez de voir débarquer la police chez elle. En fait, j'ai simplement pris deux semaines de vacances, et je suis allé faire quelques achats.

— Il vous faut deux semaines pour effectuer vos emplettes ?

— C'était pour mon ranch. J'ai aussi jeté un coup d'œil sur les terrains à vendre dans l'Idaho et dans le Montana... Oh, ne croyez pas que je m'apprête à acheter un ranch tout de suite ! ajouta-t-il en surprenant le regard incrédule de Jackie. Je n'aurai pas réuni la somme nécessaire avant deux ou trois ans. Mais j'aime aller me balader dans la région de temps en temps, en imaginant que c'est pour bientôt. L'espoir fait vivre, n'est-ce pas ?

— Vous avez raison, acquiesça Jackie avec conviction.

Elle lui jeta un regard de biais. En réalité, elle savourait chaque instant de sa présence, qui lui paraissait tenir du miracle. L'homme avait l'air parfaitement à l'aise dans son appartement. Il émanait de lui une telle puissance magnétique que, dans quelque lieu où il se trouvât, l'environnement semblait se réorganiser autour de lui, comme si, tout naturellement, il en devenait le centre.

— Vous aussi, vous étiez partie, lui dit-il. J'ai appelé le commissariat à deux reprises, et on m'a répondu que vous ne seriez là que la semaine prochaine. Je n'espérais pas vous trouver chez vous ce soir.

— Je suis allée en Californie voir ma grand-mère.

— Et vous êtes rentrée plus tôt que prévu ?

— Le voyage n'a pas été très réussi.

— Pourquoi ?

Elle se surprit en train de lui raconter toute sa vie et, curieusement, sans en éprouver aucune gêne. Elle lui confia ses peines et ses déceptions, lui relatant par le menu ses relations complexes avec sa grand-mère et ses cousins. Pendant ce temps, il l'écoutait sans l'interrompre, les yeux fixés sur son visage.

— Je vais chez ma grand-mère parce que je suis rongée par un terrible sentiment de culpabilité, conclut Jackie, le regard perdu dans la contemplation du croissant argenté derrière la fenêtre. Et puis, chaque fois, je me rends compte qu'elle se fiche de ma présence. Elle attend que je parte pour continuer sa vie.

— Mais vous essayez obstinément de donner à cette relation un sens qu'elle ne peut avoir !

— Je sais que ça paraît stupide, mais je n'arrive pas à y renoncer... Même quand ma grand-mère me dit des méchancetés. C'est comme si je cherchais à sauver une parcelle de mon enfance, un souvenir d'innocence et de pureté... Il est vrai que ces souvenirs sont plutôt maigres, ajouta-t-elle avec un sourire embarrassé. Mais j'y tiens. Je ne suis pas aussi dure que j'en ai l'air, conclut-elle d'un air pudique.

— Je n'en ai jamais douté, Jackie.

Et elle savait qu'il disait la vérité : une tendresse mêlée de compassion émanait de son regard, et son sourire rayonnait de douceur... Comment avait-elle pu soupçonner cet homme d'avoir fait du mal ? Elle avait l'impression qu'un voile venait de se déchirer, lui permettant enfin d'apercevoir le vrai visage de Paul Arnussen. Et elle ne se lassait pas de le contempler...

Il se mit à parler à son tour, évoquant ses voyages, décrivant les ranchs qu'il avait visités, confiant ses projets d'avenir. Pendant ce temps, elle imaginait l'immensité du ciel sous un soleil incandescent, des horizons inexplorés, des animaux sauvages courant en toute liberté, un océan d'herbe ondulant sous le vent...

— Quel monde merveilleux ! dit-elle avec un soupir. J'aimerais croire qu'il existe.

— Je vous emmènerai faire une promenade demain, proposa-t-il. Vous avez encore un peu de temps devant vous ?

— Toute une semaine.

— Nous irons dans le Montana. Je vais vous montrer l'endroit où je suis né, et je vous présenterai à quelques-uns de mes amis.

— J'en serai ravie, Paul !

Elle sentit qu'entre eux, toutes les barrières étaient tombées, qu'il ne restait plus l'ombre de cette tension qui tenait de l'ancienne méfiance entre inspecteur et suspect. Elle fut submergée par des sensations qu'elle n'avait jamais connues auparavant. Dieu, qu'elle se sentait à présent fragile et vulnérable. Le bouclier qui l'avait protégée de ses propres émotions pendant les derniers jours n'existait plus, et elle se rendit compte de tous les désirs qu'elle avait jusque-là refrénés : toucher son visage, caresser ses cheveux, se blottir entre ses bras...

— Regardez, lui dit-il en fixant l'écran. La petite antilope est en train de leur échapper ! Nos tigres vont jeûner ce soir s'ils ne se mettent pas à chasser sérieusement...

— Comment ça marche, vos visions de médium ? demanda-t-elle brusquement. Pouvez-vous les provoquer à volonté ?

— Pas du tout, répondit-il d'un air subitement gêné. Ça me vient de temps en temps, mais je ne peux pas les contrôler.

— Je ne comprends pas, dit-elle, les sourcils froncés.

— Imaginez, expliqua-t-il en choisissant soigneusement ses mots, que vous êtes en train de passer en revue les différentes fréquences radio dans votre voiture. Tout d'un coup, vous captez l'appel d'un commissariat éloigné, une voix qui sonne d'une manière étonnamment claire et distincte. Et puis, soudain, la voix se brouille et disparaît de nouveau. Cela vous est arrivé, n'est-ce pas ?

Comme Jackie hochait la tête, il poursuivit :

— Eh bien, ça y ressemble. Ces « flashes » m'apparaissent environ une ou deux fois par an, et toujours au moment où quelqu'un est en situation de détresse. C'est comme si je captais un signal d'alarme. D'habitude, je n'ai pas la moindre idée de ce dont il s'agit ; j'essaie donc de l'ignorer.

— Mais vous n'avez pas pu vous empêcher de réagir dans le cas de Michael, n'est-ce pas ?

— Mon Dieu, c'était affreux, murmura-t-il en frissonnant. Le pauvre petit...

— Il va très bien maintenant. Grâce à vous !

Jackie lui raconta la soirée passée avec les Mellon, le mettant au courant des derniers développements de l'affaire. Comme à son habitude, Arnussen l'écouta d'un air grave et tranquille, lui posant quelques questions et l'observant de ses yeux noirs et insondables.

Pendant qu'ils discutaient, Jackie eut l'impression que son sentiment de solitude fondait sous la douceur de cette nuit d'été. Une bouffée de joie lui emplit le cœur, et elle s'abandonna à la sensation d'amitié et de confiance qui la portait comme une vague.

Il la fixa de son regard intense encore un instant, puis posa son bol de pop-corn, se leva et s'approcha d'elle.

— Je vais faire quelque chose que je désire depuis que je vous ai rencontrée, annonça-t-il gravement.

— Qu'est-ce que c'est ?

En guise de réponse, il se pencha et la prit dans ses bras, se laissant glisser sur le canapé près d'elle. Dieu qu'il était fort ! Elle pouvait sentir les muscles d'acier de ses bras qui l'emprisonnaient. Pourtant, son étreinte était imprégnée d'une infinie douceur...

— Je vais vous embrasser, inspecteur. Promettez-vous de ne pas m'arrêter pour ça ?

— Je ne peux rien promettre, murmura-t-elle, le visage pressé contre son cou, respirant le mélange d'odeurs qui émanait de lui, sa peau hâlée, sa chemise de coton, son corps sain et puissant. Essayez d'abord, on verra après !

Il pressa ses lèvres chaudes contre les siennes. Comme il s'emparait de sa bouche et l'embrassait passionnément, le souffle lui manqua, et elle eut le vertige... Longtemps, ils restèrent enlacés. Elle pouvait sentir son corps magnifique se tendre sous la violence du désir, et elle frémit de plaisir, souhaitant que ce baiser ne finît jamais. Enfin, elle s'écarta et leva les yeux vers lui avec un sourire rêveur.

— On peut dire que vous êtes doué, murmura-t-elle.

— Vous aussi, inspecteur. Vous savez quoi ? Je crois que je vous ai attendue toute ma vie. Et quand je vous ai enfin rencontrée, hmm, vous m'avez jeté en prison !

— Ne m'accablez pas.

Il éclata de rire et l'attira tendrement vers lui, posant un œil distrait sur l'écran de télévision. Elle suivit son regard. Les tigres se prélassaient de nouveau sous les banians.

— Ils ont l'air content, pas vrai ? murmura-t-il d'une voix rauque contre sa joue. Comme une grande famille heureuse et unie.

— C'est tout ce dont j'ai toujours rêvé, répliqua Jackie. Faire partie d'une famille, aimer et être aimée en retour.

— Moi aussi, dit-il en souriant. Il n'y a rien de pire au monde que la solitude. Mais ce n'est pas facile, pour un tigre, de trouver son partenaire. Ça peut prendre très, très longtemps !

Elle se blottit contre lui. Il attira de nouveau son visage vers le sien et l'embrassa.

Le soleil se couchait derrière les banians ; ses rayons obliques habillaient d'or les branches des arbres et recouvraient l'herbe d'un tapis scintillant. Dans l'ombre violette, les tigres, réunis, s'étendirent côte à côte et s'endormirent paisiblement, tandis que le crépuscule descendait lentement sur eux.

Soupçons à l'hôpital

FRANCIS ROE

Paula Cairns, trente ans. Belle, célibataire et... chirurgienne.

Lorsque Paula est nommée au Centre médical de New Coventry, elle ne peut que se réjouir : cet hôpital est l'un des plus cotés de Nouvelle-Angleterre.
Une chance pour sa carrière ? Pas si sûr. Et Paula s'en rend compte bien vite : l'hôpital est le lieu de toutes les rivalités, de tous les coups bas, de tous les soupçons. D'autant que la jeune femme a de quoi susciter la jalousie de ses pairs : ses recherches sur l'élimination des caillots sanguins semblent sur le point d'aboutir. Un médicament est en vue, qui permettrait de sauver des millions de vies humaines et rapporterait une fortune à celui qui en détiendrait le brevet.
Dès lors, les appétits s'aiguisent. Patrons de laboratoires pharmaceutiques, médecins corruptibles ou corrompus, tous n'ont bientôt qu'un objectif : déposséder la jeune femme de sa découverte.
A ce jeu-là, tous les moyens sont bons.

BEST-SELLERS N°80
A PARAÎTRE LE 1er JUILLET

LES BEST-SELLERS

Commandez sans plus attendre ces romans signés des meilleurs auteurs de la littérature féminine.

PENNY JORDAN	❑ n°7 *“De mémoire de femme”*
	❑ n°26 *“L'amour en question”*
	❑ n°44 *“L'amour blessé”*
	❑ n°74 *“L'honneur des Crighton”*
NORA ROBERTS	❑ n°10 *“Hantise”*
	❑ n°25 *“Fille de star”*
	❑ n°31 *“Possession”*
	❑ n°38 *“Coupable innocence”*
	❑ n°43 *“Tabous”*
PATRICIA MATTHEWS	❑ n°5 *“Oasis”*
	❑ n°9 *“Le passé oublié”*
TERRY HERRINGTON	❑ n°18 *“Revanches”*
	❑ n°28 *“Héritages”*
FRANCIS ROE	❑ n°21 *“L'impossible pardon”*
	❑ n°35 *“Une femme en sursis”*
	❑ n°62 *“Le prix d'une vie”*
CHARLOTTE VALE ALLEN	❑ n°30 *“Secrets de femmes”*
	❑ n°37 *“L'enfance volée”*
	❑ n°54 *“Le destin d'une autre”*
H. GRAHAM POZZESSERE	❑ n°23 *“Soupçons”*
	❑ n°42 *“Le triangle du diable”*
	❑ n°53 *“L'été fatal”*
JOANN ROSS	❑ n°12 *“La loi du mensonge”*
	❑ n°48 *“La femme de l'ombre”*
	❑ n°61 *“Souvenirs interdits”*
	❑ n°69 *“Passions rebelles”*
JANICE KAISER	❑ n°57 *“Jeux mortels”*
	❑ n°65 *“La dernière nuit à Rio”*
TAYLOR SMITH	❑ n°63 *“La mémoire assassinée”*
	❑ n°73 *“L'amour en otage”*

Composé sur le serveur d'Euronumérique, à Montrouge
par les Éditions Harlequin
Achevé d'imprimer en avril 1998
sur les presses de l'Imprimerie Bussière
à Saint-Amand-Montrond (Cher)
Dépôt légal : mai 1998
N° d'imprimeur : 773 — N° d'éditeur : 7067

Imprimé en France